Hans Schauder / Marcus Lefébure

LEBENSBERATUNG

FÜR UNSERE FREUNDE

»Was ist herrlicher als Gold?« fragte der König.
»Das Licht«, antwortete die Schlange.
»Was ist erquicklicher als Licht?« fragte jener.
»Das Gespräch«, antwortete diese.

Goethe, *Das Märchen*

Hans Schauder / Marcus Lefébure

Lebensberatung

Ein Weg zu Wandlung und Geborgenheit

Ein anthroposophischer Arzt und ein katholischer Mönch im Gespräch

RUDOLF GEERING VERLAG
Goetheanum · Dornach

Die deutsche Übersetzung wurde von Susanne Kerkovius bearbeitet
und mit einem Vorwort versehen.

Die englischen Originalausgaben erschienen bei T & T Clark,
Edinburgh, unter dem Titel »Conversations on Counselling –
between a Doctor and a Priest« (Teil I) und
»Human Experience and the Art of Counselling« (Teil II).

Gesamtherstellung Clausen & Bosse, Leck

ISBN 3-7235-042-0

Inhalt

Vorwort zur deutschen Ausgabe

Vor einigen Jahren erschien bei Clark in Edinburgh ein kleines Buch: »Conversations on Counselling between a Doctor and a Priest«, herausgegeben von Marcus Lefébure, eine Reihe von Gesprächen zwischen dem anthroposophischen Arzt und Lebensberater Hans Schauder und dem Dominikanermönch Marcus Lefébure. Sowohl der Inhalt der Gespräche, der sich mit der Kunst der Lebensberatung, dem Prozeß des therapeutischen Gesprächs und dem Urbild des menschlichen Gesprächs überhaupt sowie einigen anderen Lebensfragen befaßte, als auch die Art und Weise, wie sich da zwei Menschen aus ganz unterschiedlichen geistigen Richtungen begegnen und gemeinsam etwas Neues schaffen, bewirkten, daß das kleine Büchlein immer wieder von Menschen, die es in die Hand bekamen, als ein »Juwel« bezeichnet wurde (B. Urieli, in »Camphill Correspondence«, Juni 1983).

Eine Fortsetzung fanden die »Conversations« in dem 1985 erschienenen und wiederum von Marcus Lefébure herausgegebenen Band »Human Experience and the Art of Counselling«. Auch diese zweite Dialogfolge basiert auf wirklichen Gesprächen zwischen Dr. Schauder und dem Herausgeber. Sie waren auf Band aufgezeichnet worden und wurden dann überarbeitet. Bei der Bearbeitung des ersten Teils hatte sich der Herausgeber mit der unveränderten Wiedergabe des Gesagten begnügt, so daß der Gesprächsverlauf in all seinen Wirkungen und Verwicklungen erfahrbar wurde. Beim zweiten Teil erlaubte er sich eine größere editorische Freiheit, indem er manche seiner eigenen Aussagen erweiterte, mit Zitaten aus der philosophischen und theologischen Fachliteratur versah und seinen eigenen wissenschaftlichen Stil klarer akzentuierte und dem konkreten und bildhaften Stil seines Gesprächspartners gegenüberstellte. Sein Anliegen war es dabei, dasjenige, was Dr. Schauder an allgemeinen Gedanken aus der Lebenserfahrung herausentwickelte und am liebsten im Keim, im bildhaften Ausdruck belassen möchte, in allgemeine philosophische Begriffe zu fassen. Während sich Lefébure im ersten Teil (Gespräche 1–6) mehr in der Rolle des Fragenden und Zuhörenden befand, übernahm er im zweiten Teil mehr und mehr die Aufgabe des Erweiterns, Ergänzens, des Schaffens von Verbindungen, Verweisen auf andere oder ähnliche Fragen und Wissensgebiete. Im Vorwort zur englischen Ausgabe des zweiten Bandes schreibt er hierzu, diese Verbindung zwischen Philosophie und Lebenserfahrung entspreche einem starken Bedürfnis des heutigen Menschen, den die Philosophie, deren eigentliche Berufung die Liebe zur Weisheit ist, im realen Leben allein zurückläßt. Aber die Psychologie, die Pädagogik und andere Wissenschaften, die sich mit dem Leben befassen und hier an die Stelle der Philosophie getreten sind, wiesen oft nicht deren Fähigkeit auf, systematische Begriffe aufzubauen und in Verbindung miteinander zu bringen. Es komme also in Zukunft darauf an, die Maxime des Jainismus zu verwirklichen: »Lebe nicht, um zu wissen, sondern wisse, um zu leben.«

Ein doppeltes Anliegen entwickelte sich also aus der Arbeit an der zweiten Gesprächsfolge heraus: Aus der Kenntnis der unterschiedlichen Denk- und Erfahrungsweisen der beiden Gesprächspartner, aus dem gegenseitigen Aufwachen für den jeweiligen geistigen Impuls, den der andere vertritt, ergab sich das Bedürfnis nach philosophischer Durchdringung des Lebens, nach einer Verlebendigung der Philosophie. Nicht von ungefähr sind die von uralter Geistigkeit durchdrungenen Lehren des Ostens und die Seelenerfahrungen der Mystik das gemeinsame Fundament der beiden Freunde. Von ihrer Wärme, von ihrem Feuer durchdrungen, lassen sich die Mysterien des Lebens, die geistigen Offenbarungen im Alltag erahnen. Als Lebensberater und als Menschen dieser Zeit ist für Dr. Schauder und Marcus Lefébure das intensive Erfahren des menschlichen Seelenlebens auf dem Weg vom Selbst zum höheren Selbst das zentrale Thema. Daß Dr. Schauder Anthroposoph ist, Lefébure dagegen Dominikanermönch, ist dabei keineswegs hinderlich; für beide ist nicht eine Weltanschauung im Sinne festgelegter Glaubenssätze maßgeblich, sondern die Überzeugung, daß es letztlich *eine* Wahrheit gibt, der sich die Suchenden auf unterschiedlichen Wegen nähern. Die Bemühung um die Sache, die Liebe zur

Erkenntnis, das Interesse für die individuellen Erlebnisse, Wahrnehmungen und Erfahrungen, die Wachheit für den Prozeß des Gesprächs als einer Art »Geburtsarbeit«, dies alles macht es möglich, daß der Leser dieser Gespräche Zeuge davon werden kann, wie die Ideen in der Welt aufgefunden werden, wie lebendige Begriffe sich zeigen, deren Licht und deren Atem strömen kann und denen sich das eigene Denken gerne hingibt. Daß gerade das Gespräch die Form für diese Arbeit abgibt, ist sicherlich kein Zufall. Ist es doch seit jeher und in zunehmendem Maße das Feld, auf dem sich Menschen begegnen, aneinander erwachen und dabei das allen Menschen Gemeinsame finden können, wie es in jedem einzelnen lebt.

Ostern 1987 *Susanne Kerkovius*

I.

Gespräche über Lebensberatung

Einführung

Heute hört und liest man sehr viel über »Lebensberatung«. Der Begriff wird oft gebraucht, und auch die Ausbildung zum »Lebensberater« und der entsprechende Beruf sind dabei, Gestalt anzunehmen. Vor etwa 30 Jahren war das noch nicht so. Bei der Beratungstätigkeit handelt es sich um eine junge Disziplin, die jedoch sehr große Fortschritte gemacht hat. Das bezeugen verschiedene Publikationen der jüngsten Vergangenheit, wie zum Beispiel *Introduction to Psychotherapy* von Brown und Pedder (1979), ein sehr guter Umriß des Gesamtgebietes der Psychotherapie, innerhalb welcher die Lebensberatung ihren Platz hat; *The Art of Psychotherapy* von Anthony Storr (1979), ein Buch, welches die Gemeinsamkeiten in den tiefenpsychologischen Praktiken der vergangenen achtzig Jahre zu bestimmen sucht und dann für die verschiedenen, aber doch miteinander zusammenhängenden Einzelbereiche der Psychotherapie nutzbar machen will; *Coding the Therapeutic Process: Emblems of Encounter* von Murray Cox (1978), mit dem Untertitel *A Manual for Counsellors and Therapists,* setzt sich eine Neubewertung der Therapie zum Ziel. Solche Werke bestätigen die Tatsache, daß Lebensberatung zu einer Disziplin wird, welche zu kritischer Selbstreflexion fähig ist. Mit anderen Worten: Die Kunst und das Handwerk der Lebensberatung erlangen allmählich jenen Reifegrad, der in einem Gewahrwerden der eigenen Grenzen besteht. Es handelt sich um eine junge Disziplin, die bereits ein Bewußtsein ihrer Grenzen zu entwickeln beginnt, aber noch nicht genügend Zeit gehabt hat, interdisziplinäre Überlegungen anzustellen. Sie hat insbesondere noch keinen vergleichenden Dialog entwickeln können, welcher die tieferen Voraussetzungen und Werte aller mit ihr verbundenen Wissenszweige zutage fördern könnte. Gerade ein solcher Dialog an den Grenzen zweier Tätigkeitsbereiche ist im vorliegenden Buch angestrebt. Es enthält eine Diskussion im vollen Sinne des

Wortes: eine Betrachtung und Untersuchung, die von zwei Menschen gemeinsam unternommen wird, und zwar von einem Repräsentanten der Priesterschaft, die ja einer der ältesten Kulturträger der Menschheit ist, und von einem Repräsentanten der jungen Kunst der Lebensberatung. Diese Diskussion wird in einer Reihe von Gesprächen entwickelt, damit schon allein durch die Form der untersuchende Charakter der Betrachtungen deutlich wird.

Nun hat sich diese Gesprächsform genau wie alles übrige in diesem Buch Dargestellte einfach in organischer Weise ergeben. Aber auch dem kritisch reflektierenden Blick zeigt sich das Gespräch als diejenige Form, die dem gegenwärtigen Entwicklungsstand der Lebensberatung am besten entspricht. Auch der heilige Anselm hat in seinem Werk *Cur Deus Homo* (1097) das Gespräch als literarische Form gewählt. Er schreibt dort die bezeichnenden Sätze: »Und da Untersuchungen, die in Form von Fragen und Antworten unternommen werden, klarer und für die meisten Menschen und ganz besonders für die langsameren Geister leichter nachvollziehbar sind, so werde ich mir einen solchen Gesprächspartner wählen, der mich mit besonderer Hartnäckigkeit bedrängt, und so wird Boso Fragen stellen und Anselm antworten.« Anselm wird dabei sehr wahrscheinlich mit vollem Bewußtsein auf ein noch bedeutenderes Werk zurückgegriffen haben, nämlich auf Platos Dialoge, welche für alle Zeiten den Entstehungsmoment des abendländischen Denkens verkörpern.

Doch wie es auch um die Rechtfertigung stehen mag – wir haben uns jedenfalls für die Dialogform entschieden. Damit bei der Lektüre dieser Gespräche zwischen meinem Freund Dr. Schauder und mir auch für den Leser das Lebendige und Atmosphärische dieser Begegnung erfahrbar wird, will ich die beiden »Kontrahenten« zunächst einmal auf den Schauplatz des Geschehens führen: Dr. Hans Schauder ist ein kleiner, schmaler, ziemlich kahler Mann mit lebhaften dunklen Augen und einer warmen Stimme, dem man beim Englischsprechen die österreichische Herkunft noch immer anhört, ein erfahrener Kinderarzt und Lebensberater am Ende seines 6. Jahrzehnts, ein Mensch, der Weisheit und Scharfsinn in sich vereinigt.

Ich, Marcus Lefébure, bin etwa zwanzig Jahre jünger, bärtig und schlank, von wechselhaftem Temperament, katholischer Priester mit tadellosem BBC-Englisch, wenn man nicht genau auf das R achtet. Dieses R verrät sofort meine österreichische Abstammung, und diese ist auch die Grundlage der Sympathie, die sich über die Jahre zwischen uns beiden entwickelt hat: Dr. Schauder ist im gleichen Wien geboren und aufgewachsen und hat im gleichen Wien sein Medizinstudium absolviert, in dem meine eigenen Eltern geboren wurden und aufgewachsen sind, wenn auch auf einer anderen Seite jener jüdischen Welt, in welcher auch Freud großgeworden ist. Wir entdeckten diesen gemeinsamen Punkt schon ziemlich bald, nachdem wir einander durch einen meiner Kollegen vorgestellt worden waren. So entstand aus einer zunächst rein beruflichen Begegnung eine tiefe persönliche Freundschaft. Sie fand ihren Ausdruck in einer Reihe ziemlich regelmäßiger Zusammenkünfte bei Kaffee mit Schlag, für welchen Dr. Schauders Gattin Liesl sorgte. Der einzig passende Ausdruck für diese Zusammenkünfte ist wohl der von Dr. Schauder gebrauchte: ein *Gespräch*, d. h. eine tiefe und gegenseitig bereichernde Begegnung auf den Ebenen des Fühlens, Denkens und Sprechens.

Diese im Laufe der Jahre immer regelmäßiger werdenden Zusammenkünfte fanden im schlicht eingerichteten, von Büchern gefüllten Arbeitszimmer Dr. Schauders statt. Ein großes Fenster lädt den Blick ein, über die Hügel draußen zu wandern und auf ihnen zur Ruhe zu kommen. Eines Tages kamen wir einfach auf die Idee, mindestens einige dieser Gespräche auf Gegenstände allgemeinen Interesses zu richten. Wir begannen zunächst nur für uns selbst, ein paar Gespräche auf Band aufzunehmen. Sollten wir nicht versuchen, gemeinsam einige der Beratertätigkeit zugrunde liegende tiefere Fragen zu untersuchen, so wie sie sich uns aus unseren verschiedenen, aber möglicherweise sich ergänzenden Perspektiven des Beraters und des Priesters ergaben? Aus solchen Überlegungen heraus kamen wir auf die Idee, mehrere gewöhnlich am Samstagmorgen stattfindende Gespräche solchen Themen zu widmen und sie aufzuzeichnen. Wir gingen nicht von einem Konzept für die ganze Gesprächsreihe aus, sondern ließen die Themen sich frei entwickeln. Im Laufe unserer Gespräche und Diskussionen über deren inneren Zusammenhang kristallisierte sich dann eine bestimmte Struktur heraus, und in dieser Struktur werden sie nun dem Leser dargeboten.

Als die beiden Säulen der ganzen Gesprächsfolge erwiesen sich, wie Dr. Schauder bald bemerkt hatte, Kapitel 1 über »Die Stufen der Beratung« und Kapitel 5 über »Die Stufen des geistigen Pfades«, welche zusammen zu zwei einander entsprechenden Gesprächsreihen führten. Die verschiedenen Gespräche beider Reihen wurden dann durch die zwei weiteren Kapitel »Beziehung und Einsamkeit« und »Mann und Frau« miteinander verbunden, während Kapitel 7 meinem eigenen Nachdenken entsprungen ist.

Alle Kapitel (außer dem ersten) entsprechen so, obwohl sie für den Druck leicht bearbeitet wurden, unseren auf Tonband aufgenommenen Gesprächen. Nur das erste Kapitel ist eine Ausnahme – es enthält ein Gespräch von Dr. Schauder mit einer befreundeten Sozialarbeiterin namens Ursula. Diese Frau hatte Dr. Schauder einmal über seine Beratertätigkeit befragt, kurz bevor ich ihn selbst fragte, was denn seiner Ansicht nach alles zur Psychotherapie gehöre. Ursula und ich erkannten erst später, daß wir beide unsere Fragen genau zum psychologisch reifen Zeitpunkt in Dr. Schauders Leben gestellt hatten, so daß wir ohne jede Absicht eine regelrechte *Bestandesaufnahme* auf seiten unseres Freundes in Gang brachten. Da das Gespräch mit der Sozialarbeiterin in mancher Hinsicht umfassender war als das zwischen Dr. Schauder und mir geführte, beschlossen wir, es als Ausgangsdialog in dieses Buch mit aufzunehmen.

So sind diese Gespräche aus dem Leben gegriffen. In diesem Zusammenhang möchte ich noch eine Erklärung hinzufügen. Dr. Schauders Beobachtungen sind weitgehend seine eigenen. Aber ihre Formulierung nimmt eine Färbung an, die nicht ganz von ihm selbst stammt. Dies erklärt sich gerade aus seiner Berater-Fähigkeit. Er vermag sich so in seinen Gesprächspartner einzufühlen, daß er Ausdrucksweise und Behandlungsform des Themas ganz diesem anpaßt. So war es ganz bestimmt bei uns beiden. Ich bin deshalb vollkommen überzeugt, daß seine Ausdrucksweise eine andere gewesen wäre, wenn er anstelle eines katholischen Priesters einen Erzieher oder einen Buddhisten vor sich gehabt hätte. Damit hätte sich natürlich die Substanz seiner Aussagen nicht gewandelt, sondern lediglich die Terminologie.

Nachdem nun die beiden Gesprächspartner und die äußeren Gegebenheiten dem Leser vor Augen stehen, laden wir ihn ein, an den

Gesprächen selbst teilzuhaben. Wir hoffen, der Geist des gemeinsamen Suchens in einer Atmosphäre von Sympathie und Vertrauen möge noch viele solcher Begegnungen inspirieren.

Marcus Lefébure

Erstes Gespräch: Die Stufen der Beratung

»Aus meiner Tätigkeit als Sozialarbeiterin habe ich den Eindruck gewonnen, daß sich die Leute auf die Beratungssitzungen nicht genügend vorbereiten, weil sie sich nicht klar darüber sind, welche Bedeutung das hat. Was denken Sie darüber, wie bereiten Sie sich vor?« begann Ursula das Gespräch.

»Nun«, antwortete Dr. Schauder, »ich glaube, es ist außerordentlich wichtig, sich *vorzubereiten*, und zwar in mehrfacher Hinsicht. Zunächst muß man sich darüber klarwerden, daß die allgemeine Lebensweise für eine erfolgreiche Beratertätigkeit von grundlegender Bedeutung ist. Mit ›allgemeiner Lebensweise‹ meine ich zwei verschiedene, wenn auch miteinander zusammenhängende Dinge. Zunächst einmal ist es sehr wichtig, daß der Berater über eine umfassende Lebens- und Menschenerfahrung verfügt. Ich muß in diesem Zusammenhang des öfteren an eine Äußerung von Jung denken. Sie findet sich in einer Sammlung seiner Schriften, deren Auswahl von Jolande Jacobi, einer seiner Schülerinnen, besorgt wurde, und hat den folgenden Wortlaut:

›Wer die menschliche Seele kennenlernen will, der wird von der experimentellen Psychologie soviel wie nichts darüber erfahren. Ihm wäre zu raten, lieber die exakte Wissenschaft an den Nagel zu hängen, den Gelehrtenrock auszuziehen, der Studierstube Valet zu sagen und mit menschlichem Herzen durch die Welt zu wandern, durch die Schrecken der Gefängnisse, Irrenhäuser und Spitäler, durch trübe Vorstadtkneipen, Bordelle und Spielhöllen, durch die Salons der eleganten Gesellschaft, die Börsen, die sozialistischen Meetings, die Kirchen, die Revivals und Ekstasen der Sekten zu gehen, Liebe und Haß, Leidenschaft in jeder Form am eigenen Leibe zu erleben, und er käme zurück mit reicherem Wissen beladen, als ihm fußdicke Lehrbücher je gegeben hätten, und er wird seinen Kranken ein Arzt sein können, ein wirklicher Kenner der menschlichen Seele.‹[1]

Von großer Bedeutung sind für den Lebensberater außerdem grundlegende Erfahrungen mit den Künsten und mit den großen spirituellen Traditionen der Menschheit. In großen Kunstwerken und religiösen Impulsen sprechen sich menschliche Erfahrungen aus, die über das gewöhnliche Bewußtsein hinausführen und Menschen umwandeln können. Der Berater muß solche Erfahrungen bis zu einem gewissen Grade selbst gemacht haben, denn es wird ja in den späteren Phasen seiner Arbeit mit anderen Menschen seine Aufgabe sein, ihnen zu helfen, ein wohlgegründetes Innenleben aufzubauen. – Andererseits muß sich jemand, der solche Erfahrungen in seiner Jugend und in den frühen Reifejahren gemacht hat und der nun Berater werden will, allmählich eine ausgewogene, disziplinierte und ruhig-gelassene Lebensart aneignen. Es würde mich und meine Arbeit beispielsweise sehr beeinträchtigen, wenn ich Stunden vor dem Fernsehapparat verbringen oder wenn ich mich an irgendwelchem Klatsch und Tratsch beteiligen würde. Ich könnte Ihnen noch an vielen Beispielen zeigen, daß die gesamte Lebensweise außerordentlich wichtig ist. Im Hinblick auf die konkrete Beratungssituation ist es, glaube ich, entscheidend, daß man sich zu Beginn in einen geistig und physisch entspannten Zustand versetzt, und ebenso, daß man sein Bewußtsein von allen persönlichen Gefühlen, Gedanken und Sorgen befreit. Auf die Gesprächsbegegnung sollte man gleichsam in einem ›Zustand der Unschuld‹ und vollkommener Aufnahmebereitschaft zugehen, so daß man frei und ohne Hindernis wahrnehmen kann, was einem durch den Patienten entgegenkommt.«

»Machen Sie während der Vorbereitung Gebrauch von Akten oder anderen Hintergrundinformationen über den Patienten, die Ihnen vor dem Gespräch zugegangen sind?« fragte Ursula.

»Nein, meistens werfe ich höchstens einen kurzen Blick auf diese Dinge, denn andernfalls würde meine Aufmerksamkeit von vornherein schon viel zu stark auf bestimmte Punkte gerichtet sein. Es

[1] Psychologische Betrachtungen. Eine Auslese aus den Schriften von C. G. Jung. Zusammengestellt und herausgegeben von Dr. Jolande Jacobi. Zürich 1945. S. 87

geht ja gerade um die unbefangene Begegnung mit einem Menschen, der Rat sucht, und wenn ich mir vorher schon ein festes Bild von ihm gemacht habe, kann ich nicht mehr offen sein für das, was mir von ihm entgegenkommen will. Sehr häufig kommt einem natürlich in Wirklichkeit auch ganz anderes entgegen als das, was einem zuvor mitgeteilt wurde. Doch nachdem ich den ersten grundlegenden Eindruck gewonnen habe, mache ich auch von den verschiedenen Unterlagen einen beschränkten Gebrauch. Ich versuche mir dann beispielsweise darüber klarzuwerden, ob ich mit der gestellten Diagnose übereinstimmen kann. Doch weiter gehe ich nicht. Andernfalls würde ich das Gefühl haben, mein Bewußtsein mit Gedanken und Schlußfolgerungen vollzustopfen. Ich würde bestimmte Ergebnisse vorwegnehmen, statt selber in organischer Weise Tatsachen in Erfahrung zu bringen, und das würde einem Fehlschlagen des ganzen Beratungsprozesses gleichkommen. Dieser Prozeß soll in einem Zustand vollkommener Aufnahmebereitschaft beginnen, der völlig frei und offen für alle Eindrücke ist, so wie sie einem in rein menschlicher Weise entgegenkommen. Man soll sich dabei nicht in diagnostischen Vorstellungen bewegen, sondern in jeder Hinsicht den anderen so erleben, wie man ihn tatsächlich vor sich hat.«

»Sie werfen also nur einen kurzen Blick auf das, was Ihnen über einen bestimmten Menschen mitgeteilt wurde, schieben das alles dann in den Hintergrund des Bewußtseins und beginnen anschließend damit, sozusagen ganz von vorne, Ihre eigenen Eindrücke zu bilden?«

»Ja, nur würde ich das nicht nur in den Bewußtseins*hintergrund* schieben. Ich würde es gänzlich aus dem Bewußtsein verschwinden lassen.«

»Und wie beginnen Sie, nun ganz im Konkreten, eine solche Sitzung, Hans?«

»Nun, das hängt davon ab, ob ich jemanden zum ersten Mal sehe oder ob er mir bereits bekannt ist. Sehe ich ihn zum ersten Mal, so lade ich ihn einfach dazu ein, es sich bequem zu machen. Ich führe ihn in das Arbeitszimmer, in dem sich viele Bücher befinden und das mit Bedacht nur sehr schlicht eingerichtet ist. Es enthält kein Mobiliar, das auf eine professionelle Einrichtung deuten würde.«

»Sie sprechen da einen sehr ungewöhnlichen Gedanken aus. Sie betonen, das Arbeitszimmer sei absichtlich so eingerichtet, daß es nicht wie ein konventionelles ärztliches Sprechzimmer aussieht. Ich entnehme daraus, daß für Sie die Beratung vielmehr eine Begegnung zwischen zwei Menschen ist und nicht eine Angelegenheit zwischen einem Berater und einem Patienten, nicht wahr?«

»Ja, so ist es«, antwortete Dr. Schauder. »In erster Linie ist eine Beratung für mich – zumindest sollte sie das sein – eine menschliche Begegnung, die dem Partner Hilfe und Führung vermitteln soll. Ein Berater ist für mich zuerst einmal ein Mensch, der nach Maßgabe seiner Erfahrung, seines Menschseins und seiner Reife solche Hilfe zu geben imstande ist. Er sollte ganz gewiß nicht den Eindruck eines professionellen Psychiaters mit Spezialkenntnissen erwecken. Der ihn Aufsuchende bekäme dadurch das Gefühl, daß man ihm nicht in rein menschlicher Weise entgegenkommt, daß man ihn nicht auf menschlicher Ebene versteht, daß er, um es unverblümt zu sagen, ein ›klinischer Fall‹ ist.«

»Es ist interessant, daß Sie jetzt gerade diesen Vergleich machen, denn ich stellte mir gerade eben vor, wie man beim Besuch eines Psychiaters oder Arztes sozusagen ›übernommen‹ wird und sich als krank betrachtet.«

»Ganz richtig. Derjenige, der Beratung sucht, sollte durchaus nicht das Gefühl haben, ausgelotet, Prüfungen oder einem Kreuzverhör unterzogen zu werden, sondern er sollte einfach einem anderen Menschen begegnen können, dem er vertrauen kann, bei dem er sich von allem, was ihn bedrückt, befreien kann und der ihm hoffentlich helfen wird. Deswegen wird alles, was irgendwie auf eine professionelle Umgebung deuten könnte, absichtlich vermieden, während alles, was auf eine ruhige, klare und warme menschliche Umgebung hinweist, in unaufdringlicher Weise sichtbar gemacht wird. Die Bücher im Raum erzeugen eine gewisse Atmosphäre der Besinnlichkeit, und ich brauche auch Blumen, um heiter zu bleiben. Der mich Aufsuchende setzt sich dem Fenster gegenüber, und so kann er auf die fernen Hügel hinausschauen und seinen Gedanken freien Lauf lassen. Natürlich muß auch ein professionelles Element in der Gesamtatmosphäre sein, aber dieses Element sollte einzig und allein durch die Haltung und die Persönlichkeit des Beraters zum Ausdruck kommen.«

»Die erste Stufe des eigentlichen Beratungsprozesses – nach der

Vorbereitung des Beraters – wäre also, daß ein bestimmter Mensch kommt und dazu ermutigt wird, sich frei auszusprechen.«

»Das Wichtigste ist vielleicht, daß er das Gefühl bekommt, gar nicht eine professionelle Umgebung zu betreten, denn das möchte er lieber vermeiden, möglicherweise hat er sogar Angst davor, sondern er soll einen intimen und persönlichen Raum betreten können, frei von jeglicher klinischer Aufmachung. Er sollte den Berater als einen normalen, einigermaßen netten und freundlichen Menschen empfinden. Dann setzen wir uns um den Kamin und haben nicht einen Schreibtisch, sondern nur einen kleinen Tisch zwischen uns. Um einem Neuankömmling zu helfen, sich an die Umgebung zu gewöhnen, frage ich nach seinem Namen, nach der Adresse und dem Geburtsdatum, und dann plaudern wir eine Weile über einige allgemeine Themen. Es gibt zwei Arten von Ratsuchenden. Da gibt es einmal jene, die sich geradewegs von ihrer Last befreien wollen. Natürlich werden solche Menschen zum Reden ermuntert, und ich höre zu. Dann gibt es die anderen, die mit der Sprache nicht recht heraus wollen und die sehr oft von mir erwarten, daß ich ihnen zunächst einige Fragen über ihren allgemeinen Lebens- und Erziehungshintergrund stelle, und erst dadurch kommen sie in Fluß. Ein Großteil ihrer Problematik kommt bereits in diesem allgemeinen Bericht ihres Lebenshintergrundes zum Vorschein.«

»An einen Menschen, der mit dem Sprechen zögert oder kaum irgendwelche Angaben macht, richten Sie also selbst Fragen?«

»Ja, aber ich lasse ihm reichlich Zeit. Manche Menschen kommen nur zögernd zur Sache und reden erst lange über bestimmte Bereiche ihres Lebens, bevor sie ihre Probleme direkt anschneiden. Zunächst höre ich ganz ruhig zu, denn wenn ich zu früh einen bestimmten Schritt mache, das heißt, wenn ich unterbreche und mich auf das wirkliche Problemfeld zubewege, welches mir inzwischen möglicherweise bereits deutlich geworden ist, dann ergreift der Betreffende vielleicht die Flucht, zieht sich zurück und erscheint nie wieder. Wenn er aber nun längere Zeit weiter hin und her schweift, ohne auf die Kernproblematik zuzusteuern, dann stelle ich zu einem sorgsam geprüften Zeitpunkt eine Suggestivfrage. Es gibt Menschen, die einem Problembereich wochenlang aus dem Wege gehen, während sie die angrenzenden Bereiche einigermaßen sachlich zur Sprache bringen und zur Diskussion stellen. Es gibt Fälle, in denen man dies akzeptieren muß, solange man das Gefühl hat, daß der ganze Prozeß der Begegnung fruchtbar ist und der andere Fortschritte macht. Aber über *einen* Punkt suche ich immer volle Klarheit zu erlangen, nämlich ob der Betroffene mich aus eigenem Antrieb aufsucht und nicht etwa von Freunden, Verwandten, Ehefrau oder Ehemann dazu gedrängt oder überredet worden ist. Eine wirkliche Beratung setzt den *bewußten Willen des anderen zur Mitarbeit* voraus. Er kann nicht zu einer solchen Mitarbeit überredet oder gar gezwungen werden. Es ist nicht die Aufgabe des Beraters, seinen ›Kunden‹ mit bestimmten Geschäftstricks in den Beratungsprozeß hineinzubekommen. Deshalb heißt eine meiner ersten Fragen, sollte ich darüber noch Zweifel haben: ›Sind Sie aus eigenem Wunsch gekommen?‹«

»Wir können vielleicht auf diesen Punkt zurückkommen, wenn wir von den verschiedenen Arten von Menschen sprechen, die Sie annehmen bzw. zurückweisen würden. Dies ist ein wichtiger Punkt. – Warum halten Sie das Zuhören für so wichtig, und was geschieht Ihrer Ansicht nach eigentlich mit dem, der zuhört? Natürlich werden Sie auf diese Weise über die Vergangenheit eines Menschen, über seine Gefühle und Probleme informiert. Und weiter: Was geschieht in dieser Phase des Zuhörens eigentlich mit dem, der spricht?«

»Nun«, antwortete Dr. Schauder, »ich glaube, der Betreffende muß zuerst einmal das Gefühl bekommen, daß sein Gegenüber nicht nur willens, sondern sogar sehr daran interessiert ist, zuzuhören, ihn kennenzulernen und seine intimsten Gedanken, Gefühle und Erfahrungen mit ihm zu teilen. Das ermutigt ihn, sich auszusprechen und sich von seiner Problemlast zu befreien. Er wird über Dinge reden, über die er wahrscheinlich noch nie gesprochen hat, und schon das allein ist ein wichtiges therapeutisches Element. Doch wenn der Ratsuchende nun anfängt, diese Gedanken und Gefühle, die er bisher in seinem Innern zurückgehalten hatte, in Worte zu kleiden, so erblicken sie gewissermaßen ›das Licht des Tages‹. Sie werden in Worten verkörpert, die nun gleichsam im Raum zwischen ihm und dem Berater dastehen. Wenn der Betreffende fortfährt, seine Erlebnisse zu formulieren, so steht er ihnen zum ersten Mal gleichsam äußerlich gegenüber und wird nicht mehr, wie bisher, von innen her von ihnen bedrängt.«

»Während ich Ihnen zuhörte, kam mir der Gedanke, daß ein Grund, weshalb viele Menschen eine Beratung brauchen, wohl gerade darin besteht, daß sie in ihrem Leben, innerhalb ihrer Ehe oder in ihrem Freundeskreis nie die Gelegenheit haben, sich völlig frei auszudrücken, oder daß sie nie so gesehen werden, wie sie wirklich sind.«

»Ja, das ist so. In einer kritischen Situation rate ich auch immer davon ab, sich Freunden, Verwandten usw. anzuvertrauen. Offen gesagt, ich habe kaum je erlebt, daß dies viel hilft. Natürlich gibt es außergewöhnliche Freunde, an die man sich wenden und bei denen man sich seine ganze Last vom Herzen reden kann, aber eine Freundschaftsbeziehung ist in der Regel zu eng, und der Freund hat in seiner solchen Beziehung meistens seine ganz eigenen Vorstellungen über den anderen Menschen und auch darüber, was der andere tun sollte, so daß man ihn nicht für das nimmt, was er tatsächlich ist, ohne ihm irgendwelche bestimmten Gedanken und Vorstellungen in die Quere zu stellen.«

»Meinen Sie damit, daß ein dem Betreffenden nahestehender Mensch vielleicht zu subjektiv ist und etwas Bestimmtes vom andern erwartet, während der Berater eine objektive Beziehung hat?«

»Ja. Der Berater hat eine objektive Beziehung, und er erwartet auch nichts, er erhofft nichts. Sehen Sie, er wartet nur auf den Zeitpunkt, wo er den Betreffenden ganz objektiv auf die nächste Stufe einer kreativen Lebensform führen kann. Ich gebe Ihnen ein Beispiel aus einem ganz anderen Bereich, das die Sache, glaube ich, gut illustriert. Sie wissen, daß ich viel mit Kindern zu tun habe. Nun brauchen Kinder oft Nachhilfeunterricht. Dies ist gleichermaßen das Anliegen zweier verschiedener Parteien: der Eltern und des Lehrers. Auch hier habe ich niemals erlebt, daß es zu etwas führt, wenn die Eltern oder der Lehrer den Nachhilfeunterricht selbst in die Hand nehmen, weil die Beziehung zu eng ist. Lehrer wie Eltern erwarten etwas ganz Bestimmtes von dem Kind, und so fühlt es sich unter Druck, etwas zu leisten, was ihm schwerfällt. Diese Situation ist zu beengend, und deshalb muß eine dritte, außerhalb stehende Person hinzukommen. Das Kind wird sich dann von Forderungen dieser Art frei fühlen. Alles hat einen objektiven Charakter, und in dieser neuen, freien Atmosphäre und mit sanfter

Ermutigung wird es wirklich leisten, wozu es imstande ist, und sehr oft wird es dabei sogar aufblühen.«

»Ich dachte eben daran, daß oft auch in einer Ehebeziehung der eine Partner dem anderen immer einen Rat geben will oder bestimmte Dinge von ihm erwartet, von welchen er selbst profitieren kann. Ich denke, das liegt einfach in der menschlichen Natur, nicht wahr?«

»Ja. Diskussionen zwischen Ehepartnern über ihre Beziehung sind außerordentlich komplex und emotionell anstrengend, weil die Situation seelisch so stark geladen ist und so starke Erwartungen, Hoffnungen, Spannungen und Frustrationen mit im Spiel sind. Aus diesem Grunde sind derartige Diskussionen nur selten fruchtbar.«

»Könnten wir an diesem Punkt zusammenfassen, was das Zuhören für den Ratsuchenden und für den Berater bedeutet, Hans?«

»Nun, der Ratsuchende muß in erster Linie erleben, daß er ganz er selbst sein kann, daß er voll und uneingeschränkt vertrauen und sich seine Probleme vom Herzen reden kann, ohne Hemmungen, ohne befürchten zu müssen, Gefühle zu verletzen oder ›etwas Verkehrtes‹ zu sagen. Dies allein bedeutet schon eine ungeheure Befreiung. Sehr wohltuend ist es für den Ratsuchenden dann, wenn er sich von seinen Gedanken und Gefühlen distanzieren und freimachen kann, während er sie ausspricht. Zum ersten Mal erblickt er sie gewissermaßen in einem bestimmten Abstand vor sich, weil sie sich nun in Worten verkörpert haben und nicht mehr allein auf sein Inneres beschränkt bleiben. Das Dritte nun, was eintreten kann, wenn der Berater in der richtigen Art zuhört und wenn er dem Ratsuchenden mit größtmöglicher Selbstlosigkeit folgt und sich mit ihm identifiziert, ist, daß er dann in geheimnisvoller Weise nicht nur dasjenige, was der andere zum Ausdruck bringt, sondern auch dessen wahres inneres Wesen widerspiegeln kann. Ich vergleiche den Berater in dieser Beziehung oft mit einem lebendigen Spiegel.«

»Sie reden jetzt nicht von der Interpretation dessen, was der Ratsuchende sagt?«

»Ganz und gar nicht«, fuhr Dr. Schauder fort. »Ich rede von der in vollkommenem inneren Schweigen sich entwickelnden Beziehung zu ihm. Vielleicht können Sie leichter verstehen, was ich meine, wenn ich Ihnen eines meiner Lieblingszitate vorlese. Es stammt aus Rudolf Steiners Werk ›Wie erlangt man Erkenntnisse der höheren Welten‹, und es befindet sich ziemlich am Anfang des Buches in einem Kapitel mit dem Titel ›Die Stufen der Einweihung‹: ›Was für die Ausbildung des Geheimschülers ganz besonders wichtig ist, das ist die Art, wie er anderen Menschen beim Sprechen *zuhört.* Er muß sich daran gewöhnen, dies so zu tun, daß dabei sein eigenes Interesse vollkommen *schweigt.* Wenn jemand eine Meinung äußert, und ein anderer hört zu, so wird sich im Innern des letzteren im allgemeinen Zustimmung oder Widerspruch regen. Viele Menschen werden wohl auch sofort sich gedrängt fühlen, ihre zustimmende und namentlich ihre widersprechende Meinung zu äußern. Alle solche Zustimmung und allen solchen Widerspruch muß der Geheimschüler zum Schweigen bringen. Es kommt dabei nicht darauf an, daß er plötzlich seine Lebensart so ändert, daß er solch inneres, gründliches Schweigen fortwährend zu erreichen sucht. Er wird damit den Anfang machen müssen, daß er es in einzelnen Fällen tut, die er sich mit Vorsatz auswählt. Dann wird sich ganz langsam und allmählich, wie von selbst, diese ganz neue Art des Zuhörens in seine Gewohnheiten einschleichen. – In der Geistesforschung wird solches planmäßig geübt. Die Schüler fühlen sich verpflichtet, übungsweise zu gewissen Zeiten sich die entgegengesetztesten Gedanken anzuhören und dabei alle Zustimmung und namentlich alles abfällige Urteilen vollständig zum Verstummen zu bringen. Es kommt darauf an, daß dabei nicht nur alles verstandesmäßige Urteilen schweige, sondern auch alle Gefühle des Mißfallens, der Ablehnung oder auch Zustimmung. Insbesondere muß sich der Schüler stets sorgfältig beobachten, ob nicht solche Gefühle, wenn auch nicht an der Oberfläche, so doch im intimsten Innern seiner Seele vorhanden seien...

So bringt es der Mensch dazu, die Worte des anderen ganz *selbstlos* zu hören, mit vollkommener Ausschaltung seiner eigenen Person, deren Meinung und Gefühlsweise. Wenn er sich so übt, kritiklos zuzuhören, auch dann, wenn die völlig entgegengesetzte Meinung vorgebracht wird, wenn das ›Verkehrteste‹ sich vor ihm abspielt, dann lernt er nach und nach mit dem Wesen eines anderen vollständig zu verschmelzen, ganz in dasselbe aufzugehen. Er hört dann durch die Worte hindurch in des anderen Seele hinein.‹[1]

Ich möchte Ihnen das noch an einem Beispiel verdeutlichen. Vor ein paar Tagen war ein junger Mann hier, der hochintelligent ist und viele Bereiche der Philosophie, des Okkultismus, der Psychologie, der Magie usw. durchforscht und durchdacht hatte. Nun war mir vieles von dem, was er erzählte, fremd, und ich konnte persönlich überhaupt nicht damit übereinstimmen, zum Beispiel, als er sagte, daß Christus der Gott des Todes sei, denn für mich ist Christus der Gott des Lebens. Aber ich hatte das bestimmte Gefühl, daß ich mich völlig schweigend verhalten müsse – nicht nur äußerlich, sondern innerlich schweigend –, daß ich ihm auf den ziemlich gewundenen Wegen seines Erlebens und seines Nachdenkens folgen müsse, ohne ihn im Stich zu lassen.

Nachdem er mir in ausführlichster Weise während etwa eineinhalb Stunden, ohne eine Unterbrechung meinerseits, das ganze komplexe Panorama seiner Erlebniswelt dargelegt hatte – welche er selbst übrigens als sonderbar bezeichnete und was sie ja auch tatsächlich war! – und während ich mich bereits zu fragen begann, wie er aus diesem Labyrinth von Gedanken und Illusionen jemals einen Ausweg finden würde, sagte er plötzlich: ›Aber, wissen Sie, das habe ich jetzt alles hinter mir. Ich habe jetzt den Weg zu mir selbst, zu meinem wahren Menschsein wiedergefunden, und ich habe das Gefühl, ich kann nun meinen eigenen Gott finden.‹ Sicherlich kam diese Wendung nicht unvermittelt, sicherlich hatte er sich schon länger in der Tiefe seines Wesens darauf vorbereitet. Aber ich glaube doch, daß ich bei dieser Wandlung eine Art Geburtshelfer gewesen bin, weil ich einfach nur schweigend zuhörte. In diesem Schweigen wurde ihm nicht nur das zurückgespiegelt, was er mir gesagt hatte, sondern auch das, was er noch nicht war, *nämlich das, was er werden wollte.* Deshalb spreche ich von einem lebendigen Spiegel: es ist ein Spiegel, der in vollkommenem Schweigen antwortet und in ganz unbewußter Weise etwas vom tieferen Wesen des anderen Menschen zurückwirft. Das nimmt der

---

[1] Rudolf Steiner, Wie erlangt man Erkenntnisse der höheren Welten?, Dornach [20]1961, S. 50f.

Sprechende wahr, und gelegentlich reagiert er auf eine geradezu telepathische Weise.«

»Könnten wir auf all dies etwas später zurückkommen? An diesem Punkte würde ich gern wissen: Nehmen Sie je eine Einschätzung der persönlichen Situation des betreffenden Menschen vor?«

»Ja, immer wieder. Aber ich verwende den Ausdruck Einschätzung nur, wenn ich für jemanden einen Bericht erstellen muß. Für mich selbst bezeichne ich diese erste Phase des Zuhörens als Phase der *Erschließung und Identifizierung.* Sie hilft mir, die betreffende Persönlichkeit und ihre Welt zu erschließen, ganz ähnlich, wie ich mir eine Stadt erschließe, indem ich sie durchstreife, um ihre Atmosphäre und ihr äußeres Bild genau kennenzulernen. Ist dieser Prozeß aber abgeschlossen, so tue ich zwei Dinge. Erstens stelle ich mir – ich nenne das *das diagnostische Zwischenspiel* – einfach einmal eine medizinische Frage über den Gesundheitszustand des Betreffenden: Ist er gesund genug, so daß ich von ihm eine rationale Reaktionsweise und einen Willen zur Zusammenarbeit erwarten kann? Ist er physisch ernstlich krank, hat er zum Beispiel ein schmerzhaftes Magengeschwür, dann kann ich dies nicht erwarten. Ebensowenig kann ich das, wenn er beispielsweise an einer schweren Form von Phobie leidet. In einem solchen Falle verweise ich den Betreffenden, zumindest vorläufig, an jemanden anderen weiter. Habe ich aber den Eindruck, daß er trotz bestimmter Behinderungen mitarbeiten will und sich auf einer rationalen Ebene bewegen kann, dann mache ich weiter.«

»Nehmen Sie hier eine Problemeinschätzung vor? Überlegen Sie sich an diesem Punkt, zu welchen Schlüssen Sie gelangen, nachdem Sie begonnen haben, den anderen zu erfahren ›wie eine unbekannte Stadt‹?«

»Ja, und das ist die nächste Stufe. Ist die diagnostische Frage geklärt, die zugleich eine klinische und intellektuelle ist, so werde ich versuchen, dadurch, daß ich mich aufgrund dieses Identifikationsprozesses in die Welt des anderen einlebe, die Antwort auf die Fragen zu finden: In welcher Weise kann ich ihm helfen? Was fehlt in diesem Leben? Was muß darin umgestaltet werden? Diese Fragen können in eine ganz andere Richtung führen als das Problem, das zu Beginn zum Vorschein kommt. So kam beispielsweise der junge

Mann, den ich vorhin erwähnte, zu mir, weil ihm seine Schüchternheit ein Problem war, und er *war* tatsächlich schüchtern. Daneben hatte er auch viele intellektuelle und philosophische Probleme, wie ich schon angedeutet habe. Nun wäre die naheliegende Antwort gewesen, ihm durch häufige Gespräche zu helfen, seine Schüchternheit zu überwinden und seine Probleme in der Diskussion so weit wie möglich zu klären. Doch nachdem ich innerlich für eine Weile ganz in seiner Welt gelebt hatte – und ich betone *gelebt* und nicht über sie *nachgedacht* –, bekam ich das starke Gefühl, daß es ihm an einer wirklichen Beziehung und Verbindung zum Leben im allgemeinen und zu praktischer Arbeit im besonderen mangele. Ich hatte den Eindruck, daß es am besten für ihn wäre, eine physische Arbeit aufzunehmen. Dieser Prozeß der *Assimilierung* widersetzt sich rein intellektuellen Bemühungen. Man kann über die Lage eines Menschen nachdenken, aber ein bloßes Nachdenken wird nicht, jedenfalls nicht bei mir, zu zuverlässigen Ergebnissen führen, zu Ergebnissen, bei denen ich spüre: ›Das ist's!‹ Hier gilt die alte Regel, eine Sache zu überschlafen. Es handelt sich darum, die ganze Problematik den tieferen Schichten des eigenen Wesens zuzuführen, dem Unbewußten, das unendlich weiser ist als der Kopf. Auch hier möchte ich wieder etwas von Rudolf Steiner zitieren. Die Stelle befindet sich in dem kleinen Büchlein *»Praktische Ausbildung des Denkens«*, und zwar betont Rudolf Steiner im dortigen Zusammenhang, wie wichtig es ist, daß man die Fähigkeit ausbildet, von etwas Gesehenem ›genaue Bilder‹ zu formen und zu behalten, in denen auch die Einzelheiten der Geschehnisse oder Eindrücke enthalten sind. Daran anschließend sagt er:

›Deshalb soll man gerade bei solchen Vorgängen, von denen man noch nichts versteht, wie zum Beispiel die Witterung, das Vertrauen haben, daß sie, die draußen zusammenhängen, auch in uns Zusammenhänge bewirken; und das soll mit Enthaltung vom Denken geschehen, nur in Bildern. Man muß sich sagen: Ich weiß noch nicht den Zusammenhang, aber ich werde diese Dinge in mir werden lassen, und sie werden in mir etwas bewirken, wenn ich gerade die Enthaltung vom Spekulieren übe. – Sie werden leicht glauben können, daß, wenn der Mensch so, *mit Enthaltung vom Denken*, sich möglichst genaue Bildvorstellungen macht von aufeinanderfolgenden Vorgängen, daß da etwas vorgehen kann in den unsichtbaren Gliedern des Menschen.‹[1]

Um es in eigenen Worten zu sagen: Es ist von größter Wichtigkeit, die Kunst zu erüben, sich gefühlsdurchtränkte Bilder lebendig vorzustellen. Hat man mit gewissen Fragen gelebt und hat man gelernt, sie in den Tiefen des eigenen Wesens reifen zu lassen, dann werden auch tief aus dem Innern die Lösungen und die Antworten aufsteigen, und zwar mit dem Gefühl der Gewißheit und Überzeugung. Aber das braucht natürlich Zeit.«

»Spricht ein Ratsuchender den Kern des Problems im Laufe der Beratungssitzungen wirklich jemals selbst aus?«

»Vor einigen Tagen suchte mich ein junger Mann auf, der Probleme mit seinem Studium hatte. Sein Studium machte ihm Sorgen. Er war außerordentlich begabt, und die Lösung seines Problems schien darin zu liegen, ihn wieder in sein Studium hineinzubringen und ihm zu helfen, seine Besorgnis zu überwinden. Aber im Verlauf des Gesprächs bekam ich den Eindruck, daß dies nicht der richtige Weg sei, und ich sagte zu ihm: ›Lassen Sie Ihrer Phantasie einmal freien Lauf. Wenn Sie nun tun könnten, was Sie wollten, ganz abgesehen von den praktischen Möglichkeiten, was würden Sie dann gerne tun, wie würden Sie Ihr Leben gestalten?‹ Er antwortete: ›Ich würde auf dem Lande leben, in einem Bauernhaus gemeinsam mit anderen Menschen in der Nähe eines Flusses, auf dem Feld arbeiten, oder ich würde gerne nach Rußland gehen.‹ Er war Theologiestudent. Nun mußte ich ihm sagen: ›Genau das denke ich auch, das ist genau das, was Sie brauchen. Das ist die Antwort.‹«

»Meinen Sie damit, daß er sich von der eigenen Kraftquelle entfernt hatte?«

»Genau. Er war innerlich müde geworden, weil er schon sehr früh, mit achtzehn Jahren, in ein von Gebet und Weltabgewandtheit beherrschtes Jesuitenkolleg gezwängt worden war. Dieses Abgeschnittensein war das wirkliche Problem, nicht das Studium. – Wenn aber jemand genügend klardenkend und mutig ist, so wird er früher oder später eine Lösung finden oder zumindest etwas, was bezüglich seiner wahren Bedürfnisse auf eine Lösung hinweist,

---

[1] Rudolf Steiner, Praktische Ausbildung des Denkens. Ein Vortrag, Karlsruhe, 18. 1. 1909. Einzelausgabe, Dornach 1985.

ohne daß ich selbst darauf dränge, denn im tiefsten Innern fühlt jeder Mensch, was ihm in seinem Menschsein und in seiner Erfahrungswelt fehlt.«

»Ist es denkbar, daß sich durch die Formulierung der Probleme eine Art innere Auflockerung einstellt, welche es dem Betreffenden ermöglicht, die wirklichen Fragen heraufkommen zu lassen?«

»Vollkommen richtig. Ich bin sicher, daß es eine Auflockerung ist. Ist das Bewußtsein entlastet, dann erhält das Unterbewußte, das ja diese Bilder unerfüllter Hoffnungen und Erwartungen enthält, die Möglichkeit, lebendig zu werden und diese Dinge aufsteigen zu lassen. Kann der Berater außerdem in irgendeiner Weise die Totalität des Lebens, des Menschseins zurückspiegeln, so wird dies beim Ratsuchenden ein Bewußtsein von dem erzeugen, was ihm fehlt. Auf die eine oder andere Art wird er darauf auch hinweisen, oder falls er das nicht selbst tut, wird er auf einen entsprechenden Vorschlag des Beraters eingehen – es sei denn, er hat Angst oder ist einfach nicht gewillt, die große Anstrengung und das Abenteuer des Lebens auf sich zu nehmen. Denn es gehört Mut, es gehört Anstrengung und es gehört Wahrhaftigkeit dazu, und viele Menschen sind von diesen Fähigkeiten heute bereits zu weit entfernt. Sie haben nicht mehr den Mut, nicht mehr die Kraft, sie können sich nicht von alten Gewohnheiten befreien. Solche Menschen sagen mir sehr oft: ›Ja, ich weiß, daß Sie recht haben. Aber es tut mir leid, ich bin nicht imstande dazu‹, und dann verschwinden sie.«

»Könnten wir nochmals die verschiedenen Phasen des Beratungsprozesses, soweit wir sie bisher herausgearbeitet haben, zusammenfassen?« fragte Ursula.

»Gut. Ich denke, wir haben bisher *vier* verschiedene Phasen des Beratungsprozesses besprochen und bis zu einem gewissen Grade auch charakterisiert, nämlich 1. die *Vorbereitung*, welche zwar nur den Berater selbst betrifft, für den ganzen Prozeß aber von grundlegender Bedeutung ist, 2. den Prozeß des *Zuhörens* oder auch die Phase der Erschließung und der Identifikation. Dann haben wir 3. das *diagnostische Zwischenspiel* und 4. – ich denke, daß dies wirklich eine Phase für sich ist – die Zeit, die der Berater benötigt, um die Totalität des Wesens und der Lage des Ratsuchenden in seinem Unbewußten zu *assimilieren*. In dieser Phase übergibt er die Fragen, die er in seinem Bewußtsein hat, gleichsam seinen tieferen

Wesensschichten und wartet, bis er eine Antwort bekommt; denn in diesen Tiefenschichten besitzt er eine viel größere Weisheit, als er innerhalb seines intellektuellen Bewußtseins zur Verfügung hat. So haben wir also vier verschiedene Phasen bestimmt: 1. Vorbereitung, 2. Zuhören, Erschließung und Identifikation, 3. diagnostisches Zwischenspiel, 4. Assimilierung (wobei 3. und 4. miteinander vertauschbar sind).«

»Wird Assimilierung schließlich zu einem klaren Verständnis der Bedürfnisse und Probleme des Betreffenden führen? Aber Sie denken sich das nicht aus. Aus der Art Ihrer Darstellung gewinne ich den Eindruck, daß Sie mit dem ganzen Problem leben und daß also die Antwort aus den tieferen Schichten Ihres eigenen Inneren heraufkommt?«

»Ja, ich glaube, das ist so. Ich habe immer wieder die folgende Erfahrung gemacht: Ich denke über eine Sache nach und denke immer weiter nach, und dabei werde ich immer unsicherer. Wenn ich aber mit einer Sache innerlich zu leben vermag, erreiche ich schließlich einmal den Punkt völliger Gewißheit. Ich habe dafür meinen Privatausdruck. Ich sage: ›Ich bekomme einen Tiefschlag.‹ Ich habe dann das Gefühl, ich werde ganz tief innen, beinahe physisch, von etwas ergriffen, ich fühle: ›Das ist's.‹ Ich war sehr beeindruckt, als ich einmal auf ein japanisches Sprichwort stieß, an das ich mich momentan nicht mehr im einzelnen erinnern kann, das aber genau dieses Gefühl zum Ausdruck bringt: das Gefühl, durch einen unbewußten Prozeß, der einen gleichsam unter das Zwerchfell schlägt, Gewißheit zu erlangen.«

»Es ist also ein sehr entscheidender Prozeß?«

»Ich glaube, im ganzen Beratungsprozeß ist dies die entscheidendste Phase. Wir dürfen nicht unterschätzen, wie wesentlich und subtil die Vorbereitung ist; wie subtil die Erschließung ist; selbst das diagnostische Zwischenspiel erfordert subtile Entscheidungen. Aber die persönlichste Phase des ganzen Prozesses und diejenige, die am meisten Geduld braucht und die das Vertrauen erfordert, daß das Leben selbst, ja, *daß das Wesen des Ratsuchenden selbst und nicht das eigene verstandesmäßige Nachdenken einem die Antwort bringen wird* – diese entscheidendste und subtilste Phase des Beratungsprozesses ist es, die ich mangels eines besseren Ausdrucks als Assimilierungsphase bezeichne. Aufgrund der nun erlebten Gewißheit und klaren Sicht, die der Berater plötzlich auf gewissen, bisher vielleicht undeutlichen oder von einer Art Schatten bedeckten Bereichen erhält, wird es ihm nun möglich, ein bestimmtes Gebiet oder mehrere Gebiete herauszugreifen, die wir *Zielgebiete* nennen können. Er kann sich nun entschließen, diese zu bearbeiten, und damit sind wir bei der fünften Stufe angelangt.«

»So hat der ganze Prozeß sich also von den unbewußteren Erfahrungsschichten auf eine bewußte Ebene verlagert, auf der man die Phänomene begrifflich erfassen und das Zielgebiet wie die Methode zur Lösungsfindung bestimmen kann?«

»Ja, und ich notiere mir in knappster Form im wesentlichen eine Anzahl von Zielgebieten, die ich zu erreichen hoffe, um sie im Laufe der Zeit mit dem Ratsuchenden durchzuarbeiten – ich nenne das ein *Therapieprogramm.* Dazu brauche ich einige Sitzungen, vielleicht aber auch mehrere Monate. Das hängt davon ab, wie sich die Beziehung zu dem betreffenden Menschen entwickelt, und ganz besonders hängt das natürlich von dessen Persönlichkeit und von seiner Reaktionsweise ab.«

»Inwieweit reden Sie mit dem Betreffenden über das Therapieprogramm? Oder ist das etwas, was Sie ganz für sich behalten? Wieweit teilen Sie jemandem mit, wie Sie seine Lage und seine Probleme beurteilen?«

»In der Regel behalte ich das für mich, aber in einer sehr provisorischen Form. Hätte ich nämlich ein zu festes Strukturbild und würde ich zu stark oder zu deutlich versuchen, dieses dem Betreffenden aufzudrängen oder nahezulegen, so würde ich den therapeutischen Prozeß zum Stillstand bringen. Der therapeutische Prozeß muß jedoch in freier Weise auf den Ebenen des Fühlens, des Gesprächs und der Begegnung zwischen dem Ratsuchenden und dem Therapeuten in Fluß kommen. Deshalb versuche ich zu Beginn einer Sitzung, auch wenn ich eine provisorische Vorstellung davon habe, was ich mit dem Betreffenden gerne diskutieren würde, immer erst abzuspüren, wie er sich fühlt. Ich versuche mich ganz darauf einzustellen und lasse ihm einen großen Spielraum zum freien Ausdruck dessen, was er gerade auf dem Herzen hat. Vielleicht handelt es sich beispielsweise um etwas, was er gerade in der Woche zuvor erlebt hat, und vielleicht hat er den starken Drang, mir die Sache zu erzählen. Da wäre es ein schwerwiegender Fehler, ihn abzublocken. Oder er ist in der Zwischenzeit auf neue Gedanken gekommen. Aber sobald ich im Laufe der Sitzung das Gefühl habe, daß er sich in einem entspannteren Zustand befindet, versuche ich abzuspüren, ob der rechte Moment gekommen ist, um das Gespräch auf das Zielgebiet oder auf einen bestimmten Punkt zu lenken, den ich im Auge habe.«

»Kennt auch der Ratsuchende dieses Ziel bis zu einem gewissen Grade?«

»Im Idealfall müßte er es natürlich vollständig kennen. Aber das ist vielleicht zuviel verlangt, und doch glaube ich, daß es ab einem bestimmten Zeitpunkt wesentlich ist, *daß er es verstandesmäßig akzeptiert* und daß er etwa sagt: ›Ich glaube, Sie haben recht, ich sehe ein und verstehe, was Sie sagen.‹ Wenn ich zum Beispiel zu diesem jungen Mann sage: ›Ich glaube, Sie sollten körperliche Arbeit verrichten‹, so wird er mir zustimmen und sagen: ›Ja, ich glaube, das ist eine gute Idee, so etwas brauche ich wirklich.‹ Es kann allerdings lange dauern, bis ein genügend starkes Gefühl und besonders bis eine genügend starke Initiativkraft daraus entsteht, so daß sich diese Einsicht auch verwirklicht. Oder um ein anderes Beispiel zu nehmen: Es handelte sich um eine junge Frau mit buntwechselnden Beziehungen zum anderen Geschlecht. Einerseits fand sie Gefallen an diesem Leben, weil sie sich als Frau bestätigt fühlte, andererseits war sie über ihr Leben äußerst unglücklich und war unfähig, eine stabile Beziehung aufzubauen. Ich hatte nun das Gefühl, daß ich ihr klarmachen mußte, daß dieses Durcheinander ihrer Beziehungen eine schädliche Wirkung auf ihre Persönlichkeit habe wie auch auf ihre Fähigkeit, eine dauernde Beziehung aufzubauen und später einmal eine glückliche Ehe einzugehen. Dem stimmte sie verstandesmäßig zu; sie erfaßte, worauf es ankam. Nun gehörte sie aber unglücklicherweise zu jenen Menschen, die so tief eingefleischte schädliche Lebensgewohnheiten haben, daß sie nicht mehr ohne sie auskommen können. Man kann das mit einer Sucht vergleichen. Ist man von einer Droge abhängig, so ist man unter Umständen nicht mehr fähig, sich zu entwöhnen; in ähnlicher Weise kann Promiskuität zu einer Sucht werden. Das war bei dieser jungen Frau der Fall. Schließlich sagte sie zu mir: ›Ich weiß, daß Sie recht haben; aber es tut mir leid, ich schaffe das nicht.‹ Und damit verschwand sie für immer. Sie sehen, dem, was ein Berater oder überhaupt ein Mensch tun kann, sind gewisse Grenzen gesetzt. Man muß sich ja immer dessen bewußt bleiben, daß die Entscheidungen letzten Endes vom Ratsuchenden selbst getroffen werden müssen. *Er* ist es, der den entscheidenden Entschluß fassen muß.«

»Sie arbeiten also mit der Motivation eines Menschen. Sie regen sein Wachstum an, aber dieses Wachstum muß von ihm selbst geleistet werden?«

»Ja, und zwar in Richtung einer schöpferischen Lebensführung. Und darunter verstehe ich eine solche Lebensführung, die es dem Betreffenden ermöglicht, Schwierigkeiten zu überwinden und auf diese Weise zu lernen, ganz allmählich und durch schmerzhafte Prozesse Herr über sich selbst und über die Umstände seines Lebens zu werden. Goethe beschreibt dies in *Wilhelm Meisters Lehrjahre* folgendermaßen:

›Des Menschen größtes Verdienst bleibt wohl, wenn er die Umstände soviel als möglich bestimmt und sich so wenig als möglich von ihnen bestimmen läßt. Das ganze Weltwesen liegt vor uns wie ein großer Steinbruch vor dem Baumeister, der nur dann den Namen verdient, wenn er aus diesen zufälligen Naturmassen ein in seinem Geiste entsprungenes Urbild mit der größten Ökonomie, Zweckmäßigkeit und Festigkeit zusammenstellt. Alles außer uns ist nur Element, ja, ich darf wohl sagen, auch alles an uns; aber tief in uns liegt diese schöpferische Kraft, die das zu erschaffen vermag, was sein soll, und uns nicht ruhen und rasten läßt, bis wir es außer uns oder an uns auf eine oder die andere Weise dargestellt haben‹ (›Bekenntnisse einer schönen Seele‹).[1]

Dieses Ringen wird den Suchenden, innerhalb der Grenzen seiner Möglichkeiten, früher oder später zum wahren und vollständigen Menschsein führen. Die Frau, von der ich erzählt habe, ist tief unglücklich, sie spürt, daß sie vom Leben besiegt wird oder vielmehr, daß sie das Leben in der falschen Weise angepackt hat. Wie jeder andere Mensch ist sie auf inneres Wachstum angelegt, ist sie darauf angelegt, Schwierigkeiten zu überwinden, eine Niederlage in einen Sieg zu verwandeln. Aber die Motivation war nicht stark ge-

---

[1] Goethes Werke, textkritisch durchgesehen und kommentiert von Erich Trunz, München [11] 1982, Bd. VII, S. 405.

nug, und, wie ich schon sagte, ihre Kraft versagte. Es ist eine Frage der Kraft, eine Frage des Willens.«

»Ich habe den Eindruck, daß das, was Sie gerade eben deutlich gemacht haben, auf den Kern der Lebensberatung hinweist, auf ihr eigentliches Ziel. Ist das Ziel die Entwicklung einer schöpferischen Lebensweise?«

»Ich halte das für das Ideal oder das Endziel«, fuhr Dr. Schauder fort. »Zum einen soll der Ratsuchende das Leben in seiner Ganzheit, Fülle und Realität sehen lernen. Wahrscheinlich kennen Sie den berühmten, auf Sophokles Bezug nehmenden Ausspruch von Matthew Arnold: ›Das Leben stetig und als Ganzes im Auge behalten‹ (›To see life steadily and see it whole‹). Das ist für mich eine sehr treffende Formel, die genau beschreibt, was wir alle brauchen: eine Sicht des Lebens in seiner Kontinuität und in seiner Ganzheit. Davon versuche ich dem Ratsuchenden ein Gefühl zu vermitteln. Es ist dann seine Aufgabe – und wir alle haben als Menschen diese Aufgabe –, sich nach dieser Ganzheit des Lebens auszurichten und eine gewisse Stetigkeit auszubilden. Wir sollten uns in solcher Weise entfalten, daß wir nicht problembeladene Fragmente bleiben, sondern soweit wie möglich ganze Menschen werden. Mit anderen Worten: unser allgemeines Ziel besteht darin, uns dieser Ganzheit gefühlsmäßig, intellektuell und geistig anzugleichen und allmählich uns zu voller Harmonie mit ihr zu entwickeln. Das ist natürlich des *ideale* Ziel, und wir können es, wenn überhaupt, nur begrenzt erreichen. Aber was uns vielleicht möglich ist – und darin liegt für mich das zweite Zielelement der Beratung –, das ist die Herausbildung bestimmter *Wachstumspunkte*. Niemand wird als völlig harmonischer, ganzer Mensch die Therapie verlassen. Aber Sie haben einem Menschen vielleicht Wachstumsimpulse, innere Motivation, auch neuen Mut gegeben, Schwierigkeiten zu überwinden, sich zu ändern und sich auf neue Art auf das Leben einzustellen. Das ist nur der Anfang eines langen Prozesses, welchen der Betreffende ohne Sie fortsetzen wird. Aber schon um das zu erreichen, ist es vielleicht nötig, ihm zu helfen, ein unmittelbares konkretes Nahziel zu erreichen.«

»Sie bewerten das Erreichte also nicht, sondern sehen eher darauf, daß eine Saat gestreut wurde, die eine künftige Entwicklung möglich macht?«

»Genau. Ich glaube zum Beispiel nicht, daß der Fall der jungen Frau, trotz der Unordnung ihrer sexuellen Beziehungen, hoffnungslos ist. Sie hat auch eine andere Sicht des Lebens erfahren und akzeptiert. Nur war sie in der gegenwärtigen Phase ihres Lebens noch unfähig, diese neue Sicht praktisch zu verwirklichen. Es fehlte ihr die Kraft dazu. Wahrscheinlich wird sie viel zu leiden haben, und möglicherweise wird sie das Leiden schließlich an einen Punkt bringen, an welchem sie neue, bisher unentdeckte Kraftquellen finden wird. – Selbstverständlich würde ich mich nicht damit begnügen, nur Wachstumspunkte zu schaffen. Ich möchte auch konkrete Resultate erreichen. Um zum Beispiel auf den jungen Mann, der körperliche Arbeit leisten sollte, zurückzukommen: Ich möchte ihn so weit bringen, daß er von selbst zum Arbeitsamt geht, eine Arbeit beginnt und sie auch behält, was viel mehr bedeutet. Und damit kommen wir zu zwei weiteren Stufen des Beratungsprozesses. Ich glaube, es war Stufe fünf, als wir die Zielgebiete in Betracht zogen. Auf der nächsten Stufe richten wir den Ratsuchenden immer mehr *auf das Ziel selbst, auf die Zukunft,* aus. Als der junge Mann herkam, war sein Lebensgefühl im Grunde beschränkt auf das, was er in der Vergangenheit erlebt hatte, und auf die großen Schwierigkeiten einer stagnierenden Gegenwart. Jetzt sollte er, aufgrund der Arbeit in einem Zielgebiet, *zukunftsorientiert* werden; denn meiner Überzeugung nach ist der Mensch dazu bestimmt, in die Zukunft hinein zu leben und zu handeln. Der Mensch will vorwärtsschreiten, leben und sich entwickeln, oder, wie Paulus sagt, ›vergessen, was man hinter sich hat und nach dem streben, was vor einem liegt‹. Das ist ein großartiger Ausspruch eines Mannes mit einer gewaltigen Mission, und wir dürfen nicht den Fehler begehen, dies auf uns gewöhnliche Sterbliche zu beziehen, denn wir können nicht einfach alles vergessen, was hinter uns liegt. Aber im wesentlichen können wir es doch *hinter* uns lassen und uns bemühen, es in Zukunft besser zu machen. So hoffe ich nun, den Punkt zu erreichen, wo ich dem Ratsuchenden immer deutlicher bewußt machen kann, was in den verschiedenen Lebensbereichen vor ihm liegt: praktische Arbeit, menschliche Beziehungen, inneres Wachstum usw., so daß die Schatten der Vergangenheit und die gegenwärtigen Schwierigkeiten verhältnismäßig zurücktreten und sich eine Zukunftssicht vor ihm öffnen kann. Das ist, denke ich, Stufe sechs. Stufe sieben beginnt wirksam zu werden, wenn er sich *tatsächlich in die Zukunft hineinbewegt,* ein neues Leben beginnt, sein äußeres und inneres Dasein neu gestaltet. Für den jungen Mann ist diese Stufe erreicht, wenn er wirklich körperlich zu arbeiten beginnt, neue Beziehungen eingeht und in entsprechender Weise zu einer neuen Lebensauffassung und Lebenshaltung kommt. Nun muß ich ihm, meinem Gefühl nach, auch in diesem Prozeß beistehen, in diesem großen Abenteuer, zu einer schöpferischen Lebensform zu kommen, denn er kann manchen Fallen begegnen, Rückschläge, Schwierigkeiten usw. erleiden, sei es durch die neue Arbeit, sei es dadurch, daß er eine neue Beziehung eingeht und sich verlobt oder heiratet. – Das wären also die sieben Stufen, wie ich sie sehe«, sagte Dr. Schauder.

»Nun, das ist vorerst eine reichliche Portion. Doch das Ganze gibt einen wunderbar hoffnungsvollen Ausblick auf die menschlichen Fähigkeiten.«

»Ich glaube, der Berater muß, wie pessimistisch er die heutige Gesellschaftslage auch beurteilen mag, ein starkes Grundvertrauen in den Menschen haben. Ich habe das aus meinen Erfahrungen mit vielen Menschen gelernt. Sie haben in mir trotz ihrer Schwierigkeiten und Fehlschläge Bewunderung für ihre schöpferische Energie und ihre Durchhaltekraft geweckt. Ich finde ihre Offenheit und Wahrhaftigkeit außerordentlich bewundernswert, und wann immer ich Menschen begegne, die sich mir in äußerster Aufrichtigkeit und Wahrhaftigkeit öffnen, schäme ich mich für den Lug und Trug, der in unserer Gesellschaft an der Tagesordnung ist. Natürlich ist die Situation zwischen einem Berater und einem Ratsuchenden völlig aus den Zusammenhängen des normalen gesellschaftlichen Lebens herausgehoben. Es ist gleichsam eine Begegnung auf einer einsamen Insel: da gibt es nichts außer diesen beiden Menschen, über ihnen ist der offene Himmel, und in einer solchen Situation kann sich die menschliche Natur offenbaren. Dies hat in mir, wie gesagt, die höchste Achtung entstehen lassen gegenüber menschlicher Stärke und Wahrhaftigkeit, gegenüber dem Willen, im Leben vorwärts zu gehen. Die Spiritualität, welche heute in den Menschen erwacht, die Sehnsucht, dieses geheimnisvolle Weltall zu verstehen und sich soweit wie möglich mit ihm zu vereinen – das hat mir ein Gefühl gründlicher Bescheidenheit gegeben. Schon manches Mal bin ich mir wie ein ganz gewöhnlicher Dutzendmensch vorgekommen, wenn ich jenen jungen Menschen begegnet bin, die ich die seltenen Geister nenne. Im Menschen sind ungeheure neue Möglichkeiten im Entstehen begriffen, und der Berater ist meiner Ansicht nach in einer sehr privilegierten Lage, dies erkennen und fördern zu können. Gleichzeitig muß er aber auch den erschreckenden Zerfall erkennen, der sich vollzieht, wenn ein Mensch sich treiben läßt und nicht die äußerste Anstrengung auf sich nimmt, zu einer schöpferischen Lebensform zu kommen und seine Persönlichkeit, sein Schicksal und sein Leben neu zu gestalten. So wie sich manche Menschen auf das große Fernziel der Menschheit zubewegen, gleiten andere in Lügenhaftigkeit, Brutalität und chaotische Lebensweisen ab. Hier stehen wir am Scheidewege, und der Berater hat die Aufgabe, jenen, die wirklich und wahrhaftig einen Weg in die Zukunft suchen, weiterzuhelfen.«

»Das Ziel der Beratung liegt also darin, einem Menschen zu helfen, sein schöpferisches Potential zu entfalten?«

»Jawohl, das ist das Ziel. Allerdings ist die menschliche Natur fragmentarisch und beschränkt. Doch in jedem von uns gibt es ein unverbrauchtes Kräftereservoir. Ich glaube, es wird immer wichtiger, daß die Menschen, statt auf irgendeinem Gebiet qualifizierte Spezialisten mit ungeheurem Einkommen und spezialisierten Fähigkeiten und Kenntnissen zu werden, wahrhaftige Menschen werden, die imstande sind, ihr Leben zu meistern. Denn ›leben‹ ist eine sehr große Kunst, und sie will gelernt sein. Es gab sogar einmal ein Buch mit dem Titel *Teach Yourself to Live.* Wir sind noch sehr weit von der Einsicht entfernt, daß Lebenskunst die Bemühung voraussetzt, ein Mensch zu werden und auch zu bleiben. Damit berühren wir aber wieder eine andere Frage. Die Menschen, die ihr Menschsein zum Beispiel zugunsten ihres beruflichen oder intellektuellen Fortschrittes oder zugunsten ihrer Kapazität, Geld zu verdienen, vernachlässigen, scheitern im Leben beinahe ausnahmslos. Ich bin manchen glänzenden Universitätsprofessoren begegnet, sehr netten Menschen, die aber völlig unfähig sind, mit den Lebensproblemen fertig zu werden, völlig unfähig, mit ihren Ehefrauen eine vernünftige Beziehung aufrechtzuerhalten oder das einfachste *menschliche* Problem zu lösen. Eine der grundlegenden Fähigkeiten, die heute weitgehend verlorengegangen ist und die nur ein wahrhaftiger und einigermaßen ausgeglichener Mensch wiedererlangen kann, ist die

Fähigkeit der Urteilsbildung. Urteilsvermögen ist nämlich meiner Ansicht und meiner Erfahrung nach eine sehr seltene Sache, denn es entwickelt sich in einer merkwürdigen Weise aus einer Verbindung von Gefühl, Intuition und verstandesmäßiger Überlegung. Ein Mensch kann in seinem Fach überragende Intelligenz zeigen und doch in bezug auf das konkrete Leben keinerlei Urteil haben.«

»Heutzutage«, sagte Ursula, »sind wir aufgerufen, uns immer mehr auf unser eigenes Urteil zu verlassen, weil die überlieferten Werte zerfallen. Zahllose Möglichkeiten tauchen auf; alles ist im Fluß, und wir müssen uns ständig aus eigener Kraft Urteile bilden. Wir können uns nicht mehr erlauben zu sagen: ›So wird das gemacht.‹«

»Jawohl, es gibt heute immer mehr Kurse darüber, wie alle möglichen Dinge getan werden müssen. Man zeigt Ihnen, wie Sie sprechen, wie Sie sich mit anderen verständigen müssen. Sie können einen Kurs in Beziehungsgestaltung und im Treffen von Entscheidungen machen. Es kommt noch soweit, daß man einen Kurs besuchen muß, um zu lernen, mit welchem Fuß man den ersten Schritt machen soll! Diese Dinge zeigen, daß das Leben in steigendem Maße unsicher und konfus geworden ist. Ich glaube, das meiste davon wäre überflüssig, wenn wir uns darauf konzentrieren würden, wirklich Menschen zu werden, statt die verschiedenen Daseinsbereiche intellektuell zu analysieren.«

»Ihr Ziel, besteht also darin, jemandem zu helfen, ein wahrer Mensch zu werden, soweit dies im einzelnen Fall möglich ist?«

»Ja. Das klingt zwar wiederum einfach, aber es ist in Wirklichkeit äußerst schwierig und erfordert Mut, Wahrhaftigkeit und eine rückhaltlose Erkenntnis der eigenen Schwächen. Ferner muß man aber auch die eigenen Vorzüge schätzen können und den Willen haben, sie weiterzuentwickeln. Um im wahren Sinne Mensch zu werden, muß man gewissen Annehmlichkeiten entsagen und auf bestimmte Freiheiten, die man sich herausnehmen könnte, verzichten. Lassen Sie mich das nochmals an einem einfachen Beispiel demonstrieren: Man kann es sich einfach nicht leisten, sich auf zu vieles Reden oder auf Klatsch einzulassen, zu viele Vorträge, Seminare oder gesellschaftliche Anlässe zu besuchen. Es muß Perioden der Stille geben, damit man sich innerlich sammeln kann. Man muß sich Zurückhaltung und Disziplin auferlegen, sei es im Essen und

Trinken, sei es in bezug auf Reisen, körperliche Bewegung oder Beziehungen. Von Zeit zu Zeit wird man die innere Ruhe, die Standfestigkeit und Gelassenheit gegenüber dem Einfluß all dieser Aktivitäten abwägen müssen. Man wird sich eine strenge persönliche Disziplin angewöhnen müssen, sozusagen als Lebensregel, vollkommen selbstgewählt und selbstgewollt. Das erfordert natürlich die Bereitschaft, Opfer zu bringen, und das kann unangenehm oder gar schmerzhaft sein. Rudolf Steiner sagte einmal, daß ein in innerer Ruhe erlangter und geleisteter ›schöpferischer Verzicht‹ ungeahnte Quellen geistiger Kraft eröffne.«

Zweites Gespräch: Die Lebensberatung und das Urbild des menschlichen Gesprächs

»Ich habe mit größtem Interesse die Niederschrift des Gesprächs gelesen, das Sie mit Ursula, der Sozialarbeiterin, geführt haben«, begann P. Marcus. »Unsere Gesprächsfolge wurde ja eingeleitet durch meine Frage, was ein Lebensberater alles an Rüstzeug benötige. Damals sagten Sie, dazu gehörten vier Dinge: eine umfassende Lebenskenntnis, die man aus einem möglichst weiten Spektrum von Erfahrungen mit Menschen, mit dem Leben, mit Kunst und Religion geschöpft hat; eine bewußte geistige Schulung; die Grundeinstellung, daß man als ganzheitlicher Mensch einem anderen ganzheitlichen Menschen gegenübertritt, und zwar im Geiste disziplinierten Zuhörens und gegenseitiger Achtung; und schließlich ein fundamentales Geschick im Umgang mit Menschen. Sie haben dann hauptsächlich diesen letzten Aspekt näher ausgeführt und gezeigt, wie sich eine Beratungsbeziehung im Prinzip über sieben Stufen entfaltet, in ganz ähnlicher Art, wie Sie dies bereits Ursula gegenüber ausgeführt hatten. Nachdem ich nun die Niederschrift Ihres Gesprächs mit ihr gelesen habe, wird mir deutlich, daß Sie mir nicht nur deswegen eine so klare und tiefschürfende Beschreibung geben konnten, weil Sie bereits auf eine ähnliche Frage von Ursula eingegangen waren, sondern weil Sie dies alles schon über Jahre – in der Tat mehr als zwanzig Jahre lang – in Ihrer Arbeit als Kinderarzt und Berater Erwachsener intuitiv erforscht und praktiziert hatten. Mit anderen Worten: Ihre Praxis war lange vor Ihrer Reflexion über sie da.«

»Ja«, antwortete Dr. Schauder. »Diese sieben Stufen haben sich einfach im Laufe des Gesprächs mit Ursula ergeben. Mir wurde allmählich klar, daß es eine organische Stufenfolge gibt. Im weiteren Verlauf unseres Gesprächs entdeckte ich, daß ich mich ganz instinktiv von einer Stufe zur nächsten bewege, und zwar innerhalb eines bestimmten dynamischen Prozesses, und daß sich die Gesamtdynamik eben in sieben Stufen gliedern läßt: Vorbereitung; Zuhören und Erschließen; diagnostisches Zwischenspiel; Assimilierung; Wahl eines oder mehrerer Zielgebiete; dem Ratsuchenden helfen, sich auf die Zukunft auszurichten; dem Ratsuchenden, während er wirkliche Schritte in diese Zukunft macht, Beistand leisten. Ich war zuerst von dieser Entwicklung ziemlich überrascht, bis ich feststellte, daß auch David Stafford-Clark ein solches der therapeutischen Begegnung zugrunde liegendes dynamisches Prinzip beschrieben hat, wenn auch in etwas anderer Form. Seiner Ansicht nach entwickelt sich dasjenige, was er in seinem Buch *Psychiatry for Students*[1] ›Einsichts-Therapie‹ nennt, in drei wesentlichen Phasen: Aufnehmen, Assimilieren, Eingreifen. Ich bin nicht von Stafford-Clark ausgegangen, aber ich freute mich natürlich, als ich entdeckte, daß wir unabhängig voneinander zu ähnlichen Ergebnissen gelangt waren.«

»Und nun haben Sie diese siebenstufige Dynamik in der Zwischenzeit auch mir erklärt, lediglich mit dem Unterschied, daß Sie mir gegenüber einige Punkte genauer ausgeführt haben. Die wichtigste Präzisierung betraf, soweit ich das verstanden habe, die Vorbereitung für eine einzelne Sitzung: Sie stellten sie mir gegenüber als etwas viel Umfassenderes dar. Einerseits war Ihnen selbst, nachdem Sie mir Ihre Überlegungen über Ihre Praxis mitgeteilt hatten, deutlicher geworden, daß die Vorbereitung – Ihre erste Stufe – eigentlich die gesamte Persönlichkeit des Beraters betreffen muß, und zwar aufgrund einer kontinuierlichen geistigen Schulung. Man sollte also, streng genommen, die geistige Schulung des Beraters nicht als etwas betrachten, das sich einfach längs oder parallel zur siebenstufigen Beratertätigkeit abspielt, sondern als etwas, das die Kernsubstanz seiner ganzen Persönlichkeit und seiner Tätigkeit bildet. Aber ich habe den Eindruck, daß dieses Thema so umfassend ist, daß ich es lieber bei einer anderen Gelegenheit mit Ihnen weiterbesprechen möchte.«

---

[1] David Stafford-Clark, Psychiatry for Students. London, 5. Aufl. 1979

»Darauf werde ich gerne eingehen«, antwortete Dr. Schauder. »Darf ich nun vorläufig auf folgendes hinweisen: Als ich mich mit Ihnen zum ersten Mal über den ganzen Komplex der zur Psychotherapie gehörenden Faktoren unterhielt, machte ich zunächst einen Unterschied zwischen der Grundeinstellung des Zuhörens einerseits und dem Menschsein wie auch der Spiritualität des Beraters andererseits, während ich jetzt mehr betonen würde, wie alle diese Elemente miteinander zusammenhängen. Die geistige Schulung besteht nicht einfach in einer Spezialausbildung in bestimmten geistigen Techniken mit bestimmten Resultaten, sie wirkt sich auf die gesamte Persönlichkeit des Beraters aus. Dieses muß die Basis einer geistigen Entwicklung bilden, sonst würde nur ein vertrockneter Heiliger dabei herauskommen –, eine erbärmliche Geschichte. In diesem Zusammenhang haben wir uns der großen Beispiele des heiligen Augustinus und des heiligen Franz von Assisi erinnert. Beide haben zuerst in vollen Zügen gelebt, und dieses Leben haben sie dann zu spirituellen Formen der Energie und der Erfahrung verdichtet und veredelt. Heute hätten wir etwa das Beispiel Thomas Mertons, der ebenfalls ein sehr weltliches Leben geführt hatte, bevor er sich dem klösterlichen Leben zuwandte.«

»Es gäbe noch manche Beispiele dieser Art«, fügte P. Marcus hinzu, »Charles de Foucauld, Martin Luther King oder die kürzlich verstorbene Dorothy Day etwa.«

»Und eines der größten Beispiele, wenn nicht gar *das* größte, ist natürlich Buddha.«

»Mit all dem haben wir ein weites Thema angeschnitten, und ich hoffe, wir können es an einem anderen Tag miteinander durchsprechen. – Nun aber wollen wir zum zweiten Aspekt Ihrer Präzisierung zurückkommen, zu dem, was Sie Ursula gesagt hatten in Ihrer nachträglichen Neubetrachtung des Themas mit mir zusammen. Sie betonten, daß der wichtigste Einzelfaktor einer Beratung die Persönlichkeit des Beraters selbst sei, so daß die wirkliche Vorbereitung auf eine bestimmte Sitzung das gesamte Leben ist, das der Berater in diese Sitzung mitbringt.«

»Ja«, sagte Dr. Schauder, »und gerade in diesem Punkt bin ich, seit ich mit Ihnen über das Thema gesprochen habe, in meinem Denken ein Stück weitergekommen. Die sieben Stufen, welche ich Ursula und Ihnen gegenüber aufzeigte, sind der Ausdruck von etwas, was ich allmählich als die Dynamik der therapeutischen Begegnung zu verstehen lernte. Aber in bezug auf diese siebenstufige Dynamik ist mir erst vor kurzem aufgegangen, daß sie *nicht nur* der therapeutischen Begegnung zugrunde liegt, *sondern einer jeden* menschlichen Begegnung überhaupt, insofern sie im *Gespräch* ihren Ausdruck findet. Mit Gespräch meine ich jede sinnvolle Unterhaltung, jeden wahrhaften Dialog, in welchem man grundlegende Fragen aufwirft, grundlegende Ansichten austauscht, und in welchem beide Gesprächspartner in eine bestimmte Richtung streben und sich um eine wenigstens vorläufige Lösung der betreffenden Fragen bemühen. Und nun betrachten Sie diese sieben Stufen einmal genauer! Sie machen dabei eine erstaunliche Entdeckung: Jedes gewöhnliche sinnvolle Gespräch zeigt in seinem Prozeß und in seiner Dynamik eine solche Stufenfolge, wenn auch vielleicht in abgewandelter Form. Ich habe zum Beispiel bemerkt, daß ich vor einem *Gespräch* mit einem Freund in derselben Weise in eine vorbereitende Phase inneren Schweigens und innerer Sammlung treten muß, wie ich das tue, bevor jemand in eine Beratungssitzung kommt. Ich möchte das an einem Beispiel verdeutlichen: Sie werden vielleicht sagen: ›Und was passiert nun mit dem diagnostischen Zwischenspiel? Sie werden doch bestimmt keine Diagnose stellen, wenn Sie einen Freund treffen?‹ Nein, natürlich tue ich das nicht. Aber sehen Sie, um wahrnehmen zu können, was ein anderer braucht, müssen Sie – und das ist jetzt in Anführungsstriche zu setzen – diagnostisch ›einschätzen‹ können, in welcher Lage der Betreffende ist, was Sie zu ihm sagen können, was für ihn hilfreich oder bedeutsam sein kann, wieviel Sie ihm zumuten können und so fort. Sie sehen, in dieser Art kommt tatsächlich etwas mit einer ›Diagnose‹ zumindest Vergleichbares ins Spiel.

Wir sind damit also zu der grundlegenden Feststellung gelangt, daß der siebenstufige Prozeß nicht nur in der therapeutischen Begegnung, sondern in der wahrhaft menschlichen Begegnung überhaupt, nämlich im *Gespräch*, am Werke ist. Und in dieser Hinsicht unterscheidet sich dieser Prozeß von Stafford-Clarks Schema, denn dieser wendet es nur auf die therapeutische Begegnung an. Nun würde ich noch gerne einen weiteren Punkt berühren. Aber ist das Bisherige deutlich genug?«

»Ja, ja, ich verstehe sehr gut«, antwortete P. Marcus. »Es scheint mir, daß Ihre Beratertätigkeit nicht nur der Reflexion über diese Tätigkeit lange vorausgegangen ist, sondern auch, daß in dem Moment, als Sie anfingen, mit Ursula und mir über sie nachzudenken, die Dynamik dieser Praxis weiterhin wirksam geblieben ist, wenn auch jetzt in einer anderen Weise. Dieselbe Dynamik, welche aus Ihrer Praxis zur Reflexion führte, hat sich nun im Prozeß der Reflexion selbst gespiegelt. Dadurch ist das, was zunächst nur eine Darstellung der praktischen *Beziehung zwischen einem Berater und einem bestimmten Menschen* war, in immer deutlicherer Weise zur Darstellung *jeder* wahrhaften und menschlich tiefen Beziehung geworden, so wie sie im *Gespräch* ihren Ausdruck findet. Sind Sie damit nicht zu einer Vertiefung und einer Erweiterung der siebenfachen Dynamik gekommen?«

»Sehr richtig«, sagte Dr. Schauder. »Diese Dynamik hat nun eine weitere soziale und damit eine allgemeinmenschliche Bedeutung bekommen. Sehen Sie, wenn man sich diese Grundhaltungen einmal zu eigen gemacht hat, so daß sie Instinkt werden, so wird man auf irgendeine Weise bei jeder menschlichen Begegnung diese sieben Stufen der Vorbereitung, Erschließung, Assimilierung usw. durchlaufen. Hier taucht jedoch die Frage auf, die mir übrigens schon gestellt wurde, wo denn die verschiedenen therapeutischen Methoden, die von Freud, Jung, der Verhaltenstherapie etc. entwickelt worden sind, ihren Platz haben, wenn der siebenstufige Prozeß eine allgemeinmenschliche Bedeutung hat? Nun, Sie werden sich erinnern, wir sprachen vom Zielgebiet, das herauszugreifen ist (unsere Stufe 5). Dann sagten wir, dieses Zielgebiet müsse jetzt durchgearbeitet werden (unsere Stufe 6). Gerade an diesem Punkt, wo wir uns ein Zielgebiet herausgegriffen haben, müssen wir entscheiden, von welcher Therapiemethode wir Gebrauch machen wollen, falls wir überhaupt uns zu einer bestimmten Methode entschließen. Haben Sie es zum Beispiel mit einem Menschen zu tun, der eine neurotische Klaustrophobie hat, so daß er keinen geschlossenen Raum verlassen oder betreten kann, so müssen Sie etwas Konkretes unternehmen, und wenn nun andere Zielgebiete bereits geklärt sind, so werden Sie sich auf diesen bestimmten Punkt konzentrieren. Die Frage ist nun: Wie wollen Sie das tun? Sehen Sie, Sie können sich jetzt für eine analytische Methode, für die Trauminterpretation, für die Suggestion oder einfach für die Gesprächstherapie entscheiden. Sie können sich aber auch für eine Konditionstherapie entscheiden. Sie können zum Beispiel sagen, für diesen Menschen ist es das beste, ihn auf eine Autofahrt mitzunehmen. *So können, wie ich glaube, gerade an diesem Übergangspunkt spezifische Therapiemethoden oder -techniken in den ganzen Prozeß eingeführt und in die Gesamtstruktur der menschlichen Beziehung integriert werden. Deswegen bleibt diese Struktur, glaube ich, dennoch unverändert bestehen; sie hat sozusagen Urbild-Charakter.«*

»Das ist sehr interessant. Damit wird auch eine Frage beantwortet, die ich mir selbst schon oft gestellt habe. Ich bin ja, wie Sie wissen, mit verschiedenen Therapiemethoden vertraut. Aber ich bin immer stärker von deren Relativität überzeugt und damit auch von der Notwendigkeit, für einen jeden Menschen die richtige Methode zu finden und sie ihm anzupassen. Ich hatte kürzlich mit drei Menschen zu tun. Einem augenblicklichen Impuls folgend habe ich einfach so vollkommen wie möglich zugehört, und ohne mir in Ihrer Art darüber Begriffe gebildet zu haben, bin ich wohl zu so etwas wie einem diagnostischen Zwischenspiel gekommen, als ich mir die Frage stellte: ›Was braucht dieser bestimmte Mensch?‹ Und das scheint ja immer wieder etwas anderes zu sein, so daß man die Leute in ein Prokrustesbett stecken würde, wenn man durchweg nur von einer Methode Gebrauch machen wollte.«

»Ganz genau!« sagte Dr. Schauder voller Enthusiasmus. »Sie sehen, das, wovon ich rede, führt im Endeffekt nicht zu einer neuen spezifischen Therapiemethode, die nun zu der großen Anzahl der bereits existierenden Methoden einfach noch hinzukäme. Nein, diese Stufen stellen das urbildliche Prinzip einer therapeutischen und rein menschlichen Begegnung dar, und deswegen sind sie auch grundlegend und unveränderbar. Und nun kann in diese Stufen jede spezifische therapeutische Methode oder Technik eingebaut werden. *Und deswegen kann diese Art der Gesprächstherapie mit irgendeiner anderen psychologischen oder analytischen Methode überhaupt nicht in Kollision geraten. Sie erkennt alle diese Methoden an, insofern sie berechtigt und irrtumsfrei sind. Deswegen kann sie ihnen gegenüber ganz offen sein und von ihnen, allerdings mit Unterscheidungsvermögen, Gebrauch machen, ohne sich dabei ausschließlich einer einzigen Methode in bestimmter Weise verschreiben zu müssen.* Und wie Sie bereits angedeutet haben: die Therapiemethoden können so unbegrenzt sein wie die Lebensmöglichkeiten selbst. Aber die jeweilige Therapieform muß in jedem einzelnen Fall besonders bestimmt werden. Sie sehen, jede menschliche Tätigkeit und jede menschliche Erfahrung kann letzten Endes, wenn sie an der richtigen Stelle einsetzt, therapeutisch wirken. Aber gleichzeitig haben diese einzelnen Tätigkeiten und Erfahrungen auch ihre Grenzen, und so können sie sich gegenseitig ergänzen. Ich glaube jedoch, die wichtigste und letztlich auch wirksamste Therapie ist die menschliche Begegnung, bei der *das Wesen des Therapeuten selbst therapeutisch wirkt.* Natürlich stehen wir erst am Beginn derartiger Erfahrungen und Möglichkeiten. Sicher aber wäre es ein großer Fehler, wenn bei der Ausbildung von Therapeuten und Psychiatern technisch-methodische Fähigkeiten oder die Tendenz einer bestimmten Schule im Vordergrund stünden, wenn dabei aber der Wert der menschlichen Reife und der geistigen Entwicklung desjenigen unterschätzt würden, der später Ratsuchenden gegenübertreten soll. Darf ich das sogar noch einen Schritt weiterführen? Sie sehen, daß heute immer mehr Menschen mit den verschiedensten spirituellen Erfahrungen – sei es, daß sie infolge des Meditierens oder ganz spontan auftreten – nicht nur mit Priestern, sondern auch mit Analytikern und Psychiatern Kontakt aufnehmen. Und solche Psychiater, die nicht mit einer spirituellen Dimension des Menschen und mit spirituellen Erfahrungen, die viele Menschen heute haben können, rechnen, werden auf diese Menschen – und ich habe da zwei konkrete Fälle im Auge – so reagieren, als ob sie einfach unter bestimmten Verirrungen litten. Aber das ist keine Lösung. Denn Geschehnisse und Erfahrungen dieser Art werden immer mehr in unsere in dieser Beziehung so selbstgefällige Gesellschaft hereinbrechen. Es wird nicht mehr angehen, daß ein Psychiater sagt: ›Oh, das ist eben ein depressiver und in Illusionen befangener Mensch.‹ Denn sehr oft sind solche Menschen nicht depressiv oder halbverrückt. Um so wichtiger ist es also, daß wir unsere Erfahrungen auf diesem menschlich-spirituellen Feld vertiefen, um dem, was auf uns zukommt, gewachsen zu sein.«

»Sie meinen, diesem Hereinbrechen spiritueller Erlebnisse?«

»Ja. Doch dies hat ja mehr einen peripheren Bezug zu unserem eigentlichen Gesprächsthema, nämlich der Beziehung dieser grundlegenden menschlichen Begegnung, die sich über sieben Stufen hin vollzieht, zu bestimmten therapeutischen Techniken, seien es psychiatrische oder analytische Techniken oder Heilmethoden, von den grobphysischen bis zu spirituellen – das ganze Spektrum.«

»Wir sind vielleicht tatsächlich etwas abgeschweift«, sagte P. Marcus, »aber das hat sich aus Ihren Ausführungen ergeben, als Sie schilderten, wie sich Ihre Gedanken über die tiefere Bedeutung des Prozesses einer therapeutischen Begegnung allmählich innerlich entwickelt haben. Um aber jetzt zum Hauptthema zurückzukehren: Ich finde diesen Begriff einer ›therapeutischen Begegnung‹ einerseits faszinierend. Auf einer anderen Ebene habe ich damit jedoch gewisse Schwierigkeiten. Bevor ich den Versuch mache, diese Schwierigkeiten zu formulieren, möchte ich zusammenfassen, was wir bisher herausgefunden haben. Als ich Sie in unserem ersten Gespräch dieser Reihe fragte, was eigentlich alles zur Psychotherapie gehöre, sagten Sie, dazu gehören in erster Linie vier Dinge: 1. eine möglichst umfassende Lebens- und Menschenkenntnis, 2. eine kontinuierliche geistige Schulung, 3. die Grundeinstellung, einem anderen Menschen ebenfalls rein menschlich zuhören und antworten zu wollen, 4. ein ausgebildetes Geschick, bei anderen Menschen das innere Wachstumspotential und die Fähigkeit, das Schicksal in die eigene Hand zu nehmen, allmählich herausentwikkeln zu helfen. In Ihrem Gespräch mit Ursula haben Sie vor allem die vierte Anforderung besonders behandelt, während Sie im Gespräch mit mir mehr insgesamt auf diese therapeutischen Voraussetzungen eingegangen sind. Wie schon erwähnt, wird mir nun im nachhinein klar, daß in Ihrem eigenen Leben, Denken und Handeln eine gewisse Dynamik am Werk gewesen ist, so daß Ihr Nachdenken wie eine natürliche Fortsetzung Ihrer praktischen Tätigkeit zustande gekommen ist und Ihre jüngsten Gedankengänge wiederum wie eine Fortsetzung von beidem erscheinen.

Außerdem ist mir bei Ihren letzten Gedankengängen, die Sie mir heute dargelegt haben, klargeworden, daß Sie in die tiefste Bedeutungsschicht der therapeutischen Begegnung eingedrungen sind und dadurch die eigentliche *Struktur einer jeden zwischenmenschlichen Beziehung* freigelegt haben, in welche jede Therapieform hineinpaßt – die innere Struktur der, wie Sie es nennen, urbildlichen menschlichen Begegnung als solcher, so wie diese im *Gespräch* ihren Ausdruck findet. Diese Folgerung stellt sich mit unausweichlicher Kraft. Sie ist wie ein reines Destillat – und zwar nicht nur Ihrer eigenen langen Erfahrungen, sondern einer viel umfassenderen und universelleren menschlichen Erfahrung. Trotzdem hat mein analytisches Selbst bei alledem immer noch einige bohrende Zweifel. Und so würde ich nun gern – teils, um die Vorstellungen in meinem eigenen Bewußtsein zu klären, teils, um der Wahrheit und Vollständigkeit willen – die sieben Stufen nochmals durchlaufen und nachprüfen, ob wir die Beschreibung der Begegnung zwischen Berater und Ratsuchendem nun tatsächlich auf die Begegnung zwischen zwei Menschen ganz allgemein übertragen können. Denn wenn die These wirklich stimmt, so könnten wir nun also auch die wahre menschliche Begegnung in derselben Weise beleuchten. Jede Stufe der therapeutischen Begegnung müßte auf ihre Weise in einem normalen, aber tiefen Gespräch zwischen zwei Menschen – wie *wir* es zum Beispiel gerade führen – ihre Entsprechung finden. Denn unserer Voraussetzung nach müßte auch dieses Gespräch, insofern es ein wahres Gespräch ist, derselben Gesetzmäßigkeit unterliegen.«

»In der Tat«, stimmte Dr. Schauder zu.

»Nun«, fuhr P. Marcus fort, »die erste Stufe – und bitte korrigieren Sie mich, wenn ich einen Fehler mache – ist, daß sich ein Ratsuchender auszusprechen versucht, und dabei machten Sie einen Unterschied zwischen dem, was er zunächst aussagt, und dem wirklichen Problem.«

»Nein, nicht ganz«, unterbrach Dr. Schauder. »Die erste Stufe ist wirklich die Stufe der Vorbereitung. Dies gilt sowohl für den Besuch eines Freundes wie für die Sitzung mit einem Ratsuchenden. Da stelle ich mir also vor, daß jemand, den ich kenne, zu mir kommt und mit mir etwas für ihn persönlich Wichtiges besprechen will. Etwa zehn oder fünfzehn Minuten vor dem Erscheinen des Betreffenden ziehe ich mich ganz kurz in dieses Zimmer zurück. Dann trifft der Erwartete ein, und nun werde ich, vorausgesetzt, ich kenne ihn, innerlich vollkommen stillhalten. Ich bringe meine Gedanken zur Ruhe, damit ich möglichst empfänglich sein kann. Ich *denke* nicht über den Betreffenden *nach*, sondern ich vergegenwärtige ihn mir innerlich in bildhafter Form, damit ich ein Gefühl bekomme für die besondere Welt, in der er lebt, für die Atmosphäre, welche ganz spezifisch zu ihm gehört.

Das wäre also die Vorbereitung, und sie kommt sowohl für Freunde wie auch für Ratsuchende in Betracht. Die zweite Stufe ist nun einfach die Stufe des Beobachtens, Zuhörens, Erforschens, wobei der Hauptakzent auf dem Zuhören liegt. Nun erzählt mir der Freund, weswegen er gekommen ist, was er mit mir besprechen möchte. Während des Zuhörens versuche ich, mich ihm gegenüber in gleicher Weise wie bei einem Ratsuchenden zu öffnen. Ich versuche, seine besondere augenblickliche Lebenslage zu erfassen. Das heißt, ich werde gewisse Fragen stellen, um ein möglichst allseitiges Bild von seiner Lage, seinen Beziehungen, seiner Lebensweise usw. zu bekommen.«

»Sie sprechen jetzt doch über ein *Gespräch* zwischen Freunden, nicht wahr? Nicht über eine therapeutische Zusammenkunft?« fragte P. Marcus.

»Es kommt genau auf dasselbe heraus«, sagte Dr. Schauder.

»Es könnte sich also zwischen zwei Menschen, die einander ähnlich gesinnt sind, vermutlich auch das Umgekehrte abspielen? Soweit die Wellenlänge dieselbe ist, gibt es Gegenseitigkeit?«

»Jawohl, das ist vollkommen richtig«, stimmte Dr. Schauder zu.

»Haben wir aber nicht vielmehr eine gewisse Asymmetrie zwischen der Situation von Berater und Ratsuchendem einerseits und der Situation zweier Freunde andererseits? Denn bei letzterem ist doch wohl eine vollkommene Gleichheit da?«

»Zwischen Freund und Freund bestimmt. Ja, das ist auch meine Ansicht«, antwortete Dr. Schauder, »aber vielleicht habe ich da Vorurteile. Ich muß gestehen, daß das so selten in meinem Leben vorkommt – der Prozeß der Gegenseitigkeit –, daß ich mich daran gewöhnt habe.«

»Genau das meine ich«, warf P. Marcus ein. »Es wird mir klar, daß die Begegnungsform Ratsuchender–Berater in Ihrem Leben und daher auch in Ihrem Denken so dominant ist, daß Sie die Anwendung Ihrer Einsicht in die Struktur dieser Begegnungsform noch nicht so weit durchgearbeitet haben, daß Sie damit der Beziehung zwischen zwei gleichgestellten Partnern wirklich gerecht werden können. Ich frage mich, was geschieht, wenn zwei Menschen wirklich gleichgestellt sind, sagen wir, zwei Freunde in unserer (hoffe ich!) Situation oder zwei Ehepartner, wo keiner die Vater- oder Mutterrolle oder, wenn Sie lieber wollen, den Überlegenen spielt, sondern beide in gleicher Art miteinander und mit einem gemeinsamen Problem ringen. Vielleicht wird dann das ganze Schema bis zu einem gewissen Grade brüchig?«

»Ich weiß nicht, da bin ich mir gar nicht sicher«, sagte Dr. Schauder.

»Aber sicher werden Sie das Schema in diesem besonderen Fall doch etwas modifizieren müssen«, sagte P. Marcus, »denn die Beziehung zwischen Berater und Ratsuchendem ist im Grunde doch eine solche zwischen Überlegenem und Unterlegenem, zwischen einem, der etwas zu geben, und einem, der um etwas zu bitten hat, während wir es im Falle wahrer Freunde mit einem gemeinsamen Suchen zu tun haben. In einem Fall besteht eine Abhängigkeit, während sie im anderen fehlt.«

»Ja, aber ich denke, ›überlegen‹ und ›unterlegen‹ sind unpassende Bezeichnungen ...« wandte Dr. Schauder ein.

»Nein, ich würde diese Ausdrücke nicht gebrauchen«, fuhr er fort. »Doch soweit ich nun sehen kann, ist die Antwort auf Ihre Frage nicht, daß das Schema zusammenbricht, sondern, daß die beiden Gesprächspartner einander sozusagen gleichzeitig in aktiver Weise erschließen, aber trotzdem aufgrund der gleichen Struktur. So müssen sie zum Beispiel beide zuhören und beide beobachten, wenn sie einander wirklich verstehen und gemeinsam weiterkommen wollen. Der häufige Abbruch und die Erfolglosigkeit vieler Gespräche beruhen in der Regel darauf, daß gerade das nicht geschieht. Und so fällt entweder das Ganze auseinander oder die Sache wird einseitig.«

»Schön, Hans, es freut mich, daß Sie das Element der Gegenseitigkeit nun ausdrücklich miteinbezogen haben. Damit entsteht aber eine weitere Schwierigkeit: Die Intuition, zu der Sie kürzlich gelangt sind, besagt, daß die therapeutische Begegnung nur eine Variante dessen ist, was Sie die urbildliche menschliche Begegnung nennen, und daß die Analyse der therapeutischen Begegnung deshalb im wesentlichen auch eine Analyse der urbildlichen Begegnung mit sich bringt. Nun haben Sie aber Ihre siebenstufige Analyse an der Therapie-Begegnung gewonnen. Die Frage ist also: Gibt es zu jeder Ihrer sieben Stufen in einem einfachen menschlichen Gespräch wirklich eine Entsprechung, wenn man das Element der Gegenseitigkeit, das zwischen Freunden, nicht aber zwischen Berater und Ratsuchendem existiert, mit berücksichtigt? Mit anderen Worten: Können wir Ihre siebenfältige Analyse in solcher Weise neuformulieren, daß sie der Gegenseitigkeit in einem gewöhnlichen, aber wahrhaften Gespräch gerecht wird? Wir müssen also noch einmal den Versuch machen, jetzt aber in systematischer Weise, herauszufinden, ob ein Gespräch sich tatsächlich genau wie der therapeutische Prozeß über sieben Stufen entfaltet.«

»Ja, sicher. Ich bin zutiefst davon überzeugt, daß es so ist. Ich bin allerdings bisher noch nie dazu aufgefordert worden, das so deutlich zu formulieren. Doch ich will es einmal versuchen, und wir werden ja sehen, wie weit wir damit kommen. Fangen wir also noch einmal von vorne an. Stufe eins: ich bereite mich vor, indem ich ruhig dasitze, denn ich will für das Gespräch bereit sein und nicht den Kopf voller eigener Gedanken haben. Stufe zwei: der Freund kommt. Und wenn der Freund nun da ist, schaue ich hin, höre zu, beobachte und versuche herauszufinden, in welcher Lebenslage er sich befindet und wie er sich gerade fühlt – genauso wie ich das, etwas anders, bei einem Ratsuchenden tue. Nun kommen wir zum diagnostischen Zwischenspiel: Stufe drei. Auch hier könnten Sie sagen: ›Die Sache funktioniert nicht.‹ Aber ich glaube, Sie müssen bei jeder grundlegenden menschlichen Begegnung beurteilen, in welcher Stimmung der Freund ist, wie sein allgemeiner Gesundheitszustand ist, ob er müde oder munter ist, wieviel Sie ihm zumuten können, was Sie ihm sagen wollen, wie Sie es sagen wollen. In diesem Sinne handelt es sich um eine Variante des diagnostischen Zwischenspiels.«

»Außer daß wir jetzt noch berücksichtigen müssen, daß das ein gegenseitiger Prozeß ist. Im Idealfall sollte der andere doch dasselbe mit Ihnen tun, nicht wahr?«

»Ja.«

»Beide sollten sich in den anderen einfühlen, so daß keiner dem anderen etwas zumutet, was über seine Kräfte geht.«

»Ja. Es ist sehr interessant, daß Sie nun auf diesen Punkt kommen«, sagte Dr. Schauder. »Denn bei mir vollzieht sich dieser Prozeß gewöhnlich nur in *einer* Richtung, so daß ich mir dieser Gegenseitigkeit kaum bewußt bin – obwohl ich sagen muß, daß meine Freunde zum Beispiel genau merken, ob ich müde bin oder nicht. Sie haben also ganz recht. In diesem Sinne ist der Prozeß gegenseitig. Wir kommen damit zur Stufe vier, der Assimilierung. Natürlich kann sich dieser Prozeß in jedem Gespräch wie auch in jeder therapeutischen Begegnung schon sehr bald abspielen. Im Idealfall sollte er sich langsam entwickeln und allmählich heranreifen. Ich meine, nachdem man einen Eindruck von der betreffenden Persönlichkeit und der Welt ihrer Beziehungen gewonnen hat, sollte man mit diesen Bildern und Eindrücken leben und sie langsam in seinem Innern verarbeiten. Aber oft erfordern die Umstände ein rasches Handeln. Sie treffen eine Wahl, oder Sie werden von bestimmten bedeutsamen Bildern oder vielleicht auch nur von einer bestimmten Geste ›frappiert‹. Und das gilt auch für eine Begegnung mit einem Freund. Auch hier müssen Sie gewöhnlich sehr rasch assimilieren, es sei denn, Sie haben das Gefühl, etwas Zeit zu brauchen, und das sollten Sie dann auch zum Ausdruck bringen, wenn es sich um ein sehr wichtiges Gespräch handelt. Sie assimilieren, beinahe halbbewußt, ein bestimmtes Spektrum von Eindrücken und Bildern, von denen Sie das Gefühl haben, daß sie für diesen Menschen wesentlich sind, und darauf werden Sie antworten.«

»Es scheint mir gerade, Hans, durch die ganze Art Ihrer Beschreibung, daß Sie sich wiederum unbemerkt auf den Standpunkt des Beraters gestellt haben. Ich versuche dagegen, mir die ganze Zeit eine Situation vorzustellen, wo beide Menschen Ratsuchende sind, wenn Sie so wollen, wo beide einander gleichgestellt sind. Der Prozeß wäre dann gegenseitig, und dann handelt es sich, wie mir scheint, nicht mehr darum, daß nur ein Mensch in die Gefühls- und Bilderwelt eines anderen taucht, sondern darum, daß beide gegenseitig die Gefühlswelt des anderen betreten. Vielleicht noch mehr als das. Es handelt sich darum, in die Welt des andern einzutreten und allmählich eine *gemeinsame* Welt von Gefühlen und Bildern aufzubauen, nicht wahr? Denn wie Sie zu Beginn sagten, man weiß in keinem menschlichen Gespräch, wohin man selbst kommt, denn man bemüht sich ja *gemeinsam* um einen Weg.«

»Einverstanden. Aber das Wesentliche scheint mir, selbst wenn Sie es so darstellen, was ich akzeptiere, daß wir in einer therapeutischen Begegnung immer noch eine Parallele haben zu dem, was sich in einer sinnvollen und gegenseitig hilfreichen Gesprächsbegegnung abspielt, in der zwei Menschen in der Hoffnung aufeinander zugehen, zu einem tieferen Verständnis nicht nur des anderen, sondern auch ihrer selbst und des Lebens zu gelangen.«

»Ja, das sehe ich auch so, Hans. Die Assimilierung, die stattfindet, ist wiederum gegenseitig. Das ist die Hauptmodifikation, die hier gemacht werden muß.«

»Ja, Sie haben mich nun auf eine völlig neue Dimension der Sache aufmerksam gemacht, über die ich mir bisher nicht klar war, nämlich, daß sich der Prozeß gleichzeitig in zwei Richtungen entwikkeln kann. Und dann ist das Ganze um so gesünder und wertvoller. Und ganz sicher, wenn wir nun Stufe sechs nehmen, das Durcharbeiten...«

»Und was ist mit Stufe fünf, der Wahl eines bestimmten Zielgebiets?« unterbrach P. Marcus. »Was entspricht dieser Stufe in einem Gespräch?«

»Nun, das Zielgebiet ist psychologisch oder praktisch das Wichtigste bei einem Gespräch. Mit anderen Worten: Man redet nicht im Unbestimmten herum, man schweift nicht ziellos hin und her. Man führt ein zielgerichtetes Gespräch, man will auf etwas hinaus, und das kann nur gelingen, wenn man eine bestimmte Richtung einhält.«

»Würden Sie sagen, daß es darum geht, sich auf ein bestimmtes Thema zu einigen?«

»Ja. Man muß sich in dem Sinne auf ein Thema einigen, daß einer von beiden auf einen bestimmten Punkt zusteuert und daß man dann erfühlen muß, ob man das gemeinsame Thema gefunden hat. Wenn Sie das Gefühl haben, daß Sie in eine falsche Richtung gehen, dann nehmen Sie eine Neuorientierung vor. So viel bezüglich des Zielgebietes. Nun wird man dieses Gebiet gemeinsam durcharbeiten, um zu einem Ergebnis zu kommen, das eine gewisse Bestätigung oder einen gewissen Trost oder das Gefühl neuer Vitalität mit sich bringt. Das wäre Stufe sechs. Und wenn schließlich Stufe sieben, auf der wir den Ratsuchenden auf eine neue Lebensstruktur hinlenken, in den Prozeß eines rein menschlichen Gespräches umgesetzt wird, so bekommen wir das Gefühl, das wir am Ende eines solchen Freundesgesprächs etwa mit den Worten zum Ausdruck bringen: ›Das war ein gutes Gespräch.‹ Was meinen wir denn damit? Wir meinen damit entweder, daß wir jetzt wieder ins Leben hinaustreten und mit bestimmten Situationen besser fertig werden können, über bestimmte Probleme klarere Gedanken haben werden, oder wir werden, auch wenn das nicht zutreffen sollte, immerhin erfrischt und mit neuer Lebenslust in den Alltag zurückkehren. Wir werden das Gefühl haben, die Trivialitäten hinter uns gelassen und uns auf etwas wirklich Wertvolles konzentriert zu haben, und das macht sich in einem Zuwachs an Vitalität bemerkbar.«

»Ja, damit bin ich ganz einverstanden, Hans. Nun haben wir, scheint mir, aus unserem Versuch, die Analyse der Therapie-Begegnung zwischen Berater und Ratsuchendem in die Analyse eines elementaren menschlichen Dialoges umzusetzen, zwei Dinge gewonnen. Zum einen, denke ich, ist uns beiden klarer geworden, daß wir den Unterschied zwischen den beiden Situationen sehr beachten und deshalb die Beschreibung des Gesprächs modifizieren müssen, wenn wir der vitalen Gegenseitigkeit Rechnung tragen wollen, der Sie, wie mir scheint, immer wieder ausweichen. Das andere, was zumindest mir selbst klargeworden ist, besteht in folgendem: Wenn man unser Schema von der einen in die andere Situation übersetzt und auch das Element der Gegenseitigkeit berücksichtigt hat, wird viel deutlicher, daß tatsächlich auch in der Ausgangssituation von Ratgeber und Ratsuchendem viel mehr Gegenseitigkeit enthalten ist, als ich zunächst angenommen hätte. Sie verstehen, was ich meine, Hans?«

»Ich verstehe genau.«

»Das ist für mich deswegen interessant, weil ich glaube, daß man sich normalerweise die Beziehung zwischen Berater und Ratsuchendem tatsächlich als eine Abhängigkeitsbeziehung vorstellt, während aus unserer Betrachtung deutlich hervorgeht, daß sich der Prozeß zwischen Ratgeber und Ratsuchendem im Grunde auf einer Ebene abspielt, auf der zwei Menschen miteinander um eine bestimmte Aufgabe ringen, bei der *beide* zu lernen haben. Darauf haben Sie, glaube ich, an einem bestimmten Punkt selbst hingewiesen, und zum Teil wohl auch deswegen haben Sie die von mir gebrauchten Ausdrücke ›unterlegen‹ und ›überlegen‹ zurückgewiesen. Wir haben, mit anderen Worten, ›wirkliche Gegenseitigkeit‹.«

»Jawohl«, sagte Dr. Schauder. »Ich muß sagen – und ich sage das nicht, um mich irgendwie zu entlasten –, ich hatte in bewußter Weise (vielleicht habe ich es bis zu einem gewissen Grad unbewußt gehabt) nie das Gefühl einer irgendwie gearteten Überlegenheit gehabt. Ich sage zu den mich aufsuchenden Menschen immer: ›Wir müssen etwas zusammen durcharbeiten.‹ Es geht darum, *gemein-*

sam gewisse Probleme, gewisse Fragen durchzuarbeiten, und ich bin mir sehr wohl der unermeßlichen Bereicherung bewußt, die dadurch in mein Leben kommt, daß ich diese Tätigkeit habe. Bisher war ich mir nicht bewußt, daß der Prozeß ein gegenseitiger ist, in dem Sinne, wie Sie das deutlich gemacht haben und wie das bei einem bewußt geführten Gespräch wohl noch stärker der Fall sein wird. Aber ich habe immer erlebt, wie sehr der Zustrom von Erfahrungen, die Begegnung mit dem Schicksal, das Betreten umfassenderer Lebensbereiche, die sowohl durch Ratsuchende wie auch durch Freunde an mich herangetragen wurden, mein Leben bereichert und trägt. Ganz besonders privilegiert fühle ich mich dadurch, daß ich mich in die Anschauungen junger Menschen vertiefen kann, denn sie tragen Gedanken, Impulse und Neigungen in sich, die völlig anders sind als alles, was ich selbst je erlebt habe. Zum Beispiel ist ihre Besorgnis über Ereignisse in Afrika, Asien und Indien etwas, was uns während unserer eigenen Jugendzeit völlig unbekannt war.«

»Ich sehe das genauso.«

»Die Impulse des Helfenwollens, des Mitleids, der Anteilnahme waren uns etwas Fremdes, nicht weil wir schlechte oder stumpfsinnige Menschen gewesen wären, sondern weil unser Leben und unsere Welt sehr eng und beschränkt waren. Wenn Sie beispielsweise die ersten paar Kapitel von Stefan Zweigs Buch *Die Welt von gestern* lesen, so haben Sie eine bewundernswerte Beschreibung von dieser beengten, düsteren Dämmerungsatmosphäre und von der Empfindung, vom Leben vollkommen abgeschnitten zu sein. Und in diesem Sinne erlebe ich einen ungeheueren Erfahrungszuwachs.«

»Ja, das kann ich vollkommen begreifen, Hans. Und sich dieser Tatsache bewußter zu werden, ist mindestens in zweierlei Hinsicht von Belang: erstens in bezug auf unsere Einstellung, welche auf diese Weise immer mehr eine solche der Demut wird. Aber was noch wichtiger ist, man wird vielleicht auf eine noch bewußtere Art versuchen, in einer Beratungssituation dieses Gefühl auch dem anderen Menschen zu vermitteln. Denn ich selbst habe oft erlebt, daß mich manche Leute auf einen Sockel stellen und, jedenfalls in extremen Fällen, sagen: ›Aber ich gebe Ihnen ja gar nichts.‹ Das ist sehr schlecht für ihre Selbstachtung, und sehen Sie – ich denke da an eine ganz bestimmte Person –, wenn ich mir nun bewußt werde, daß sie mir tatsächlich auch etwas gibt, kann ich dieser Person in bezug auf ihr Selbstwertgefühl prinzipiell helfen. Denn das ist das letzte, worauf ein Mensch kommt, wenn er sich schlecht, zurückgewiesen und unfähig fühlt: daß er selbst auch etwas gibt. Ich glaube, es ist sehr wichtig, daß wir versuchen, dieses Gefühl zu vermitteln, daß wir, wie Sie sagen, gemeinsam etwas durcharbeiten wollen und daß wir Berater etwas erhalten, daß wir Privilegierte sind.«

»Das ist sehr richtig. Sehen Sie, während wir uns unterhalten, wird mir bewußt, daß man mir so etwas in früheren Jahren, im Unterschied zu heute, häufig gesagt hat. Und ich weiß auch nicht, warum sich das geändert hat – wahrscheinlich, weil sich meine grundlegenden Gefühle verändert haben, wahrscheinlich aber auch, weil der Unterschied zwischen einem Priester und einem Arzt sehr groß ist. Ein Priester wird viel eher zum Gegenstand der Verehrung gemacht. Ein Arzt oder ein Therapeut wird sich, wenn er sich in der richtigen Art einstellt, denke ich, auf den anderen ›projizieren‹ (ein schlechter Ausdruck), aber Sie verstehen, was ich meine. Er wird den anderen Menschen einfach als Mitmenschen erreichen, und er kann dann, in erster Linie natürlich durch die stille Haltung des Zuhörens und Aufnehmens, manchmal aber auch auf eine deutlichere Weise seine Wertschätzung dessen, was er zu hören bekommen darf, zum Ausdruck bringen. Eine solche Gegenseitigkeit innerhalb der Beziehung kann aufgebaut und in unaufdringlicher Weise akzentuiert werden. Das steht jedoch im Widerspruch zu dem, was manche Therapeuten glauben, sowohl in bezug auf das Leben als auch in bezug auf ein Gespräch. Gegenseitigkeit – das ist ein grundlegendes Element. Je mehr sich der Ratsuchende ihrer bewußt wird und je mehr er das tiefe Empfinden bekommt, daß der Ratgeber einfach jemand ist, der rein menschlichen Anteil nimmt und der ebenfalls Schwierigkeiten und Mühsale durchlebt und zu lösen versucht hat, und je mehr er das Gefühl hat, daß er dem Ratgeber etwas gibt, wenn er ihm seine Probleme schildert, um so fruchtbarer werden die Ergebnisse einer therapeutischen Begegnung werden. – Wollen wir damit schließen?«

Drittes Gespräch: Beziehung und Einsamkeit

»Über unsere letzten beiden Gespräche habe ich viel nachgedacht, Hans. Wie ein Pflug immer wieder über die winterliche Erde dahingeht, so ging mein Denken und Fühlen über unser Themenfeld hin. Mich hat sehr beeindruckt, wie Sie die Beratung als einen siebenstufigen Prozeß analysiert und anschließend auf die menschliche Begegnung überhaupt bezogen haben. Am Ende stand dann eine bestimmte Frage da, die zum Ausgangspunkt weiterer Einsichten werden könnte. Sie haben, wenn ich mich recht erinnere, mindestens bei einer Gelegenheit einen von Rilkes wunderbaren Aussprüchen zitiert, nämlich: jede Beziehung sei eine Angelegenheit zweier Einsamkeiten, die einander grüßen, berühren und beschützen.«

»Ja«, antwortete Dr. Schauder, »dies ist eines meiner Lieblingszitate. Ich zitiere es ziemlich oft.«

»Nun kam ich selbst auf eine mehr indirekte Weise auf diesen Ausspruch Rilkes, nämlich über die Memoiren von Lawrence Whistler mit dem Titel *The Initials in the Heart.* Whistler war, wie Sie vielleicht wissen, jener Glasgraveur, der mit einer vielversprechenden jungen Schauspielerin verheiratet war, die bei der Geburt ihres zweiten Kindes starb. Er schrieb dieses Buch einige Jahre danach, um durch die literarische Darstellung dieser ganz offenbar seltenen und besonderen Beziehung sein Herz zu beruhigen. Gegen Ende des Buches zitiert er diesen Ausspruch von Rilke, doch mit einer kritischen Beibemerkung: ›Dieser Ausspruch gefiel unseren romantischen Herzen, und sie zitierte ihn, jedoch mit dem Gefühl und dem Glauben, daß die Liebe darüber hinausgehen könne. Die Einsamkeit ist nicht versiegelt, sie ist auf irgendeine Weise durchlässig.‹ Diese gegenseitige Durchlässigkeit der Menschen füreinander war für Whistler und seine Gattin wichtig, und in diesem

Sinne ist der Ausspruch von Rilke auch für uns von Bedeutung, denn unsere Gespräche haben es ja mit dem Beziehungsaspekt des Lebens zu tun. Meine Frage geht nun dahin, daß unser Leben ja auch diesen anderen Aspekt hat, auf den Rilke hinwies, als er davon sprach, daß die sich einander begrüßenden, berührenden und beschützenden Partner einer Beziehung zwei *Einsamkeiten* seien. Gibt es in uns nicht letztlich etwas, das Sie sehr treffend als Insel bezeichnet haben, auf der wir vollkommen mit uns allein sind? Gibt es also nicht eine unentrinnbare Einsamkeit, jenes Alleinsein, in welchem wir dem Tod gegenüberstehen, so daß man uns sogar nach einem Ausdruck Heideggers als *Wesen zum Tode* bezeichnen könnte? Trifft dies aber zu, dann müßten wir – so weit hat mich mein Gedankengang bisher geführt – eigentlich sagen: Unser Leben besteht aus einer Polarität zwischen dem realen Bedürfnis nach anderen Menschen auf der einen Seite, dem Bedürfnis, sie zu erreichen, so durchlässig wie möglich für sie zu werden, und zwar auf unendlich verschiedene Weisen, wie wir sie in unserer bisherigen Diskussion betrachtet haben – und dieser unausweichlichen, vollständigen Einsamkeit auf der anderen Seite. Und so besteht selbst in einer lebenslangen Beziehung ein beständiges Wechselspiel zwischen diesen Polen von Beziehung und Einsamkeit. So weit haben mich nun meine eigenen Überlegungen geführt, und wenn sie zutreffend sind, möchte ich nun innerhalb dieser Polarität das Element der Einsamkeit mit Ihnen in Angriff nehmen. Sind Sie damit einverstanden?«

»Ja, Marcus. Ich glaube übrigens, daß Sie schon ziemlich weit bei diesem Thema vorgedrungen sind. Darf ich Ihnen ins Gedächtnis rufen, was Sie mir gleich bei unserer ersten Begegnung sagten: daß das, was Sie dazu bewegt hat, in den Orden einzutreten, gerade diese Wechselbeziehung zwischen Aktivität und Rückzug in die Kontemplation gewesen sei. Und ich glaube, es ist wohl eines der fundamentalen Gesetze des Zusammenlebens, ja sogar eines der fundamentalen Gesetze des Lebens im biologischen und physiologischen Sinne, daß wir immer wieder zu unserem eigenen Zentrum zurückkehren müssen. Es ist wie das Schlafen im Verhältnis zum Wachen, so daß wir den Schlaf schließlich wünschen, damit wir wieder wach sein können. Ein ähnliches Grundgesetz des Nach-innen-Gehens, des Hineinnehmens und dann wieder des Sich-in-die-Umwelt-Ergießens ist auch im Atmen am Werk.«

»Im Herzen?« fragte P. Marcus.

»Ja, schon im Atmen selbst, Systole und Diastole. Das zeigt also, daß es dieses Gesetz tatsächlich gibt. Einsamkeit kann nie etwas Einseitiges sein, ein nur in einer Richtung verlaufender Prozeß, so daß man sozusagen ein für allemal zu sich selbst zurückkehren würde.«

»Ich bin froh, daß Sie meine Ansicht bestärken, Hans, aber Ihr jetziger Gebrauch des Wortes ›Einsamkeit‹ schlägt wieder eine weitere Nuance an und führt mich wieder zu meiner Frage zurück, denn die Einsamkeit ist der Punkt, wo das Alleinsein seinen Bezug zum Alltagsleben und zur Therapie deutlicher zeigt. Auch in meiner eigenen Tätigkeit habe ich erfahren, daß ein Großteil meiner Arbeit in dem Versuch besteht, Menschen mit ihrer Einsamkeit zu versöhnen. Ich versuchte dieses Problem jedoch in der Weise zu lösen – sowohl für mich selbst als auch für andere Menschen –, daß ich mir klarmachte, inwieweit die Einsamkeit etwas vom Alleinsein sehr Verschiedenes ist. Für eine solche Sicht zeigt sich dann, daß Einsamkeit ein unglücklicher, allerdings wahrscheinlich nur vorübergehender Zustand ist, etwas wie eine Feuerprobe, die man im Ringen um das Alleinsein zu bestehen hat, etwas, das erst zum wahren Alleinsein führt. Ich möchte deshalb zwischen dieser Art der Einsamkeit und dem Alleinsein eine möglichst scharfe Grenze ziehen, und ich glaube, Sie sprachen einmal davon, daß der österreichische Philosoph Lotz diesen Unterschied in einem Buch dargestellt hat, daß Einsamkeit die Feuerprobe, das Fegefeuer, das Läuterungsfeuer sei, ja beinahe die Einweihung in das wahre Alleinsein darstelle?«

»Jawohl, das stimmt«, antwortete Dr. Schauder. »Er hat ein wunderbares Buch über das Alleinsein geschrieben, und er macht tatsächlich einen Unterschied zwischen Einsamkeit und Alleinsein. Ich glaube, er verwendet die Begriffe *Vereinsamung* und *Einsamkeit.* Und hier ist mit Einsamkeit das schöpferische Alleinsein gemeint.«

»In dieser Einsamkeit steht man in enger Beziehung zu einer Fülle von Dingen außerhalb des eigenen Selbst – ist es das, was damit gemeint ist, Hans?«

»Ja, genau«, fuhr Dr. Schauder fort. »Das ist die Einsamkeit des Künstlers, des Mystikers. Denn wenn man einmal zu dieser Einsamkeit oder – und das ist ja die wesentliche Bedeutung dieses Begriffs – zum eigenen wahren Zentrum den Durchbruch geschafft hat, dann ist man nicht mehr ›allein‹. Auf eine geheimnisvolle Weise erweitert sich das eigene Wesen, es beginnt Kontakt aufzunehmen, es beginnt sich eins zu fühlen mit den Geschöpfen, mit der Schöpfung selbst, mit der ganzen schöpferischen Welt. Dieser Zustand wird manchmal beschrieben als Identifikation mit den Bäumen, mit den Baumgeistern, mit den Stürmen, mit dem Gras, mit allen Lebewesen. Die Intensität dieses Zustandes ist natürlich bei jedem anders. Er kann verhältnismäßig begrenzt bleiben, und er kann weit und umfassend werden. Aber auch hier haben wir dasselbe Grundgesetz, denselben Grundrhythmus. Hat man nämlich einmal diese Reise nach innen bis zum Ende fortgesetzt, dann befindet man sich schon wieder auf einer Reise nach außen, und zwar auf einer viel weiteren Reise, als man sie im gewöhnlichen Leben je unternehmen könnte – ich meine in einem rein physischen Daseinszustand, in welchem man beschränkt ist.«

»Ich bin völlig überzeugt, daß es so ist«, sagte P. Marcus, »denn ich glaube, ich habe solche Augenblicke schon erlebt. Nur Augenblicke allerdings, denn es handelt sich ja um etwas Fortschreitendes, um einen Rhythmus, um einen Teil des Rhythmus des ganzen Lebens und des Individuums, und es ist ein Rhythmus, der sich im Laufe der eigenen Entwicklung in der ganzen Persönlichkeit vertieft und erweitert.«

»Ja, Marcus. Sehen Sie, wenn wir älter werden, beschränken sich sogar unsere physischen Möglichkeiten, nach außen hin zu expandieren, auf ganz natürliche Weise. Man kann zum Beispiel nicht mehr so schnell gehen, man kann den Körper nicht mehr so anstrengen, und immer mehr Menschen und Freunde, die einen umgeben haben, leben entweder anderswo oder sterben. Aber je mehr sich die Außenwelt zusammenzieht, um so mehr kann und sollte sich – jedenfalls dem Ideal nach – unsere Innenwelt erweitern, vorausgesetzt natürlich, man hat nicht die Gewohnheit entwickelt, sich an der äußeren Lebensstruktur festzuklammern. Man muß auf diesen Schritt vorbereitet sein, und man muß, soweit diese Reise nach innen in Betracht kommt, in Bewegung bleiben. Und wenn dies der Fall ist, dann sind dem Umfang und der Neuartigkeit der Erfahrungen schlechthin keine Grenzen gesetzt.«

»Ich kann mir das vorstellen, Hans, obwohl ich natürlich selbst noch nicht durch diesen Zustand gehe. Wie mir scheint, haben wir aber in einem etwas früheren Lebensabschnitt, etwa in unseren mittleren Jahren, eine etwas andere Akzentsetzung. Insoweit wir nämlich mit unserem inneren Zentrum in Kontakt treten können, ist der Rückzug in die Kontemplation – wiederum im Idealfall und nur für manche Menschen – nicht nur sehr gut mit einer erhöhten Aktivität vereinbar, sondern er erfolgt an einem gewissen Punkt sogar mitten *in* dieser Aktivität, so daß der Rhythmus viel subtiler wird, da er sich verinnerlicht. Sie sprachen von dieser innerlichen Vereinigung mit den Bäumen usw. und über die Erfahrung, zur Entspannung aufs Land zu fahren, um einmal alles hinter sich zu lassen. Mit scheint, daß diese Erfahrung für sich genommen symbolischen Charakter hat und daß die stetige und fortwährend sich selbst erneuernde Welt der Natur eigentlich ein Symbol des schöpferischen Prinzips ist. Ich glaube, daß man mit diesem schöpferischen Prinzip des Universums, dem umfassenden Quell des eigenen Daseins und des Daseins anderer Menschen mitten im Großstadtgetriebe in Kontakt kommen kann. Allerdings läßt sich dieser Kontakt nur schwer aufrechterhalten, und so wird man im Konkreten jene Perioden des physischen Rückzugs eben nötig haben. Ich glaube aber doch, daß es einen Punkt gibt, wo Aktivität und Kontemplation beinahe miteinander verschmelzen, weil man einen Durchbruch gemacht hat. Gewiß, man muß schlafen, man muß sich zurückziehen. Der Lebensrhythmus bleibt derselbe, und doch kommt er auf andere Art zum Ausdruck. Dem Außenstehenden erscheint dann ein solcher Mensch beinahe ununterbrochen tätig und voller Energie zu sein, und doch ist er gleichzeitig in tiefer Kontemplation und ist nur aktiv, weil er kontemplativ ist.«

»Ja, ich glaube, das ist eine tiefe Wahrheit, Marcus, und sie ist meiner Meinung nach von großer Bedeutung für die Arbeit, die wir beide tun. Man kann, wie Sie sagen, mit dem Zentrum in Kontakt bleiben, jedenfalls, wenn man es einmal erreicht hat. Dies ist eine Voraussetzung für alles äußere Tätigsein. Hat man das Zentrum aber einmal berührt, so muß man es in jeder neuen menschlichen Begegnung bewußt neu bilden. Wir sind also, wenn wir einem anderen Menschen gegenübertreten, der uns ein bestimmtes Problem darlegt, auf zwei verschiedene Arten gleichzeitig tätig: einerseits ziehen wir uns in das Zentrum der schweigsamen Offenheit, des schweigenden Zuhörens zurück, wir verhalten uns vollkommen kontemplativ, und andererseits sind wir völlig nach außen gerichtet, um den anderen in uns aufzunehmen.«

»Das ist die dynamische Entspannung, auf welche Sie früher hingewiesen haben, nicht wahr?«

»Ja, das ist dynamische Entspannung. Auch im normalen Leben braucht man idealerweise eine derartige Balancierung oder Verschmelzung dieser beiden Elemente, um mit dem Leben fertig zu werden. Und je mehr man ein solches Zentrum tatsächlich errichten kann, das frei ist von Erinnerungen, Vorstellungen und dergleichen, und zwar in einer unpersönlichen Weise...«

»In einer sehr befreienden und freilassenden Art?« unterbrach P. Marcus.

»Ja, in einer befreienden und freilassenden Weise. Je mehr man also ein solches Zentrum errichtet hat, eine Art Raum, wie ein inneres Heiligtum...«

»Wie Rilkes *Weltinnenraum*«, warf P. Marcus ein.

»Jawohl, in der Tat – ...um so mehr kann der andere Mensch oder die neue Erfahrung aufgenommen werden.«

»Ich muß sagen, ich bin mit alledem völlig einverstanden, Hans. Sie beschreiben in Ihrer eigenen Sprache das Innere jenes abstrakten Schemas, das John Macmurray auf seine Weise dargestellt hat. Der hebräische Psalmist hatte wohl dieselbe Tatsache im Auge, als er von dem Mann sprach, der hinausgeht und wieder hineinkommt. Es ist dies ein häufig verwendetes Bild für die Lage des Menschen, und in den klassischen hebräischen Texten wird in diesem Sinne oft von Menschen gesprochen, die eintreten und hinausgehen. Dieser menschlich-alltägliche Rhythmus entspricht ganz demjenigen des Universums, und der Mensch vereinigt sich mit diesem, indem er seinen eigenen Rhythmus lebt. Zugleich ergibt sich aus allem, was wir festgestellt haben, allerdings mit den verschiedenen Einschränkungen, die wir gemacht haben, daß dieses abstrakte Schema von Rückzug und Wiederkehr in der Tat die verschiedensten konkreten Formen annehmen kann. So gehört immer auch eine physische Form des Sich-Zurückziehens dazu, jedenfalls in der Phase des Einübens, vielleicht aber bis zu einem gewissen Grade sogar immer, denn als physische sterbliche Geschöpfe kommen wir ohne solche

Phasen des äußerlich verwirklichten Rückzugs und der Wiederkehr nicht aus. Doch abgesehen davon, kann dieses abstrakte Schema sehr viele verschiedene Formen annehmen, entsprechend dem eigenen Temperament, dem Alter und der Lebensphase, in der man sich gerade befindet.«

»Vollkommen! Und obwohl diese rhythmische Struktur je nach Alter, Stimmung, Temperament, Umständen, Lebensbedingungen sehr verschiedene Formen annehmen kann, muß der Rhythmus erst einmal *hergestellt* werden. Ebenso muß er *aufrechterhalten* werden, und meiner Erfahrung nach gehört dazu enorme Ausdauer, Geduld und Zähigkeit. Aus diesem Grunde hat er etwas vom Charakter einer Schulung.«

»Sie meinen, er habe einen geistigen Aspekt, Hans, es handele sich um eine spirituelle Schulung?«

»Ja«, fuhr Dr. Schauder fort. »Diese Schulung ist von großer praktischer und therapeutischer Bedeutung. Die meisten Menschen, denen ich begegne, geraten in einen Krisen- oder Verzweiflungszustand, weil sie nicht wissen, wie sie zurückfinden können – nicht zu der vereinsamenden Einsamkeit, sondern zu jenem Zustand, den wir vorhin als schöpferische Einsamkeit bezeichnet haben.«

»Genau an diesem Punkt liegt eine der praktischen Schwierigkeiten meiner therapeutischen Beratungstätigkeit. Ich denke da an zwei oder drei Menschen, mit denen ich es zurzeit gerade zu tun habe, und wenn ich darüber nachdenke, so wird mir jetzt klar, daß ich eigentlich fortwährend versuche, ihnen zu zeigen, wie sie ihre Einsamkeit leben können. Doch die Last der Abhängigkeit, der Betriebsamkeit und des Zwanges, mit anderen Menschen in verschiedenster Weise verknüpft zu sein, ist in solchen Fällen so stark, daß man sehr viel Geduld braucht und außerordentlich behutsam vorgehen muß. Und es kann sich als äußerst schwierig erweisen, solchen Menschen den Gedanken nahezulegen, daß sie in systematischer Weise den Weg zum schöpferischen Alleinsein suchen müssen. Alles, was ich bei zweien von den drei Menschen, die ich im Auge habe, bisher erreichen konnte, ist, sie darauf hinzuweisen, daß die Antwort im Innern zu suchen ist. Der nächste Schritt würde nun darin bestehen, daß es ihnen selbst allmählich klar wird, daß es eine ganz bestimmte, genau zu ihnen passende Lebensform gibt, in welcher sie diese Einsicht verwirklichen und konsolidieren können. Dazu sind, wie Sie sagen, nur sehr wenige Menschen imstande, denn wenn sie die Krise einmal überstanden haben, werden sie beinahe ausnahmslos wieder rückfällig.«

»Das ist wahr, Marcus. Vor kurzem suchte mich eine sehr schöne Frau um Rat auf, die sich mit einer Umgebung, welche nicht eigentlich zu ihrer Natur paßt, vollkommen identifiziert und sich von ihr absorbieren und überwältigen läßt. Die Folge ist, daß sie fortwährend von ihrem eigenen Zentrum weggezogen wird. Ich habe die verschiedensten Dinge versucht, aber fast immer wird sie wieder weggezogen. Und ich habe bei ihr und vielen anderen Menschen das Gefühl, daß wir uns nicht einfach damit begnügen dürfen, ihnen bei der Lösung ihrer Probleme zu helfen, sondern daß wir sie vielmehr auf eine innere Disziplin hinlenken müssen, was wiederum ein spirituelles Element enthält. Wir müssen ihnen beispielsweise zeigen, wie sie einen bestimmten Grad innerer Distanzierung erreichen können. Wenn Sie nun jemandem gegenüber den Ausdruck ›Distanzierung‹ gebrauchen, so klingt das ganz wundervoll, aber es klingt zugleich auch ziemlich seltsam. Sie werden gefragt, was der Ausdruck bedeuten soll, und selbst, wenn ein Mensch versteht, was es heißt, weiß er noch nicht, wie er diese innere Distanz erreichen soll. Deshalb bin ich in meiner Beratertätigkeit immer mehr dazu gekommen, den Menschen zu zeigen, wie sie eine disziplinierte innere Lebensweise aufbauen, wie sie die Fähigkeit der Distanzierung gewinnen, wie sie den Zustand schöpferischer Einsamkeit erlangen können. Und das ist natürlich etwas ganz anderes.«

»Ganz ähnliche Erfahrungen habe ich auch gemacht. Die beiden Menschen, die ich vorhin erwähnte, zwei Frauen übrigens, haben große Fortschritte gemacht, sie haben schon eine viel größere Selbstbeherrschung, sie können schon viel besser mit sich selbst auskommen, sind viel freier geworden von kindlichen Phantasien und Abhängigkeiten. Und dennoch haben sie beide fast eine Art *fixe Idee,* sie müßten einen Mann haben. Ich habe das Gefühl, hier zeigt sich ein außerordentlich großes Bedürfnis nach einer menschlichen Beziehung, aber ein Bedürfnis, das, insofern es auf die Vorstellung hinausläuft, einen Mann in ihrem Leben haben zu *müssen,* nicht allein sein zu können, wiederum eine Blockade bildet.«

»Ja, ich verstehe das, Marcus. Kann ich dazu kurz etwas hinzufügen? Ganz allgemein gesprochen: ich müßte die Frau noch kennenlernen, die in ihrem Leben nicht einen Mann braucht, aber das Wesentliche ist meiner Ansicht nach, daß es für viele Frauen nicht unbedingt notwendig und manchmal nicht einmal wünschenswert ist, daß sie einen Mann im Sinne eines Liebhabers oder eines Gatten haben, sondern einen Mann, der das führende spirituelle Element darstellt. Das kann ein Priester, das kann ein Arzt sein, und Sie werden ja aus eigener Erfahrung wissen, wie Frauen kommen und sich an den Therapeuten oder Priester anklammern können, weil er ein Mann ist. In einem solchen Fall haben wir es nun mit zwei Aspekten zu tun. Einerseits werden die Emotionen einer solchen Frau, ihre erotischen und sexuellen Empfindungen darauf gerichtet sein, sich auf diesen Mann zu zentrieren, aber wehe ihm, wenn er die Dinge durcheinanderbringt – dann ist er ein gestürztes Idol! Andererseits ist es eben eine Tatsache, daß das Leben einer Frau – bis zu einem hohen Grade, natürlich nicht absolut – in der Beziehung zu einem geistigen Führer, zu einem Mann, zu dem sie aufschaut, seine Erfüllung finden kann. Es muß eben ein Mann sein, sonst wird sie selbst männlich, und das ist eine sehr unharmonische und traurige Angelegenheit.«

»Sie wird dann, was Jung eine Animus-beherrschte Frau nennt, nicht wahr?«

»Jawohl; sie wird absolut unverdaulich, aggressiv, selbstherrlich.«

»Besonders wichtig für einen Therapeuten in einer derartigen Situation ist also vor allen Dingen einmal, daß er mit sich selbst im klaren ist, damit er den Unterschied zwischen sich selbst als einem Mann und als einer archetypischen Gestalt allmählich so gut wie möglich zum Ausdruck bringen kann. Natürlich ist schon diese ganze Art der Problemstellung sehr androzentrisch, und damit erhebt sich sofort auch die weitere entsprechende Frage: Was braucht denn ein Mann von einer Frau? Aber das ist ein Thema für sich, das wir heute nicht mehr behandeln können.«

»Nein, Marcus, das können wir nicht. Aber kann ich jener ersten Frage sozusagen noch ein I-Tüpfelchen aufsetzen? Ein Mann, der mit einer Frau zu tun hat, sollte meiner Erfahrung und meiner Ansicht nach nicht verleugnen, daß er ein Mann ist.«

»Nein, er kann nicht ein exkarniertes Wesen werden. Er ist eine wirkliche Persönlichkeit, er ist ein wirkliches menschliches Wesen, und deshalb auch ein geschlechtliches Wesen.«

»Ja, und ich mache, wenn ich dies in wahrhafter Weise tun kann, eine Frau absichtlich darauf aufmerksam, daß sie eine sehr nette oder attraktive oder schöne Frau ist, oder was immer eben gerade zutrifft. Aber die Tatsache, daß ein Therapeut in der Lage ist, unangemessene Sofortreaktionen zu kontrollieren, und daß er außerdem ein anderes, höheres Niveau ansprechen kann – das ist etwas, worauf die Menschen warten, worauf sie immer noch warten.«

»Ich muß nun gehen, Hans. Für mich besteht das Ergebnis unseres heutigen Morgengespräches darin, daß ein wahres Gespräch Einsamkeit zur Voraussetzung hat, jene Einsamkeit, die sich als eine spirituelle Angelegenheit erweist, und daß ferner das Nachdenken über das Wesen des Gesprächs mit Notwendigkeit zur Betrachtung des spirituellen Aspektes der Beratertätigkeit führt. Eine solche Betrachtung müßten wir zu einem späteren Zeitpunkt wirklich einmal zusammen anstellen.«

»Darauf werde ich zum gegebenen Zeitpunkt gerne eingehen, Marcus. Ich werde mir schon Gedanken zu diesem Punkt machen und freue mich auf dieses Gespräch.«

Viertes Gespräch: Mann und Frau

»Unsere bisherigen Gespräche haben sich auf den spirituellen Aspekt der Beratertätigkeit zubewegt, Hans. Zuletzt kamen wir jedoch zu der Frage, was Mann und Frau füreinander bedeuten. Dieses Thema halte ich für sehr wichtig, besonders wenn es auf der Ebene weitergeführt wird, die Sie betreten haben. Den geistigen Aspekt dieser Beziehung vergißt man leicht, während die sexuelle Seite stark im heutigen Bewußtsein ist.

Können Sie etwas darüber sagen, was eine Frau für einen Mann und was ein Mann für eine Frau in spiritueller Hinsicht bedeuten kann?«

»Ja«, antwortete Dr. Schauder, »darüber spreche ich gerne mit Ihnen, doch sehen Sie, es handelt sich hierbei für mich um ein ziemlich unerforschtes Territorium, und deshalb möchte ich lieber zuerst einmal eine Art Gebietsabgrenzung vornehmen. Obwohl es mir im allgemeinen völlig widerstrebt, mit einem *rein abstrakten Schema* zu beginnen, bleibt uns im Augenblick nichts anderes übrig; deshalb möchte ich Ihnen erklären, in welcher Art ich meine Gedanken zu diesem komplexen Thema zu strukturieren suchte.

Nun, ich glaube, wenn ein Mann einer Frau begegnet, dann begegnet er ihr auf vier verschiedenen Ebenen. Diese vier Ebenen sind a) die rein physische Ebene, b) die biologische Ebene, c) die gefühlsmäßige, psychologische Ebene und d) die Ich-Ebene, welche in der Beziehung zu einem anderen Menschen in das rein spirituelle Gebiet führen kann. Sehen Sie, ich denke, wir Männer brauchen Frauen auf allen diesen Ebenen. Zugleich können wir meiner Ansicht nach auf allen diesen Ebenen einerseits einem sehr negativen, destruktiven und finsteren Bild und andererseits einem strahlenden, lebenspendenden, ja vielleicht sogar erhabenen Bild des anderen Menschen begegnen. Ich kenne mich nicht sehr gut in Jungscher Psychologie aus, aber ich habe kürzlich gelesen, daß auch Jung solche Grundqualitäten einer Begegnung zwischen Mann und Frau, nämlich eine positive und eine negative Qualität, unterscheidet. Während also die eine Qualität lebensspendend ist, ist die andere destruktiv, in manchen Fällen sogar fast todbringend. So weit bin ich mit meinen sehr abstrakten Überlegungen zu diesem Thema bisher gekommen – die vier Ebenen und die beiden Grundqualitäten polarer Gegensätzlichkeit. Können Sie damit etwas anfangen?«

»Nun, Sie haben also bisher einen Unterschied gemacht zwischen der physischen, der biologischen, der gefühlsmäßigen und der spirituellen Ebene, nicht wahr?«

»Jawohl.«

»Erinnern Sie sich aber daran, wie wir uns in einem früheren Gespräch, das wir nicht aufgezeichnet haben, über eine von uns paradoxerweise so genannte ›Sexualität ohne Sex‹ unterhielten und daß Sie dabei nur drei Ebenen unterschieden haben: die physische, die gefühlsmäßige und die spirituelle? Dann riefen Sie mich an, ich glaube, es war am anderen Tag, und Sie sagten mir, Sie würden zu dem, was Sie als Sexus, Eros und Agape bezeichnet hätten, gerne noch einen vierten Begriff dazusetzen: Philia. Sie bemerkten ferner, daß dies wohl sehr genau der Unterscheidung entspreche, die C. S. Lewis in seinem Buch *Four Loves* macht, wo er von Zuneigung, Freundschaft, Eros und Nächstenliebe spricht. Sie erinnern sich daran?«

»Jawohl.«

»Entsprechen diese vier Arten von Liebe vielleicht den vier Ebenen, die Sie vorhin erwähnten?«

»Nicht ohne weiteres, aber versuchen wir es einmal. Die rein physische Beziehung ist natürlich dasjenige, was dem *Sexus* entspricht. Die biologische Beziehung entspricht dem *Eros*, doch beinhaltet sie meiner Meinung nach außerdem auch Muttergefühle, Schutzgefühle, Gefühle des Sorgens für jemanden. *Eros* ist nicht notwendigerweise vom *Sexus* durchtränkt, obwohl wir uns darüber im klaren sein müssen, daß sich diese Dinge gegenseitig durchdringen. Wenn wir zur Ich-Ebene kommen, so erscheint die Frau dem Mann deshalb als eine Gefährtin und Freundin, in einer Beziehung, die vom Sexus und vom Eros ganz frei sein kann. Und in diese Beziehung kann natürlich die *Agape* eintreten, die offenbar eine viel höhere Form der Liebe ist als die Philia. Alle diese Dinge durchdringen sich gegenseitig und können sich von der einen Ebene auf die andere verlagern. Zweifellos sollte eine totale Beziehung zwischen einem Mann und einer Frau, falls es eine solche Beziehung überhaupt geben kann, alle Ebenen umfassen.«

»Das ist alles sehr interessant und brauchbar, Hans, obwohl ich die Entsprechungen nicht ganz stimmig finde, aber das Wesentliche ist, daß wir den Gegenstand vor uns haben, der durch diese Typologie der Liebe erfaßt werden soll. Aber die passendste Typologie bleibt abstrakt, und deshalb möchte ich lieber den Faden von vorhin wieder aufnehmen und fragen: Was bedeutet eine Frau für einen Mann? Im letzten Gespräch haben wir besprochen, daß ein Mann für eine Frau eine Art archetypischer Führer sein kann. Kann die Frau für den Mann umgekehrt auch eine spirituelle Führerin sein?«

»Ja, das gibt es«, antwortete Dr. Schauder. »Sehen Sie, der Lebensalltag einer guten Ehe, in der die Partner zusammen älter werden, bringt es beinahe immer mit sich, daß die sexuelle Anziehung abnimmt, oft sogar ganz verschwindet, und daß infolgedessen auch die erotischen Empfindungen verschwinden oder zurücktreten. Nicht, daß dies in meinen Augen einen besonders wünschenswerten ›Sieg‹ darstellte. Ich mache immer wieder den einen oder anderen Menschen darauf aufmerksam, daß es keinesfalls gut ist, wenn in einer Ehe die sexuelle und erotische Beziehung ausgeschieden wird. Naturgemäß wird aber im Laufe der Zeit und in der allmählichen Entwicklung einer Beziehung der Freundschaftsaspekt, *Philia*, stärker hervortreten.«

»Der Akzent verlagert sich?«

»Der Akzent verlagert sich vollständig. Ich glaube, ein Mann, der eine glückliche Ehe mit einer Frau geführt hat, wird feststellen, daß sie für ihn einfach zu einer Person geworden ist, an die er sich in einer Notlage wendet, der er sich mitteilt. Sie ist zur Vertrauensfreundin und zur Beraterin geworden. In einem solchen Fall wird *Philia* wirksam. Eine andere Art, wie eine Beziehung zwischen einem Mann und einer Frau sich über die früheren Stufen hinausentwickelt, zeigt sich mehr in den Gefühlen, die eine Frau religiösen Dingen gegenüber hat, und dieser Aspekt wird Ihnen wohl vertrauter sein als mir. Auf instinktiver, psychologischer, ja beinahe auch biologischer Ebene ist das etwas ganz anderes als die entsprechende Haltung, die der Mann zur Religion hat. Ein Mann trägt viel schwerer an seinem physischen Leib, er trägt viel schwerer an seinem Intellekt, vielleicht auch an Leidenschaften und Sorgen. Frauen haben oft eine Art angeborenes religiöses Genie, und deswegen sehen Sie auch viel mehr Frauen in Kirchen. Ganz gewiß kann ich in meinem eigenen Fall sagen, daß meine Gattin immer ein religiös und intuitiv viel offenerer Mensch gewesen ist, als ich es bin, und daß sie mir in diesen Dingen sehr geholfen hat. Wenn wir nun beginnen, diese Sphäre der Religiosität und des wahren Offenseins gegenüber der geistigen Welt zu betreten, dann betreten wir den Bereich der *Agape*. So wird die Frau, wenn sie als Frau für Sie die *Philia* verkörpert und wenn sie spirituell offen und entwickelt ist, auch Trägerin der *Agape* für Sie sein. Wir sprechen dann beinahe vom *Ideal* Frau, und das erinnert mich besonders an Goethe, denn er hat in seinen Werken immer wieder Frauen gezeichnet, die ideale Verkörperungen des Weiblichen darstellen, in dem Sinne, wie wir im Augenblick vom Weiblichen sprechen.«

»Das Ewig-Weibliche?«

»Ja, das Ewig-Weibliche in seiner befreiten Ganzheitlichkeit, in der das weibliche Element verwandelt, erhaben und jungfräulich geworden ist. Hier ist das mütterliche Element zwar noch geblieben, und auch die Liebe in der Form der *Philia* ist noch vorhanden, aber nun ist eine subtile inspirative Qualität, welche den betreffenden Menschen zur göttlichen Welt in Beziehung bringt, hinzugekommen. Goethes Iphigenie ist eine solche Gestalt, und im *Wilhelm Meister* finden wir in ähnlicher Art die wunderbare Makarie, deren Name bezeichnenderweise vom Griechischen *makarios, makaria* stammt.«

»Was gesegnet, glückselig heißt«, ergänzte P. Marcus.

»Ja, glückselig, ein Mensch, der in einem erhabenen Zustand lebt: mütterlich, liebend, und zugleich mit einer Spiritualität begabt, welche sie nach Goethes Schilderung zu einem Wesen macht, das mit dem ganzen Weltall lebt. Goethe schildert in detaillierter Weise, wie sie ein inkarniertes Wesen bleibt und sich doch zugleich in Sternenbereichen bewegt. All das erlebt einen wunderbaren Höhepunkt am Ende von *Faust II.* Doktor Marianus, einer der Einsiedler, der die Mater gloriosa – die heilige Jungfrau – erwartet, senkt dann die Augen, um sich zu schützen vor ihrem blendenden Glanz, und spricht sie in großer Verehrung mit den Worten an:

›Jungfrau, Mutter, Königin, Göttin‹ – dies ist das höchste Bild, das vollkommene Bild der erlösten Weiblichkeit, welche, verwandelt zu göttlicher Qualität, Gnade und geistige Führung verkörpert. Ich fürchte, Marcus, ich habe angesichts solch erhabener Wesen einen etwas feierlichen Ton angenommen, aber ich stehe bereits wieder auf der Erde.«

»Gerade über solche Dinge wollte ich gerne Ihre Ansicht erfahren, Hans, denn nun sagen Sie, daß die Frau Führerin eines Mannes werden könne, während sie früher feststellten, daß ein Mann der Führer einer Frau sein kann. Das ist eine so tiefe Aussage, daß ich die Frage noch von einem anderen Gesichtspunkt aus betrachten möchte. Angenommen, diese Art von Freundschaft zwischen einem Mann und einer Frau kann allmählich über die anderen Ebenen, die physische und sexuelle, ja auch über die erotische und gefühlsmäßige Ebene, die Dominanz gewinnen. Gibt es nun etwas Spezifisches in dieser Wechselbeziehung, was der Mann der Frau bzw. die Frau dem Mann zu geben hätte? Ich glaube, Sie haben bereits angedeutet, daß hier tatsächlich ein spezifischer Unterschied besteht. Nur handelt es sich nicht mehr so sehr um einen rein sexuellen Unterschied, sondern um etwas, das wir eher als einen Geschlechtsunterschied bezeichnen könnten. Sehen Sie, wonach ich suche? Sie haben ja bereits darauf hingewiesen, daß das Nehmen und Geben zwischen einem Mann und einer Frau niemals so transzendent werden kann, daß beide irgendwie völlig geschlechtslos werden. Sie sind in ihrer Freundschaft, ja auch in ihrer geistigen Verbindung immer noch differenziert, denn sie bleiben im Grunde ihres Wesens immer noch sexuell oder – was wohl treffender wäre – geschlechtlich tingierte Wesen.«

»Ja, geschlechtlich tingierte Wesen«, stimmte Dr. Schauder zu.

»Es gibt also auch, ganz abgesehen von der Ebene der Freundschaft, auf der geistigen Ebene eine spezifische Differenz. Wäre es also bloß ein Widerspruch oder eine Begriffsverwirrung oder einfach ein interessantes Paradoxon, wenn wir annähmen, daß Mann und Frau gerade in ihrem spezifischen Mann- oder Frau-Sein füreinander Führer sein können, wenn auch in verschiedener Weise? Dafür hätten wir in Dantes *Göttlicher Komödie* ein klassisches Beispiel, denn hier ist zuerst der Mann, Vergil, der Führer, gegen Schluß aber ist es Beatrice, die Frau.«

»Ganz richtig«, meinte Dr. Schauder.

»Das wäre wohl das italienische dichterische Gegenstück zur deutschen Legende, nicht wahr?«

»So ist es.«

»Wir haben es hier also«, fuhr P. Marcus fort, »in bezug auf den Zusammenhang dieser zwei Arten des Führerseins mit einer abstrakten Frage zu tun, die aber auch sehr konkret ist: Wie kann ein Mann Führer einer Frau sein, was Sie letztes Mal zu untersuchen begannen, und wie kann eine Frau Führerin eines Mannes sein. Das wollen wir jetzt untersuchen. Sie verstehen, was ich meine?«

»Vollkommen, Marcus. Ich glaube, der Unterschied besteht im Grunde genommen in der spirituellen Substanz der Führung, die vermittelt wird. Ich halte es für sehr bezeichnend, daß in dem Beispiel, das Sie selbst angeführt haben, schließlich Beatrice die Führung übernimmt. In ähnlicher Weise übernehmen im *Faust* am Schluß Gretchen und die ›mater gloriosa‹ die Führung. Der Grund dafür ist meiner Ansicht nach, daß die ganze Konstitution einer Frau viel weniger erdgebunden ist als die eines Mannes. Sehen Sie, die Frau ist weniger fest und intensiv inkarniert, wenn Sie den Ausdruck gestatten, sie ist *spirituell viel offener*. Sie hat etwas, was ein Mann im gewöhnlichen Leben nur selten hat, wenn er nicht ein außergewöhnlicher Mensch ist, nämlich eine intuitive und beinahe *prophetische Fähigkeit*, eine gewisse sibyllinische Qualität. Ich kann Ihnen aus meinem eigenen Leben ein ganz einfaches Beispiel geben. Ich mache mir, wie ich Ihnen erzählt habe, leicht Sorgen über gewisse Familienverhältnisse. In einer solchen Situation betrachte ich meine Gattin, und wenn ich sehe, daß sie ruhig bleibt, dann richte ich mich nach ihr. Denn, sehen Sie, langjährige Erfahrung hat mich, wie auch unsere jüngste Tochter, die noch zu Hause lebt, davon überzeugt, daß sie dank ihrer Jugendlichkeit, ihres hellen, lichten und weiblichen Wesens und ihrer spirituellen Offenheit mit gewissen intuitiven Erkenntnisfähigkeiten – die mir selbst fehlen – immer irgendwie erkennt, wie die Situation ist. Ein Mann ist in seinem Denken, in der Art seiner Aufmerksamkeit viel zentrierter, viel praktischer, viel mehr darauf gerichtet, wahre und genaue Erklärungen zu geben, viel mehr auf organisierte und intellektuelle Arbeit gerichtet als eine Frau. Frauen scheinen oft auf geheimnisvolle Weise mit der Ganzheit des Lebens und der Lebenskräfte in Verbindung zu stehen. Sehen Sie, in dem Sinne, wie ich gerade über Männer und Frauen rede, können ihre spezifischen Charakteristika auch an der Gestalt und der Struktur ihrer Körper abgelesen werden. Die Physis eines Mannes hat, seiner mehr zentrierten Persönlichkeit entsprechend, eine härtere Struktur, während die Gestalt einer Frau etwas von abgerundeter Fülle hat, was auf einen Kreislauf vitaler Empfindungen hinweist. So befindet sich die Vitalität eines Mannes, seine Lebenskraft auf einem viel tieferen Niveau als jene der Frauen, die im tiefsten Innern empfinden und wissen, daß sie ihre Gatten im allgemeinen überleben werden. Wenn nun also eine Krise eintritt, und ganz besonders, wenn die letzte Krise des Sterbens und des Todes herankommt, so kommt die natürliche Veranlagung der Frau, ihre natürliche Verbundenheit mit dem Leben als Ganzem zum Tragen, vorausgesetzt, sie hat diese Gaben sich entwickeln lassen. Das kann für den Mann großen Trost und Beistand bedeuten. Eine solche Frau wird kritischen Situationen viel gelassener begegnen als er, sie wird oftmals eine erstaunliche Ausdauer an den Tag legen, die *seine* Möglichkeiten weit übersteigt. Und in bezug auf das Sterben kann sie den Tod ihres Gefährten mit einer Gelassenheit hinnehmen, die dem Mann in der umgekehrten Situation abgehen würde. Eines der schönsten Beispiele, das ich kenne, ist der Fall des deutschen Dichters Christian Morgenstern. Ich weiß nicht, ob Sie ihn kennen. Er wird wegen seiner Nonsens-Gedichte oft neben Edward Lear gestellt, aber er war ein tieferer Charakter. Er betrachtete sich in aller Freiheit als Schüler Rudolf Steiners und starb im frühen Alter von 42 Jahren an Tuberkulose. Seine Frau Margareta saß an seinem Bett, als er im Sterben lag. Der Tod trat rasch ein. Sie betrachtete ihn und sah, wie er hinüberging und sagte: ›Kein Schmerz, nur Freude.‹ Mit dem Klang dieser Worte in den Ohren ging er hinüber. Ich finde das unglaublich. Ich denke, nur eine Frau kann so etwas tun. Hier haben Sie meiner Ansicht nach ein sublimes Beispiel einer geistigen Führung – einer Frau dieser Welt, die einem Mann in solcher Weise über die Schwelle in die nächste Daseinsstufe hinüberhilft.«

»Sie meinen also, Hans, was eine Frau einem Mann bedeutet, was einen Mann zu einer Frau als einer Führerin hinzieht, sei ihre Fähigkeit, ihn durch die letzte Lebensphase und ganz besonders durch das Tor des Todes zu geleiten? Und ferner, daß diese Qualität damit zusammenhängt, was er auch schon in den früheren Lebensphasen an ihr erlebt hat, weil sie mit dem, was Sie Lebenskräfte nennen, in engerer Verbindung steht?

»Genau.«

»Mann und Frau wären also beide Führer füreinander, wenn auch wahrscheinlich in verschiedener und sich ergänzender Weise?«

»In vollkommen sich ergänzender Weise, Marcus. Eine Frau wird das Bewußtsein eines Mannes nicht in der Art intensivieren, in der er ihr Bewußtsein ihrer selbst und der Welt aktivieren und intensivieren kann. Aber er wird sich um seiner Befreiung willen an sie wenden – und diese Qualität der Befreiung ist immer da, denn schon wenn er ihr begegnet, wird er sich in mancher Beziehung, wie zum Beispiel im Liebesakt, befreit fühlen, frei vom engen Gefängnis seines Körpers, frei von der starken Verwurzelung in seinen Emotionen und in seinem Intellekt. Er wird hinaufgehoben; er wird auf eine höhere, weniger erdenbewußte, aber spirituellere Ebene des Bewußtseins geführt.«

»Und kann er dasselbe nicht auch für sie tun, Hans?«

»Das kann er, aber auf andere Weise. Er tut es, indem er ihr etwas von der Qualität seines Erdenbewußtseins mitteilt, insofern ihr diese Qualität mangelt. Verstehen Sie, was ich sagen will? Es ist sehr schwer auszudrücken.«

»In der Tat, aber ich versuche zu verstehen. Doch habe ich auch das Gefühl, daß Sie einer ebenso subtilen wie lebenswichtigen Sache auf der Spur sind – eben der Frage nach dem spezifischen Beitrag und der spezifischen Ergänzung, die Mann und Frau füreinander haben können. Sie behaupten, daß jeder den anderen erheben kann, jedoch auf andere Weise.«

»Beide Arten ergänzen einander. Die ganze Konstitution einer Frau ist weniger erdverhaftet, weniger an das Alltagsbewußtsein gebunden; für diese Art von Bewußtsein wacht sie erst allmählich auf, wenn sie einem Mann begegnet; sie wird sich dann viel stärker ihrer selbst bewußt. Ich will Ihnen ein Beispiel geben: Eine Frau neigt ihrer seelischen Konstitution nach viel mehr zum Plaudern; sie kann ihre eigene Wahrheit erfinden. Nun wollen viele Frauen diese Neigung überwinden – und das können sie auch – innerhalb der Auseinandersetzung mit einem Mann, dessen Bewußtsein in ganz anderer Weise zentriert ist. Was immer er auch sonst sein mag, im Grunde ist ein Mann kein Lügner. Die aufrichtigsten Menschen, denen ich je begegnet bin, waren die Gefangenen, mit denen ich im Edinburgher Gefängnis gearbeitet habe. Wir haben es also mit einem Erwachen zu tun, mit einem Erwachen aber für eine andere Bewußtseins- und Wahrheitssphäre.«

»Ist es ein Erwachen zu größerer Konkretheit und Realitätsbezogenheit?«

»Ja, genau.«

»Der Unterschied ist also – ich ringe nach dem adäquaten Ausdruck – etwa ein solcher zwischen einer Art von Aufgelöstheit und Konzentration, um es auf eine abstrakte Formel zu bringen?«

»Ja, in der Tat. Sehen Sie, gewöhnlich wird einer Frau diese Fähigkeit, sich mit dem ganzen Wesen auf Klarheit und Zweckmäßigkeit usw. zu richten, mangeln, weil sie sich vergleichsweise in einem aufgelösten Zustand befindet. (Natürlich machen sich bezüglich der Konstitution und des Persönlichkeitscharakters der beiden Geschlechter gerade heute große Veränderungen bemerkbar.) Der Mann hat auf der anderen Seite die Schwierigkeit, über sein erdenschweres, konzentriertes Wesen hinauszukommen, frei zu werden für eine Ebene relativer Auflösung, welche als Qualität allerdings nicht beibehalten werden sollte, sondern zu einem über das gewöhnliche Bewußtsein hinausliegenden Bewußtseinszustand führen sollte.«

»Ich finde Ihre Ausführungen einerseits faszinierend, andererseits mußte ich mich sehr bemühen, den feineren Nuancen Ihrer Gedanken zu folgen. Vielleicht mache ich also einmal einen Versuch, das Ganze in eigenen Worten zusammenzufassen. Zufälligerweise habe ich kürzlich wieder einmal in der *Summa Theologica* von Thomas von Aquino gelesen. Der betreffende Abschnitt handelt von der Unterscheidung zwischen dem, was er *intellectus*, und dem, was er *ratio* nennt: grob gesagt, dem Unterschied zwischen intuitivem Verstehen und diskursiver Verstandestätigkeit. Er führt nun aus, daß der Mensch im Unterschied zum Engel keine unmittelbare und einfache Wahrnehmung der Wahrheit hat, vielmehr muß er auf die Wahrheit hinarbeiten, sie ausarbeiten, und darin besteht die Tätigkeit des Verstandes. Dann fügt er in einem seiner wunderbaren *obiter dicta* hinzu, daß wir unseren Verstand gebrauchen, *um die Mängel unserer Intuition auszubessern.* Nun erwähne ich diesen

Gedanken des hl. Thomas deswegen: Setzen wir das intuitive dem weiblichen und das verstandesmäßige dem männlichen Element gleich, so besteht das, was die Frau dem Mann zu geben hat, in dieser mehr spirituellen spontanen Intuition, während das, was ein Mann der Frau geben kann, in der nachträglichen Ausarbeitung und praktischen Anwendung der Intuition besteht.«

»Ganz genau, Marcus.«

»Und so bringen sie einander komplementäre Aspekte der umfassenden menschlichen Fähigkeit zu empfindungsgetragenem Verstehen nahe. Ich glaube, darin wäre alles, was Sie zum Thema sagten, eingeschlossen. Es würde damit dem spezifischen, geschlechtsverschiedenen Beitrag, den einer dem andern geben kann, Rechnung getragen und gleichzeitig bis zu einem gewissen Grade das Paradoxon erklärt, wie jeder auf seine Art für den anderen ein Element der Führung darstellen kann.«

»Ja, eine glänzende Zusammenfassung.«

»Eines möchte ich noch hinzufügen – daraus könnte allerdings wieder ein ganzes Kapitel für sich werden! Lassen sich Ihre Gedanken in dieser Art einigermaßen zusammenfassen, wie müssen wir sie dann in Zusammenhang bringen mit der überzeugenden These von Esther Harding, einer bemerkenswerten frühen Schülerin von Jung? Sie wissen, daß sie in ihrem wunderbaren Buch *The Way of All Women* behauptet, das spezifisch weibliche Element sei der *Eros*, womit sie – von Jung geprägt – das fühlende, auf Beziehung veranlagte Element des Menschen bezeichnet, während sie das entsprechende spezifisch männliche Element *Logos* nennt. Die Frau hat in spezifischer Weise den *Eros*, der Mann in spezifischer Weise den *Logos* zu geben, und so haben sie in Hardings Sicht ihre komplementäre Funktion. Das wäre nun wieder eine andere Möglichkeit, den Unterschied auszudrücken, nicht wahr, Hans?«

»Wir können das jetzt nicht mehr ausführlich besprechen, aber ich neige zu der Annahme, es handle sich einfach um einen terminologischen Unterschied. Könnten wir uns eingehender mit der Sache beschäftigen, dann würden wir wohl zu dem Ergebnis kommen, daß hier einfach auf andere Art dasselbe zum Ausdruck gebracht wird. Ich sollte vielleicht noch hinzufügen, daß es sich um eine verwandelte, metamorphosierte Intuition handelt. Es ist eine seelische

Qualität, insofern die Gefühlsfähigkeit der Frau viel tiefer in ihrem Seelen-Sein wurzelt, welches wiederum in viel tieferer Art mit dem Leben und seinen Geheimnissen verbunden ist. In diesem Sinne handelt es sich um etwas ganz anderes als um ein intellektuelles Element; die Intuition ist gefühlsdurchtränkt. Und hier schließt sich das Ganze wieder zusammen.«

»Nun, ich denke, wir haben mehr Umwege eingeschlagen, als vorauszusehen war, und vielleicht sollten wir jetzt zurückkehren und einige der Wendepunkte und Abschweifungen klarstellen. Aber möglicherweise würde unsere gemeinsame Suche dadurch viel von ihrer Lebendigkeit einbüßen.«

»Ja, Sie haben mich mit einer sehr subtilen Frage konfrontiert, nämlich mit dem Unterschied in der Führungsqualität bei einem Mann und bei einer Frau, und ganz offen gesagt, war ich heute abend ziemlich müde und auf diese spezielle Frage nicht vorbereitet. Aber ich glaube, wir sind schließlich doch zu einem wertvollen Ergebnis gekommen, und als besonders wertvoll erachte ich Ihre Zusammenfassung.«

»Nun, ich finde Ihre Gedanken sehr faszinierend, Hans, denn Sie veranlassen mich dazu, viele meiner Ansichten über das, was Mann und Frau eigentlich darstellen, zu revidieren, wenn nicht gar völlig umzukehren. Ich hatte die Frau als ein erdgebundenes Wesen betrachtet, aber Sie haben mir klar gemacht, daß diese Qualität viel subtiler ist, als ich gedacht hatte. Die Frau *ist* in einem wichtigen Sinne erdgebunden, aber in einem noch wichtigeren Sinne ist sie wiederum erdbefreit, in ihrer Vitalität beinahe transzendent.«

»Ganz richtig, und das kann man meiner Meinung nach auf sehr einfache Weise erleben. Um ein persönliches Beispiel zu geben: Sie wissen, daß ich mich oft müde fühle. Dann verlasse ich mein Arbeitszimmer und gehe ins Wohnzimmer hinunter und setze mich zu meiner Frau und meiner Tochter, und dann erlebe ich, wie von diesen Frauen etwas ausstrahlt, das für mich heilender Balsam ist – es ist genau das, was mir gefehlt und dessen Fehlen mich erschöpft hat.«

»Wir wollen hoffen, daß auch Sie selbst eine entsprechende komplementäre Wirkung auf sie haben, Hans!«

»Das hoffe ich natürlich auch!«

»Damit sind wir nun wirklich zum Besonderen und Konkreten gekommen. Wir haben ziemlich hoch und abstrakt angefangen, aber nun sind wir zur Erde und zum Wohnzimmer herabgestiegen!«

»Das stimmt, und ich finde das sehr erfreulich...«

Fünftes Gespräch: Die Stufen des geistigen Pfades

»Seit gut fünf Jahren, Hans, haben wir nun immer wieder über Themen diskutiert, die uns persönlich sehr naheliegen. In der ersten Zeit unserer Gespräche haben Sie mir Ihre – sich in stetiger Entwicklung befindlichen – Ideen über die verschiedenen Stufen der Beratungstätigkeit auseinandergesetzt. Nachdem wir schon etwas näher miteinander bekannt waren, entwickelten Sie Ihre Ansicht von der Beratungssitzung als einem privilegierten Beispiel des Urbildes des menschlichen *Gesprächs*. Dann haben wir uns über Beziehung und Einsamkeit, über Mann und Frau unterhalten, und in beiden Gesprächen machten wir die Entdeckung, daß diese Themen auch einen spirituellen Aspekt haben. Wir haben aber bis heute noch keine Aufnahme eines gemeinsamen Gespräches über den spirituellen Erkenntnisweg und die Stufen spiritueller Entwicklung gemacht. Ich weiß, daß dies für Sie ein äußerst wichtiges Thema ist, besonders auch in seiner Beziehung zur Beratertätigkeit. Ich wäre Ihnen also dankbar, wenn Sie diese Ideen über den spirituellen Entwicklungsweg noch einmal darstellen könnten, zunächst ganz unabhängig von der Beratertätigkeit. Verstehen Sie, was ich meine? Ich werde, wenn Sie erlauben, einfach Fragen einwerfen sowie gelegentlich um eine genauere Erklärung bitten. Sind Sie damit einverstanden?«

»Wie Sie eben sagten, ist es nun schon eine gute Weile her, seit wir unsere Gespräche über alle diese Themen begonnen haben«, antwortete Dr. Schauder, »und ich vergesse leider immer wieder, was wir schon gesagt haben. Das, was ich heute formulieren will, wird vielleicht im einzelnen in vieler Hinsicht neu sein, nicht jedoch im Grundsätzlichen.

Zu Beginn will ich die Grundstruktur des spirituellen Schulungsweges darlegen. Ich glaube, diese Struktur ist von niemandem besser charakterisiert worden als von jenem großen Lehrer und Yogi, der nach Ansicht vieler der größte spirituelle Lehrer überhaupt ist, nämlich von Buddha. Ich fand Buddhas besondere Formel über den spirituellen Weg und dessen Struktur in seiner ›Rede über den Tod‹, d. h. in den Schilderungen der Ereignisse in Buddhas Leben zu der Zeit, als er sich auf der Wanderung mit seinen Mönchen dem Tode näherte. Zu dieser Zeit wiederholte er seinen Mönchen gegenüber wie eine Art höchstes Testament immer denselben Gedanken über das Wesen und die Struktur des spirituellen Schulungsweges. Natürlich werden diesem Grundgedanken auch viele Einzelheiten hinzugefügt, denn dieser Gedanke wird ja im Rahmen der Ereignisse der letzten paar Monate seines Lebens zum Ausdruck gebracht. Ich möchte Ihnen diesen Grundgedanken nun vorlesen, denn nirgendwo sonst habe ich etwas so Aufschlußreiches gefunden. Buddha sagt:

›Und so redete der Heilige... zu den Jüngern in reicher Ausführlichkeit über das Wesen der heiligen Wahrheit, immer wieder ihnen zeigend: So ist sittliche Selbsterziehung, so meditative Versenkung, so wahre höhere Erkenntnis. Nur von sittlicher Selbsterziehung getragen und geläutert ist Meditation ertragreich und segensvoll, nur von Meditation getragen und geläutert ist Erkenntnis ertragreich und segensvoll, und von solcher Erkenntnis durchdrungen und geläutert wird der Geist frei...‹«

»Wo sind Sie auf diese Formulierung gestoßen?«

»Es handelt sich um eine deutsche Übersetzung von Hermann Beckh, einem meiner Ansicht nach sehr bedeutenden Sanskritforscher, der die Reden Buddhas in einer sehr poetischen Weise übersetzt hat. Der Abschnitt, den ich vorgelesen habe, findet sich in dem wunderbaren Buch *Der Hingang des Vollendeten.*«[1]

»Mir ist dieses ›Testament‹ bisher nicht bekannt gewesen.«

»Es ist für mich eine der tiefsten und klarsten Aussagen, die jemals über das spirituelle Leben gemacht worden sind. Professor Beckh, der später Priester der Christengemeinschaft wurde, baute sein Buch *Buddha und seine Lehre* gerade auf dieser Lehre auf. Ich

[1] Hermann Beckh, Der Hingang des Vollendeten, Stuttgart [2]1960

halte es für eines der bemerkenswertesten Bücher über Buddha; es zeugt vom tiefsten Verständnis des Meisters und seiner Lehre. Wenn Sie nun an diese Äußerung mit einer vorsichtig analytischen Haltung herangehen, so werden Sie sehen, daß vier Stufen angesprochen werden, nämlich: 1. *die sittliche Selbsterziehung* oder das, was wir in einem früheren Gespräch als Charakterbildung bezeichnet haben. Das ist wirklich eine Bildung der gesamten Persönlichkeit, nicht bloß ein Gedankentraining. Es ist eine Bildung der Emotionen, der Gefühle, des Willens, der ganzen Lebenseinstellung.«

»Ein Leben persönlicher Disziplin?«

»Ja, ein Leben persönlicher Disziplin, ein Leben in Beziehung zu andern usw. Das betrifft die kleinsten Einzelheiten des persönlichen Verhaltens. Es betrifft selbst die Einzelheiten der eigenen Gangart, die Einzelheiten der Art des Sprechens, des Schweigens, des Sich-Niedersetzens, des Aufstehens, ja sogar die Art, wie die körperlichen Funktionen vor sich gehen sollten. Es ist eine Art erleuchtetes Bewußtsein von allem, was man tut, aber ganz ohne Verkrampfungen. Der ganze Mensch und seine Beziehung zur Umwelt werden in eine harmonische Ordnung gebracht.«

»Leib, Geist und Beziehung?«

»Genau, alles. Das wäre also das erste. Natürlich ist dies alles außerordentlich weitreichend und wird Ihr ganzes Tagesleben durchdringen. Dann kann man, wie das viele spirituelle Lehrer getan haben, vom ›Alltag als Übung‹ sprechen. Der Alltag wird zu einem Feld der Übung und der moralischen Charakterbildung. Buddha sagt, daß ohne dieses die Meditation nicht *ertragreich* und *segensvoll* sein könne, da sie das wohlstrukturierte Fundament der Selbstdisziplin benötige.«

»Als Boden?«

»Ja, als Boden«, fuhr Dr. Schauder fort, »um allmählich in die Sphäre des Nachdenkens oder, wie Buddha es nennt, des *Sinnens* hineinzukommen – ein sehr schönes deutsches Wort. Man braucht diese Charakterbildung, damit man sich in dieser Sphäre des Sinnens und Denkens aufrechterhalten kann, ohne in ein Chaos oder in Phantasien, oder was immer es sei, hineinzupurzeln, und damit man dieselbe Bewußtseinsklarheit und -kontrolle beibehalten kann, die man auch im Alltag hat. Wir gehen von der *moralischen Selbsterziehung* in die Sphäre des *Meditierens* hinein. Das ist Stufe zwei. Je tiefer wir in das Leben der Selbstbeherrschung und moralischen Selbsterziehung eindringen, um so mehr werden wir uns – dies ist eine allgemeine Erfahrung – allmählich im Bereich des Meditierens zu Hause fühlen. Ich sage absichtlich ›allgemeine Erfahrung‹, denn wir sprechen hier ja nicht in erster Linie über buddhistische Meditation. Das wäre eine falsche Voraussetzung. Nein, die buddhistische Meditationsart ist einfach eine klassische, wenn auch beinahe alles überragende Form des archetypischen spirituellen Erkenntnisweges überhaupt, in dem sowohl die hinduistischen wie auch die westlichen Meditationsformen beschlossen sind. Es ist nur eine Sache terminologischer Unterschiede.«

»Auch hier also universelle Erfahrungsmöglichkeiten, die in unterschiedlicher Art als Stufenfolge erlebt werden?«

»Jawohl, und zwar gibt es vier solcher Stufen. Wir kommen nun also zur Meditationsstufe. Hier lernen Sie den Inhalt Ihrer Meditation langsam zu durchdringen. Der Inhalt selbst kann immer wieder ein anderer sein. Bei mir ist er von Mal zu Mal sehr verschieden: es kann ein Satz oder eine Szene aus dem Neuen Testament sein, hauptsächlich aus dem Johannes-Evangelium, denn es ist das Evangelium des Wortes; es kann auch eine Stelle aus der Bhagavad Gita oder aus den Reden des Buddha sein oder vielleicht etwas aus einer großen Dichtung. Je sinnlichkeitsfreier der Inhalt, um so besser ist es natürlich, denn um so leichter wird es einem fallen, sich vom Körper und vom Intellekt zu befreien. Und wenn Sie nun von Körper und Intellekt immer freier werden und in den Inhalt Ihrer Meditation tief eindringen, dann beginnt die Grenze zwischen Ihnen und dem Meditationsinhalt immer mehr zu verblassen. Sie verschwindet allmählich ganz, und Sie werden eins mit dem Meditationsinhalt. Manchmal geht das so weit, daß Ihr Geist schließlich auf einem einzigen Wort konzentriert zu ruhen beginnt, sagen wir auf dem Wort ›Heiligkeit‹ oder ›Freude‹, während die übrigen Wörter, je mehr man das rationale Bewußtsein zurückläßt, sich allmählich auflösen. Man konzentriert sich also schließlich auf dieses eine Wort. Und dann beginnt auch dieses Wort hinzuschwinden, und es bleibt nur noch eine Art Atmosphäre, ein Bewußtsein dieses Wortes zurück. Können Sie sich so etwas vorstellen?«

»Und das ist nun Stufe drei?« fragte P. Marcus.

»Ja, nun nähern wir uns Stufe drei.«

»Wie nennt Buddha diese Stufe?«

»Stufe drei nennt er *Erkenntnis*, intuitive Erkenntnis. Wir haben damit eine Stufe des Bewußtseins erreicht, wo das rationale diskursive Bewußtsein aufgehört hat und sozusagen nur noch die Essenz des Bewußtseins – sozusagen ein Geschmack von dem, was man meditiert hat – übrigbleibt.«

»Ich denke, das ist, was der hl. Thomas von Aquino als *simplex intuitus veritatis* – also die einfache Intuition der Wahrheit – bezeichnete.«

»Ja, dazu kommen wir jetzt. Auf dieser Stufe muß man nun in der Lage sein, das eigene Bewußtsein völlig still zu halten oder das zu tun, was Jakob Böhme zu tun empfahl. Als er einmal gefragt wurde ›Wie kann ich Gott erfahren?‹, antwortete er: ›Man räume sich beiseite.‹ Und das gilt ganz besonders für diese Stufe. Insoweit man nun diese schwierige Aufgabe bewältigt, sich selbst völlig beiseite zu räumen, wird man die nächste Stufe betreten können und vielleicht, wenn auch nur ganz flüchtig, ein intuitives Erkennen erleben. Nun ist natürlich die große Frage: Was ist intuitive Erkenntnis?«

»Das ist also Stufe drei?«.

»Dies ist Stufe drei – *Erkenntnis*. Der Buddha konnte mit vollkommener Klarheit seine eigenen früheren Erdenleben überschauen. Er konnte das Schicksal der Wesen, die durch den Kreislauf von Geburt und Tod gehen, verfolgen; er beschrieb übersinnliche Wesen und entdeckte die große Wahrheit über das Leiden und die Überwindung des Leidens. Übersinnliche Hör- und Sehfähigkeit ermöglichten ihm Wahrnehmungen und Erkenntnisse, die weit über dem Niveau eines gewöhnlichen Menschen liegen. In dieser Weise tat sich die übersinnliche Welt vor ihm auf. Wie wenn man am Meeresufer steht und das Heranbranden der Wogen ganz leise fühlt und hört und einem dabei bewußt wird, daß man am Rande einer ganz anderen Welt steht. Was diese andere Welt an einen heranträgt, geht über das Materielle weit hinaus, es ist etwas, das ganz leise zu einem zu sprechen beginnt; es beginnt zu *ertönen*, und es beginnt zu *leuchten*, und es hat *Wesen* und *Bewegung*. In einer ganz besonders schönen Weise hat Thomas von Kempis diesem Erlebnis Ausdruck verliehen. Bezeichnenderweise hat auch seine *Imitatio Christi* vier Teile. Die Stelle, die ich meine, führt uns zum Beginn des dritten

Buches, und somit befinden wir uns wieder genau auf der gleichen Stufe, die wir auch in unserem Gespräch erreicht haben. Thomas sagt: ›Laß mich hören, was in mir Gott redet.‹ Nun beginnt man zu hören. Dann: ›Selige Ohren, die das Nahen des göttlichen Rauschens vernehmen und von den Geräuschen dieser Welt nichts innewerden.‹ Nun ist dieser Wortlaut ›göttliches Rauschen‹ – wir könnten sagen, das sanfte Rauschen einer übersinnlichen Welt – wunderbar ausdrucksvoll, und bei sogenannten spontanen *übersinnlich*-mystischen Erlebnissen wird diese Erfahrung des Tönens besonders oft hervorgehoben. Ist das nicht schön?

In einer solchen Erfahrung erlebt man also im Hören eine Andeutung von etwas jenseits der Sinneswelt Liegendem. Aber diese Erfahrung kann auch in Form von deutlicher gestalteten Lauten auftreten, die inspirierte Töne zu sein scheinen und an musikalische Erlebnisse erinnern. Das Erlebnis des Tönens kann aber auch die Form deutlicherer Wortgestaltung annehmen, und wiederum erscheinen diese Worte dann inspiriert. Sie können sogar in dichterischer Gestalt erlebt werden. Deswegen hat man diese Welt auch die Welt der Inspiration genannt.«

»Ist dies die Welt der sogenannten *Urworte*, die Welt der Klänge oder Töne, noch bevor sie sich in besonderer Weise in den großen Dichtungen und Heiligen Schriften der Welt artikulieren?«

»Genau. Man hat auch von der *Weltensprache* gesprochen im Sinne einer archetypischen Klangsprache der Welt. Ein großer Dichter oder auch ein großer Musiker wie Mozart wird im Moment der Inspiration in diese Welt hineingeführt, oder er betritt selbst diese Welt. Aus diesem Grunde hatte man bei Genies wie Mozart eigentlich immer das Gefühl, daß sie nicht zur Erde gehörten, sondern auf einer ganz anderen Bewußtseinsebene lebten – auch wenn sie das selbst nicht wußten. Auch Buddha beschreibt, wie man auf dieser Stufe himmlische Musik hören könne. Aber für ihn ist das Wesentliche, daß *Erkenntnis* in dieser Welt intuitiv gefunden wird. Während aber Buddhas Erkenntnis außerordentlich klar und bestimmt war, können wir gewöhnliche Sterbliche nicht mehr erwarten als ein bestimmtes Bewußtsein, eine in verschiedener Art auftretende Intuition einer Welt, die über der sinnlichen Welt liegt. Nur gelegentlich können wir etwas mehr erfahren; unsere Intuition kann vielleicht auch etwas weiterdringen, und in bestimmten Augenblicken dürfen wir vielleicht eine plötzliche Einsicht erleben, plötzlich etwas verstehen, was der Intellekt noch nie zu begreifen vermochte. Und so können wir die vierte Stufe betreten. Nun müssen wir die Kraft haben, auch *diese* (dritte) Welt hinter uns zu lassen, um – und das ist besonders schwierig, wenn nicht das Schwierigste von allem – die Welt völliger Stille zu betreten, die Welt, in der unser eigenes Wesen und unsere Wahrnehmungen, ja selbst das, was wir auf Stufe drei erkannt haben, derart ausgeschaltet sind, daß wir bereit sind zu einer Begegnung mit etwas, das jenseits aller Worte und aller Beschreibungen liegt. Diese Welt hat den Charakter des ›*mystischen Schweigens*‹ (silentium mysticum), und durch dieses Schweigen können wir etwas wie eine ›An-Wesenheit‹ erfahren, die ihr Wesen vielleicht offenbaren wird, vielleicht aber auch nicht. Was man auf dieser Ebene erfährt, kann nicht beschrieben werden, weil man es in dem Augenblick, da man es zu beschreiben beginnt, verfälscht. Es ist jenseits aller Beschreibung und aller Erklärung. Es ist eine Begegnung mit etwas, dessen Anwesenheit man vollkommen fühlt und das die gewöhnliche Fassungskraft in jeder Hinsicht übersteigt, und doch erlebt man es als eine Realität.«

»Das erinnert mich sehr stark an das, was der hl. Ignatius von Antiochien am Ende des ersten Jahrhunderts n. Chr. das Mysterium des Schweigens genannt hat – das Mysterium des Schweigens, das nach Ausdruck schreit. Hinter dem Urklang, hinter der artikulierten Sprache läge also das Urschweigen?«

»Ja, das ist eine sehr gute Formulierung. Es ist ein Urschweigen, und ich glaube, diese innere Stille ist genau das, wonach das menschliche Herz und der menschliche Geist im Tiefsten eigentlich streben. Man lernt, über die verschiedenen Bereiche der Unruhe, der inneren Belastungen und allerlei Zerfallserscheinungen hinauszukommen, all das hinter sich zu lassen, bis man eine Sphäre betritt, wo man in vollkommenem Schweigen, in vollkommener Stille ruhen kann.«

»Indem man diese verschiedenen Schwellen überschreitet?«

»Jawohl, indem man diese verschiedenen Schwellen überschreitet. Auch die Mystiker haben dies in verschiedenster Weise beschrieben. Natürlich hängt dies weitgehend von der einzelnen Persönlichkeit ab.«

»Auch vom kulturellen Niveau?«

»Auch vom kulturellen Niveau. Ich glaube, Aquino sprach von einer beinahe todesähnlichen Erfahrungsstufe: Man ist in etwas Höheres hineingestorben. Ganz bestimmt ist man für sich selbst und für die Welt gestorben. In diesem Zusammenhang muß ich oft an einen Ausspruch von Rilke denken, der sich sehr stark der tragischen Natur des Menschseins bewußt war. Er sprach von uns Menschen als ›wir, die Zerfallenden‹. In jeder Hinsicht und in jedem Augenblick laufen wir Gefahr, irgendwo zu zerfallen, in unseren Gedanken, in unseren Gefühlen, sogar in unseren Köpfen, aber in dem Moment, wo es uns gelungen ist, die verschiedenen Schwellen zu überschreiten und die Sphäre des, wie Sie so schön sagen – Urschweigens zu betreten – in dem Moment haben wir auch die Welt der Zerfallserscheinungen hinter uns.«

»Nun, wenn ich mich hier einschalten darf, Hans, so möchte ich sagen, daß das alles sehr aufschlußreich ist, und zwar von verschiedenen Gesichtspunkten aus. Einmal, weil wir direkt oder indirekt ja schon öfters über dieses Thema gesprochen haben und weil ich weiß, wie nahe es Ihnen steht. Was aber neu für mich war, ist die Art, wie Sie von diesem Buddha-Zitat ausgingen. Ich kann mich nicht entsinnen, daß Sie das in irgendeiner früheren Unterhaltung mit mir schon einmal getan hätten. Ich vermute, Sie haben diesen Ausgangspunkt gewählt, weil er in beispielloser Knappheit sowohl den wesentlichen Inhalt wie auch die von Ihnen so genannte Struktur oder, wenn Sie wollen, die Dynamik des geistigen Lebens, die verschiedenen Stufen des spirituellen Erkenntnisweges, zum Ausdruck bringt, wobei wir diese Stufen schematisch in die Vierheit aufgliedern können: Charakterbildung, Meditation, intuitives Bewußtsein und schließlich ... Befreiung.

Befreiung für eine Begegnung, für ein Gefühl, für ein transzendentes *Anderes*, nicht wahr? Interessant ist für mich außerdem, daß Sie in unseren, früheren Gesprächen über dieses Thema hauptsächlich von der westlichen Tradition und dem entsprechenden System der *via purgativa*, der *via illuminativa* und der *via unitiva* ausgegangen sind. Wir sind im heutigen Gespräch ja bereits zu der gemeinsamen Feststellung gekommen, daß diese Äußerung Buddhas zwar eine besondere Ausdrucksform, aber einen allgemeingültigen Gehalt hat. Es ist also nicht verwunderlich, daß wir denselben Gehalt in verschiedenen Formen, Traditionen und Kulturen antreffen.

Aber vielleicht könnten Sie noch etwas Näheres dazu sagen, wie dieser Inhalt in der westlichen Form zum Ausdruck kommt, Hans?«

»Ja, erst einmal: Ihr Ausdruck ›Dynamik‹ gefällt mir sehr gut, denn ich glaube, die ganze Diskussion eines spirituellen Erkenntnisweges sollte auf der Tatsache und der Anerkennung dieser Tatsache aufbauen, daß der Erkenntnisweg das spirituelle Äquivalent einer organischen Dynamik ist. Genauso, wie es eine organische Notwendigkeit gibt, verschiedene Stufen zu durchlaufen (zum Beispiel in der Assimilierung von Nahrung: Kauen, Verdauung, Resorption etc., oder der Muskeltätigkeit beim Sich-Bewegen oder beim Klettern), so müssen wir uns auch auf dem geistigen Weg gleichsam organisch bewegen, und wenn wir die Sache wirklich ernst nehmen und unser Ziel erreichen wollen, dann geht das eben über diese vier Stufen. Wir werden dann einfach von einer Stufe zur nächsten getragen, vorausgesetzt, wir haben das nötige Durchhaltevermögen. Deswegen wird die eigentliche Dynamik allen terminologischen Unterschieden zum Trotz unverändert bleiben. Ich bin fest davon überzeugt, daß wir uns, wenn es uns um die Wahrheit der Sache zu tun ist, an die archetypische oder klassische Tradition halten müssen.«

»Weil sie auf der menschlichen Natur basiert?«

»Jawohl, weil sie auf der menschlichen Natur basiert, und deswegen ist der traditionelle Weg so wenig veränderlich, wie Sie etwas an der Tatsache ändern können, daß Sie ein- und ausatmen müssen, wenn Sie normal atmen wollen.«

»In jedem gewöhnlichen menschlichen Leben schreitet man ebenfalls durch naturgegebene Entwicklungsstufen zu immer vollerem Menschsein, Hans.«

»Genau, man schreitet durch Jugend, Lebensmitte, durch das Leben insgesamt.«

»Und jede Stufe ist abgegrenzt durch das, was die Anthropologen einen *rite de passage* nennen könnten – genauer gesagt, einen Tod und eine Wiedergeburt in die nächste Entwicklungsstufe hinein?«

»Ja, ich glaube, es ist ganz besonders wichtig, sich das klarzumachen, denn es besteht die Gefahr und auch die Versuchung, auf gewissen Stufen stehenzubleiben. Es bedarf großer Anstrengung, Konzentration und Bewußtseinskraft, um über die betreffende

Stufe hinauszugehen, und ganz besonders, um schließlich den Bereich jenes Urschweigens zu betreten.«

»Hier haben wir vermutlich das Äquivalent zu dem, was die Psychoanalytiker als Fixiertsein bezeichnen würden, so daß die ganze Aufgabe der Therapie, besonders der psychoanalytischen Therapie, darin besteht, die Menschen aus ihrem ›Fixiertsein‹, aus ihrem Stecken-Geblieben-Sein zu befreien, damit sie wieder in einen spontanen, organischen Wachstumsprozeß eintreten können, der ihnen als menschlichen Wesen angemessen ist. Das wollen Sie doch damit sagen?«

»Genau das will ich damit sagen. Sehen Sie, es ist in dieser Hinsicht auch außerordentlich aufschlußreich und bedeutsam, daß man von einem *Weg* spricht: ein Weg ist da, um begangen zu werden. Sie können sich diesen Weg als einen Bergweg vorstellen, der aufwärts führt.

Was nun ferner die Gegenüberstellung der westlichen und der östlichen Traditionen betrifft, so sehe ich hier keinerlei Schwierigkeiten. Es ist ganz klar, daß die *via purgativa* das Äquivalent zur Charakterbildung darstellt. Es handelt sich hier um die Reinigung der gewöhnlichen Menschennatur, nicht wahr? Ferner kommen auch in der westlichen Tradition, soviel ich weiß, die Ausdrücke ›Meditation‹ und ›Kontemplation‹ vor. Wenn wir nun von der Meditation zur Kontemplation vorrücken, dann bezeichnet die Kontemplation die Stufe, auf der das normale diskursive Bewußtsein zu verblassen beginnt und man auf der Schwelle zu etwas ganz anderem steht, wenn man das diskursive Bewußtsein der, technisch gesprochen, Stufe zwei einmal hinter sich gelassen hat.«

»Darf ich hier eine Pause machen«, unterbrach Marcus, »denn ich sehe jetzt die Lösung einer Schwierigkeit, die ich bisher immer gehabt hatte, wenn Sie über die westliche Form des spirituellen Weges sprachen. Denn Sie haben einerseits in der getreulichen Schilderung der westlichen Tradition *drei* Aspekte oder Teile des geistigen Lebens aufgezählt: die *via purgativa*, die *via illuminativa* und die *via unitiva* – drei Aspekte also, während Sie andererseits, wie auch heute wieder, von *vier* Stufen sprachen. Angesichts dessen, was Sie vorhin gesagt haben, können wir dieses kleine intellektuelle Rätsel dadurch lösen, daß wir sagen: Die drei westlichen *viae* oder Wege beziehen sich viel mehr auf die Erfahrung der stufenweise verschiedenen Charakteristika des wachsenden spirituellen Lebens als auf die aufeinanderfolgenden Bewußtseinsstufen; aber sie haben eine Entsprechung zu bestimmten Gebetsformen und deshalb indirekt auch zu Stufen des Bewußtseins. Ferner kann die *via illuminativa* als solche unterteilt werden, so daß sie sowohl die Meditations- als auch die Kontemplationsstufe einschließt. Deshalb entspricht die Meditationsstufe im westlichen Sinne Buddhas Meditation, während die Kontemplation im westlichen Sinne wahrscheinlich seiner intuitiven Erkenntnis entsprechen dürfte?«

»Nun, ich habe das anders erlebt«, antwortete Dr. Schauder.

»Aha?« fragte P. Marcus.

»Sehen Sie, das Wort ›Illumination‹ bedeutet, daß Sie plötzlich erleuchtet werden, daß Sie etwas sehen, und in meinen Augen ist dies ein Erlebnis, welches weitgehend zur Stufe drei gehört, das heißt zur Stufe der intuitiven Erkenntnis, auf welcher Sie plötzlich die Wahrheit sehen, buchstäblich etwas sehen, das Sie bisher noch nie gesehen haben, vielleicht in einem plötzlich auftauchenden Bild oder Symbol. Meditation und Kontemplation stellen Vorbereitungsstufen zur Stufe der Erleuchtung dar, welche meiner Meinung nach identisch ist mit Stufe drei, das heißt mit der intuitiven Erkenntnis.«

»Das ist vielleicht nur eine Frage der Terminologie. Ich neige wohl dazu, sie in dem Sinne aufzufassen, in dem Thomas von Aquino von ihr spricht, d. h. im Sinne des *simplex intuitus veritatis*. Für ihn ist die einfache Intuition (und er verwendet absichtlich den Ausdruck *intuitus*, Intuition, und nicht *ratio*, die diskursive Verstandestätigkeit, worauf ich ja bereits hingewiesen habe) das Wesen der Kontemplation, und in diesem Sinne wäre sie, denke ich, die Entsprechung zu Ihrer Illumination oder Erleuchtung, und nicht nur eine vorbereitende Stufe zu ihr.«

»Vollkommen richtig. Es ist eben sehr schwierig, die Terminologie immer auf einen Nenner zu bringen, da verschiedene Menschen und verschiedene spirituelle Lehrer mit bestimmten Ausdrücken immer wieder leicht verschiedene Bedeutungen verbunden haben. Ich glaube also nicht, daß wir es hier mit einer wirklichen Schwierigkeit zu tun haben. Klar ist, daß das, was in Buddhas Terminologie Befreiung heißt und was Sie als Eintreten in das Urschweigen bezeichnet haben, mit der *unio mystica* verwandt ist. Es handelt sich also um ein und denselben Entwicklungsweg. Es *muß* derselbe Weg sein. Und wenn Sie Evelyn Underhills *Mysticism* lesen – ich lese ziemlich viel darin, und obwohl es zu dick und überdehnt ist, ist es auf seinem Gebiet ein Klassiker –, dann können Sie sehen, wieviele übersinnliche Erkenntnisse in das Bewußtsein von Mystikern eingeflossen sind, die zur *unio mystica* unterwegs waren, welche das letzte Ziel darstellt. Wir haben es also mit ein und demselben Weg zu tun. Es gibt noch ein anderes Buch, das ich sehr schätze und das erst kürzlich erschienen ist. Zugegebenermaßen konzentriert es sich hauptsächlich, aber keinesfalls ausschließlich auf die Tradition des Ostens: es heißt *The Varieties of Meditative Experience*, wobei der Titel offenbar eine Variation zum Titel von William James' Buch *The Varieties of Religious Experience* ist. Wiederum ist die wesentliche Botschaft des Buches, daß die grundlegende *Dynamik*, obwohl die *Terminologie* immer wieder anders ist, dieselbe bleibt.«

»Nun würde ich aber auch noch über einen anderen Punkt gerne Ihre Ansicht hören, Hans. In Ihrer ganzen Darstellung haben Sie hauptsächlich von Erkenntnisbegriffen Gebrauch gemacht, und nur ein einziges Mal haben Sie, glaube ich, den Ausdruck ›Herz‹ verwendet, den ich mit dem Gefühlsbereich in Beziehung bringe. So wie ich das Gebet und die Meditation innerhalb der westlichen Tradition auffasse, handelt es sich beim Gebet im wesentlichen um eine Angelegenheit des *Herzens*. Wenn Sie zum Beispiel eine klassische traditionelle Formel nehmen wie jene des hl. Franz von Sales in seinen Anweisungen zum Betenlernen, so wird Ihnen auffallen, daß er sich vor allem um die Vorbereitung kümmert, nicht nur um die indirekte Vorbereitung auf den Alltag – in diesem Sinne haben Sie ja Buddhas Äußerung interpretiert –, sondern um die unmittelbare Vorbereitung auf das Hintreten in die Anwesenheit Gottes. Er konzentriert sich auf den Gebrauch der Vorstellungskraft (der hl. Ignatius von Loyola spricht hier von der ›Vergegenwärtigung des Ortes‹), auf die Vorbereitung zur allmählichen Beruhigung der Kräfte des Leibes und der inneren Kräfte der Phantasie, ja sogar des Intellektes und der Vernunft. Alle diese Vorbereitungen dienen der *Entflammung des Herzens*. Sie sehen, daß das Gebet, ganz gleichgültig, ob es sich in die höheren Bereiche der Erleuchtung oder sogar der *unio* erhebt oder erhoben wird, im wesentlichen eine Herzensangelegenheit ist.«

»Nun, zunächst einmal eine persönliche Bemerkung dazu, Marcus. Mein Schicksal und vielleicht auch meine mehr zum Kontemplativen neigende Disposition haben mich mehr zum spirituellen Weg hingezogen und mich auch mehr über Meditation gelehrt als über das Gebet. Aber ich glaube, ich bin, abgesehen von meiner kontemplativen Neigung, im wesentlichen eher ein Gefühlsmensch. Wenn Sie aber in einen Meditationsinhalt eindringen wollen, dann ist das Gefühl der wesentliche Führer und die wesentliche Kraft, die Sie dazu brauchen. Wenn Sie den Intellekt gebrauchen, sind Sie verloren, denn Sie lösen sich dadurch vom Inhalt Ihrer Meditation los. Sie müssen sich von allem Anfang an durch Ihr Gefühl in den Meditationsinhalt versenken. Sie müssen zum Beispiel nicht so sehr auf die Bedeutung der Worte achten, sondern auf ihren Klang. Und wenn sie nicht Ihr Herz und Ihre Gefühle berühren, werden Sie nirgends hinkommen. Das zieht sich durch den ganzen aufwärtsführenden Weg. Wenn die Anwesenheit des anderen sich nun ereignet, wird es nicht vor einem stehenbleiben, es wird in einen eintreten und einen allmählich durchdringen – das gelingt vielleicht am Ende des Weges. Ignatius von Loyola und auch andere Menschen zogen einen wunderbaren Vergleich mit dem Essen. Es ist etwas, was man trinken kann oder was von einem getrunken oder gegessen werden will. Es steigt einfach auf einen herab. Das ist die Erfahrung. Sie sehen auf einen Blick die Beziehung zur Kommunion. Es handelt sich, spirituell gesprochen, um eine Kommunion. Und hier besteht natürlich die wichtigste Phase dieses Ernährtwerdens darin, daß das Herz erfüllt und gespeist wird und man in dieser Sphäre Nahrung und Kraft erhält.«

»Sie meinen also auch, daß auf jeder Stufe immer das Herz das Primäre ist?«

»Selbstverständlich.«

»Die Schulung besteht also in erster Linie in einer Bildung der Herz-, der Gefühls-, der Gemütsseite. Die Meditation, ja auch die Kontemplation geschieht in Hinsicht auf ein Schweigsam-Machen des Herzens, und auch die höhere Stufe, das Zuhören, wäre also ein Hören mit dem Herzen?«

»Genau.«

»Und auch die *unio*, wenn sie einem gewährt ist, überhaupt jegliche Vereinigung jedweder Qualität und jeglichen Klarheitsgrades wäre also, wie gesagt, eine Vereinigung von Herz zu Herz, *cor ad cor*? Wären Sie damit einverstanden?«

»Vollkommen. Nicht umsonst wurde ja Buddhas Lehre als die *Lehre von Liebe und Mitleid* bezeichnet. Ich brauche Ihnen wohl nichts über die christliche Auffassung der Meditation zu sagen. Aber vielleicht ist es nicht ganz unpassend, wenn wir uns jener wundervollen Zusammenfassung erinnern, welche ich Ihnen bereits früher einmal zitiert habe.«

»Sie meinen die Stelle über die *Umarmung*?«

»Ja. Darf ich sie im ganzen Wortlaut einmal vorlesen, denn sie bringt dieses Element höchster Liebe und Vereinigung in so wunderbarer Weise zum Ausdruck? Es handelt sich um eine Stelle aus den Upanishaden:

›So wie ein Mann in der innigsten Umarmung seines geliebten Weibes von sich nichts mehr weiß, weder von Äußerem noch von Innerem, so geht es diesem Menschen; in der innigsten Umarmung des erkennenden Selbst [Atman] weiß er nichts mehr, weder von Äußerem noch von Innerem. Das ist der Seinszustand, wo er der Sorgen ledig, wo sein Sehnen erfüllt ist, wo sein einziger Wunsch das Selbst [Atman] ist, und in sich hat er keine Wünsche mehr, ist die Welt keine Welt mehr, sind Götter keine Götter mehr... ein Asket kein Asket mehr. Nicht mehr achtend der guten Werke, nicht mehr achtend der bösen Werke, ist er hinübergelangt ans andere Ufer, und er hat die Kümmernisse des Herzens hinter sich gelassen.‹[1]

Sie sehen, auch hier finden wir das Element hingebungsvoller und schenkender Liebe höchster Art.«

»Ich glaube, das ist eine ganz besonders schöne Stelle, und sie ist auch für die ganze Reihe unserer Gespräche sehr relevant, denn sie faßt nicht nur die innere Dynamik des Weges zusammen, über den wir uns heute morgen unterhalten haben, jenen Drang oder Aufschwung zur Vereinigung, welche, wenn sie erlangt wird, gleichsam alle Formen der Getrenntheit aufhebt, die es gibt – der Getrenntheit zwischen dem Ego und dem umfassenden Selbst, zwischen Innen und Außen, zwischen dem Selbst und dem Anderen: darin be-

---

[1] Zitiert nach Udo Reiter, Meditation – Wege zum Selbst. München 1976, S. 47

steht das Mysterium, das letztlich unaussprechbare Mysterium der *unio mystica*. Andererseits macht diese Stelle auch den Übergang zum Herzbereich, wie wir bereits festgestellt haben. Sie betont nicht so sehr das Licht der Erkenntnis als das Herz und die Wärme der Liebe. Dies geschieht in Begriffen der menschlichen Grunderfahrung der Liebe zwischen Mann und Frau. Gleichzeitig wird aber diese Form der Liebe auch verwandelt. Es wird zwar etwas in die Form dieser Grunderfahrung gekleidet, aber diese Erfahrung wird zugleich auf eine höhere Stufe gehoben. So werden in dieser Upanishaden-Stelle wirklich alle Themen, die wir in unserer Gesprächsreihe besprochen haben, zusammengefaßt: das Zusammensein mit einem anderen Menschen, die wirkliche Qualität und Bedeutung der Tiefendimensionen einer solchen Erfahrung; die Erfahrung der Einsamkeit im Unterschied zur Vereinsamung; die Beziehung zwischen Mann und Frau. All dies scheint in diesem Zitat eingeschlossen und hinaufgehoben zu sein in diesen schönen Ausdruck der *innigsten Umarmung*.«

»Man könnte in trivialer Weise sagen: Der ganze Sinn des Lebens liegt eigentlich darin; wenn es überhaupt eine Antwort auf die vielen Fragen und Probleme des Menschseins gibt, dann ist das die Antwort.«

»Einmal mehr handelt es sich darum, an die Tiefendimensionen des gewöhnlichen Lebens und der gewöhnlichen Begegnungen zu rühren, sie zu erforschen und mit Hartnäckigkeit zu verfolgen – und auch mit Eifer, mit glühendem Eifer, mit dem, was die Hindus *Tapas*, Energie, feurige Energie, nennen.«

»Der Eifer: ich bin froh, daß Sie ihn erwähnt haben, denn ein lauwarmes Bestreben wird nicht genügen. Dies ist vielleicht wiederum Sache der Übung und der Gewohnheit im besten Sinne des Wortes: jener Gewohnheit, die Teil von einem selbst wird, wie eine zweite Natur, so daß man diesen Weg schließlich mit dem Eifer und dem Sehnen eines Liebenden im höchsten Sinne des Wortes verfolgt. Fehlt einem diese Qualität, so wird man nicht ans Ziel kommen. Ganz bestimmt kommt man nicht ans Ziel, wenn man nur ein neugieriges Interesse hat.«

»Und vielleicht hat uns das Wort ›Liebender‹ einmal mehr mitten ins glühende Herz aller Traditionen hineingetragen: der Tradition von Platos *Symposion* im Westen, der Tradition der Bhagavad Gita im Osten usw. Ich habe den Eindruck, daß wir hier bis zum Zentrum, bis ans Mark gelangt sind, nicht nur der materiellen Welt, ja nicht einmal der geistigen Welt, sondern zum Mark jener Welt, die geduldig darauf wartet, vergeistigt zu werden, dem einen *Kosmos*.«

»Ja, so scheint es«, sagte Dr. Schauder und beendete damit dieses Morgengespräch.

Sechstes Gespräch: Die Stufen der Beratung und die Stufen des geistigen Pfades

»Ich freue mich, Marcus, daß Sie unsere Verabredung einhalten und trotz Ihrer leichten Kehlkopfentzündung hierher gekommen sind. Sie sind heute fast ohne Stimme – eine schlechte Voraussetzung für ein Gespräch! Da ich also ohnehin den Hauptteil der Unterredung zu tragen haben werde, möchte ich Ihnen etwas ausführlicher von einer kürzlich gemachten Erfahrung mit einem Patienten erzählen. Ich knüpfe damit an unsere früheren Gespräche über die Stufen der Beratung und des spirituellen Pfades an, denn dieses Erlebnis hat mir etwas von der Beziehung des spirituellen Lebens zur praktischen Beratertätigkeit klargemacht.

Sie werden sich daran erinnern, daß wir in einem früheren Gespräch die vier Stufen des spirituellen Erkenntnisweges definiert haben, nämlich erstens die moralische Selbsterziehung oder die *via purgativa*, eine Bildung des Charakters, wie ich es genannt habe; zweitens die Stufe der Meditation, welche dann in die dritte Stufe der Kontemplation oder Erleuchtung oder der intuitiven Erkenntnis übergeht: die Stufe, wo wir über das Denken hinausgehen und die Wahrheit intuitiv erfassen; und viertens die Stufe der Befreiung, der Vereinigung, auf der wir imstande sind, in etwas einzutreten, was vollkommen jenseits des gewöhnlichen Selbst liegt. Das kann unser eigenes höheres Selbst sein, das kann etwas Göttliches oder es kann innerhalb des gewöhnlichen Lebens das Dasein eines anderen Wesens sein, mit dem wir uns dann in intuitiver Weise identifizieren.

So weit und in dieser Art haben wir uns bisher Gedanken über den spirituellen Erkenntnisweg als einen Weg menschlicher Entwicklung und Läuterung gemacht, als einen Weg, über das niedere Selbst hinauszugehen, einen Weg der Verwandlung und Vervollkommnung. Die Erfahrung, die ich Ihnen jetzt schildern möchte, zeigt die Sache noch von einem ganz neuen Aspekt: Wenn wir dauernd in der Dynamik des Lebens und des Fortschreitens innerhalb dieser Stufen bleiben, wenn wir uns auf diesem Weg vorwärts und aufwärts bewegen, dann werden wir sogar im gewöhnlichen Leben, aber ganz besonders innerhalb der Beratungssituation im Zusammensein mit unseren ›Klienten‹ gewisse Wahrnehmungen machen, die uns sonst nicht möglich wären. Ich meine Wahrnehmungen, die ich für äußerst wichtig und hilfreich halte, würden für uns nicht in derselben Weise auftreten.

Das ist eine dürftige Beschreibung meiner Entdeckung, aber um Ihnen eine etwas konkretere Vorstellung zu vermitteln, muß ich etwas zurückgreifen. Ich mußte mich auf eine Beratungssitzung mit einem Freund vorbereiten. Er war aus dem Ausland hergereist, und ich wußte bereits von früher, daß er ein Leben geführt hatte, das mir nicht gefiel. Er unterhielt zahlreiche Beziehungen zu Frauen, unter anderem auch zur Frau seines besten Freundes. Er hatte sich ziemlich verirrt und war auch in eine Anzahl sehr fragwürdiger intellektueller und spiritueller Aktivitäten hineingeraten. Ich sah dieser Begegnung deshalb mit einiger Besorgnis entgegen, und ich wußte, daß ich mich nur dann richtig verhalten konnte, wenn ich meine Besorgnis oder irgendein Ressentiment oder Gefühl des Enttäuschtseins zu überwinden vermochte. Ich mußte also ganz besonders intensive Anstrengungen machen, um mich auf diese Sitzung vorzubereiten. Nun wissen Sie ja, was ich unter Vorbereitung verstehe: das Erreichen eines Zustandes innerer Ruhe oder, wie ich es in einem anderen Zusammenhang genannt habe, eines Zustandes innerer Unschuld. In diesem Zustand befreit man sich so weit wie möglich von allen Vorurteilen, von allen persönlichen Sorgen, Gedanken und Gefühlen, um zu einer inneren Ruhe zu gelangen, die vielleicht am besten verglichen werden kann mit der Oberfläche eines Sees an einem windstillen sonnigen Tag. Man kann durch die Wasseroberfläche in die klaren Tiefen schauen, während sich auf der Oberfläche die am Himmel vorbeiziehenden Wolken spiegeln. Das ist natürlich ein klassischer poetischer Vergleich, und ich erhebe nicht den Anspruch, diese Ruhe vollkommen erreicht zu haben. Aber bei diesem Anlaß versuchte ich, vollständig ruhig zu werden, und ich glaube, ich habe das auch bis zu einem gewissen Grade erreicht. Nun ist es ganz klar, daß diese Stufe der ersten Stufe des spirituellen Erkenntnisweges entspricht, der Stufe der Charakterbildung oder der *via purgativa*.

Dann wurde mir bewußt, wie ich in einer Art von meditativer Haltung zuhörte. Bestimmt hatte ich das auch schon früher getan, aber jetzt wurde es mir bewußt. Was heißt das nun: in meditativer Art zuhören? Ich denke, es heißt, daß man den Intellekt zähmt, daß man sich bemüht, die bewußte intellektuelle Tätigkeit zu bändigen. Diese Tätigkeit strebt immer nach scharf umrissenen Eindrücken und hält nach Zeichen und Symptomen Ausschau, bewegt sich fortwährend in Vorstellungen und hat die Tendenz, sofort Schlüsse zu ziehen und Werturteile zu fällen. All das muß gebändigt werden. Ich will damit nicht sagen, daß all dies vollständig aus dem Bewußtsein verschwinden muß, denn wahrscheinlich wird man doch von der gewöhnlichen intellektuellen Bewußtseinsfähigkeit Gebrauch machen müssen. Aber wenn man sich öffnen will, um das, was als Erfahrung auf einen zukommt, in seiner vollen Realität aufzunehmen, wird man dies eben doch tun müssen. Um den Satz Rudolf Steiners, den ich Ihnen kürzlich zitierte (›Man muß lernen zu denken, während man sich des Denkens enthält‹), abzuwandeln: ›Man muß lernen *zuzuhören, während man sich des Denkens enthält.*‹ Gelingt einem das, so wird der innere Zustand des Menschen, dem man begegnet, allmählich durchsichtig, er hellt sich auf. Bedeutungsvolle Bilder entstehen, werden immer intensiver und kommen sozusagen auf einen zu. Man sucht sie nicht; sie kommen und prägen sich schließlich dem eigenen Bewußtsein ein – das können Bilder im eigentlichen Sinne des Wortes sein, aber auch bestimmte Wörter oder bestimmte Gesten. Beim Zuhören und Beobachten wird man ein Erlebnis haben, das demjenigen vergleichbar ist, wenn man Farben und Formen beobachtet, wenn man Töne und Melodien hört, und das ferner auch vergleichbar ist der Erfahrung der Dinge – der Welt der Dinge überhaupt –, die durch den Tast-, durch den Geschmacks-, ja sogar durch den Geruchssinn vermittelt wird. Hat man nun ein solches Erlebnis voll in sich aufgenommen, dann ist man von Impressionen erfüllt, die ein Eigenleben besitzen; man ist von einem lebendigen *Seelen-Erleben* erfüllt, das bis in den eigenen Organismus eindringt. Man hat die Erfahrung in sich aufgenommen in derselben Art, wie man etwas, das man ißt oder trinkt, aufnimmt. Deswegen hat diese Erfahrung gleichsam den Charakter handgreiflicher Realität, und der läßt sich nicht bezweifeln – ebensowenig wie man bezweifeln kann, daß die Erfahrung, draußen in der Natur zu sein, Bäume und Steine zu sehen, die Luft zu riechen, die Sonne zu erleben, Realitätscharakter besitzt.

Nun hat dieses Erlebnis, in Impressionen unterzutauchen, sich von Impressionen dieser Art erfüllen zu lassen, eine offensichtliche Verwandtschaft mit der Aktivität des Meditierens. Es scheint mir deswegen gerechtfertigt zu sein, von einer Haltung des *meditativen Zuhörens* und Beobachtens zu sprechen. Je mehr man sich meditativ geschult hat – wobei es in erster Linie darauf ankommt, nicht nur den Intellekt und die Tätigkeit des Gehirns zu bändigen, sondern darüber hinauszukommen –, um so leichter wird es einem auch fallen, in dieser Haltung zuzuhören und zu beobachten.

Die nächste Stufe auf dem Erkenntnisweg besteht, wie Sie wissen, in der sogenannten Erleuchtung oder der intuitiven Erkenntnis. Nachdem ich mich gründlich in die Persönlichkeit, in die Lage und die Probleme meines Freundes in dieser Haltung meditativen Zuhörens vertieft hatte, wurde mir bewußt, daß etwas Besonderes in mir *geschah*, was ich in solcher Intensität früher nie erlebt hatte. Nachdem ich die Erlebnisse, die mir mein Freund schilderte, hörend aufgenommen hatte – und es war eine sehr komplizierte und konfliktgeladene Geschichte –, stellte ich mir eine Frage, denn er mußte eine Entscheidung treffen. Nun erlebte ich, daß ich nicht darüber nachzudenken brauchte, sondern ihm unmittelbar eine Antwort geben konnte, von welcher ich instinktiv fühlte, daß sie die richtige war. Sie stellte sich mir als etwas so Natürliches dar wie das eigene Atmen. Ich behaupte nicht, daß es sich um eine besonders schwierige Frage gehandelt hätte. Ich bin davon überzeugt, daß ich selbst wie auch irgendein anderer Mensch diese Frage nach einigem Nachdenken hätte beantworten können. Ich will vielmehr betonen, daß ich in bewußter Weise tatsächlich überhaupt nicht nachdachte – und das war die Erfahrung, die mich wie ein Schlag berührte. Die Antwort ergab sich mir mit überzeugender Evidenz, und ebenso überzeugend war sie auch für meinen Freund. In diesem Augenblick erlebte ich einen Übergang von der Stufe des meditativen Zuhörens und Beobachtens zu etwas, was mit der intuitiven Erkenntnis verwandt und vergleichbar ist.

Im weiteren Verlauf unserer Sitzung vertiefte sich dieses Erlebnis, und ich hatte das Gefühl, daß meine Gedanken über seine Konfliktsituation und die von mir gegebene Antwort sowie auch alle Erlebnisse, die er mir geschildert hatte, gleichsam zu verschwinden begannen. Immer stärker begann ich *ihn selbst* und seinen Zustand zu erleben. Ich fühlte mich sozusagen identisch mit ihm, in einer – das ist vielleicht der richtige Ausdruck – ganz existentiellen Weise. Ich wußte in diesem Augenblick plötzlich, was es hieß und wie es war, *er* zu sein. Ich hatte keine Gedanken *über* ihn. Der ganze Konflikt und alle seine Erfahrungen waren verschwunden, hatten sich aufgelöst, statt dessen erlebte ich *ihn*. Ich hatte das Gefühl, in verschiedenster Art belastet und angestrengt zu sein, wobei sehr mächtige Kräfte von der Peripherie in verschiedene Richtungen strebten und das Zentrum immer schwächer wurde. Darin, glaube ich, bestand im wesentlichen sein Problem: Er hatte die Verbindung zu seinem inneren Zentrum verloren, die Verbindung zu seinem Wesenskern, welcher allmählich schwächer wurde oder vielleicht gar zu zerfallen begonnen hatte. Nun glaube ich, daß dieses Erlebnis einer Identifizierung nichts anderes ist als das Gegenstück zum Erlebnis mystischer Vereinigung, der letzten Stufe des geistigen Lebens, auf der ein Mensch sich mit etwas identifiziert, in etwas eintritt, das nicht er selbst ist, sondern ein anderes Wesen, eine andere Wirklichkeit, welche er nun kennenlernt, ja mehr noch als kennenlernt – mit welcher er sich identifiziert...

Vielleicht geht aus diesen paar Bemerkungen mit genügender Deutlichkeit hervor, daß das spirituelle Leben nicht nur ein großes Übungsfeld zur Läuterung und Entwicklung der eigenen Persönlichkeit ist, sondern auch ein Übungsfeld zur Entwicklung gewisser Wahrnehmungsfähigkeiten bei einer Beratungssitzung und zur Entwicklung der Fähigkeit, mit einem Ratsuchenden in eine solche innere Verbindung zu treten, wie sie auf keine andere Weise entstehen könnte, jedenfalls nicht mit derselben Klarheit und derselben Kraft der Einsicht. Ich glaube, wer darüber nachzudenken beginnt, wird ohne Schwierigkeiten die sogenannten sieben Stufen der Beratungstätigkeit mit den vier Stufen des Erkenntnisweges in Beziehung bringen können. Sie sind miteinander verflochten. Während der Beratungsprozeß seinen Fortgang nimmt, helfen einem die auf dem Erkenntnisweg erreichten aufeinanderfolgenden Bewußtseinsstufen wiederum, den Beratungsprozeß zu verstehen und weiterzuführen – wie in einer Spirale. Die beiden Ebenen wirken in der Tat fortwährend durch- und miteinander. Dies wird uns bewußt, und wenn wir die Beratungssitzungen in dieser Art durchleben, werden wir entdecken, daß der Beratungsprozeß und die Stufen des Erkenntnisweges in der Tat ein Ganzes bilden. Sie gehören ebenso zusammen – vielleicht ist das der treffende Vergleich – wie Atem und Herzschlag.

So wie sich im Beratungsprozeß in seinen verschiedenen Stufen das Urbild des Gespräches offenbart, so kann das spirituelle Leben, wie ich es eben charakterisiert habe, im Alltagsleben das Urbild einer wahren Beziehung und tiefen gegenseitigen Verstehens hervorbringen.«

»Hans«, begann P. Marcus, als das Gespräch fortgesetzt werden konnte, »Ihre neue Einsicht stellt meiner Meinung nach tatsächlich einen Durchbruch dar. Ich bin fasziniert von ihr, und ich bin geradezu froh, daß ich letztes Mal nicht sprechen konnte, da Sie dadurch in der Lage waren, Ihre Gedanken ohne jegliche Unterbrechung darzustellen. Aber jetzt, wo ich wieder antworten kann und nachdem ich außerdem Zeit gehabt habe, über Ihre Ausführungen nachzudenken, muß ich feststellen, daß Sie sowohl meine Kritik als auch die Kreativität meines Denkens herausgefordert haben. Sie haben mir ermöglicht, Zusammenhänge zu sehen, von denen ich bisher keine Ahnung hatte. Aber zuerst möchte ich zum kritischen Teil meiner Überlegungen kommen. So anregend Ihre jüngsten Ausführungen für mich auch sind, so werfen sie doch ein intellektuelles Problem auf. Es ist mir nämlich nicht ganz klar, wie die sieben Stufen des Beratungsprozesses in die vier Stufen der geistigen Entwicklung hineinpassen sollen. Ich weiß, daß Sie andeuteten, wie diese Stufen miteinander verknüpft werden könnten, aber ich muß gestehen, daß diese Verknüpfung meinem – zu? – logischen Denken zu vage und zu gezwungen erscheint.«

»Gut«, meinte Dr. Schauder, »ich will versuchen, Ihre Beanstandung aufzugreifen, obgleich Sie ja wissen, daß ein solches rein logisches und abstraktes Denken nicht meine Sache ist!

Beginnen wir also mit der ersten Stufe des Beratungsprozesses, der Stufe der Vorbereitung: Hier handelt es sich darum, das Bewußtsein von allen einstürmenden Gedanken, Gefühlen und Vorstellungen zu befreien, und dies setzt eine moralische Selbsterziehung voraus, welche auch das Wesen der ersten Stufe des spirituellen Erkenntnisweges ausmacht. Die zweite Stufe der Beratung besteht in erster Linie im Zuhören, aber auch bis zu einem gewissen Grade in der Erschließung. Hier kommt nun die meditative Haltung, welche ich in ihrer Beziehung zur zweiten Stufe des spirituellen Lebens dargestellt habe, ins Spiel, obwohl man es oft einfach mit dem sehr bewußten Versuch zu tun hat, Fragen zu stellen und eine Situation zu erschließen. Damit kommen wir zur dritten Beratungsstufe, der Stufe der Assimilierung, auf der das, was man gehört hat, innerlich absorbiert wird, und diese Stufe entspricht sogar noch mehr der meditativen Haltung. (Ich möchte Sie dabei auch daran erinnern, daß ja die Stufe der Assimilierung und die Stufe des diagnostischen Zwischenspiels gegenseitig austauschbar sind.)

Nun kommen wir zu Stufe vier, der Stufe des diagnostischen Zwischenspiels. Diese Stufe hat ganz offensichtlich etwas mit dem Akt des Erkennens zu tun. Wir müssen in bewußter Weise eine Diagnose stellen, aber wie wir alle wissen, kann eine solche Diagnose eine sehr subtile Sache sein, die oft mit einer beträchtlichen Ungewißheit behaftet ist. Selbst auf rein psychologischer Ebene werden viele Psychiater zum Beispiel in aller Ehrlichkeit zu ganz verschiedenen Diagnosen kommen. Außerdem bemühe ich mich persönlich, wie Sie ja wissen, auch noch die physische Konstitution, das Horoskop des Betreffenden sowie seinen Lebens- und Entwicklungsgang zu berücksichtigen. Angesichts all dieser Umstände wird unser intuitives Erkennen ein äußerst wichtiger Führer sein und uns helfen, Unsicherheiten in diesem Bereich auszuschalten und die richtige Diagnose zu stellen.

Damit haben wir in der fortschreitenden Beratung Stufe fünf erreicht, die Auswahl des Zielgebietes. Das muß nun wiederum eine vollbewußte Tätigkeit sein, die aber letztlich ebenso subtil ist wie der Prozeß der Diagnosebildung. Wiederum wird unser intuitives Fühlen, unser intuitives Erkennen – dasjenige, was mit einem Gewißheitsgrad, der über alles bewußte Denken hinausgeht, in unserem Innern aufsteigt – ein kostbares Instrument sein. Deswegen steht auch diese Stufe in Zusammenhang mit dem Bereich des intuitiven Erkennens.

Die nächste Stufe, Stufe sechs, besteht in der Bearbeitung des Zielgebietes zusammen mit dem Ratsuchenden. Hier kommt ganz offensichtlich die Beziehung zwischen dem Therapeuten und dem Ratsuchenden in weit höherem Maße zum Tragen als auf allen bisherigen Stufen. Hier muß der Therapeut den Ratsuchenden führen, und je klarer er dessen Wesen innerlich erfühlen kann, je mehr er sein ganzes Sein erlebt und sich mit ihm identifiziert, mit um so größerer Sicherheit wird er ihn führen können. Deshalb haben wir es meiner Meinung nach auf dieser Stufe mit dem bedeutsamen Übergang vom Bereich der intuitiven Erkenntnis in den Bereich der Identifikation zu tun. Dies gilt besonders für die letzte Stufe des Beratungsprozesses, für Stufe sieben: Der Ratsuchende hat die wesentlichen Stufen und Phasen des Beratungsprozesses durchlebt und ist jetzt in der Lage, sich auf das Leben einzustellen, im Leben wieder Fuß zu fassen, neue Einsichten zu bekommen, neue Haltungen, neue Wertmaßstäbe zu entwickeln, mit welchen er noch einmal anfangen kann. Es besteht kein Zweifel: Je mehr wir auf dieser Stufe unsere Fähigkeit entwickelt haben, uns mit ihm eins zu erleben, jenseits von allen Gedanken und Vorstellungen, um so mehr werden wir ihn führen, ihm helfen, ihn unterstützen können.

Sie sehen, auf diese Weise lassen sich für mich die beiden Schemata – des Beratungsprozesses und des spirituellen Lebens – durchaus miteinander verbinden. Ist dies nun deutlicher geworden? Lassen Sie mich aber noch kurz etwas ergänzen. Ich habe über ein Schema gesprochen. Ich möchte aber betonen, daß das letztenendes etwas Abstraktes ist, während sich der Beratungsprozeß als ein Lebensprozeß in fortwährendem Fluß befindet. Nichts ist hier fixiert, und sollte sich ein solches Schema, wie ich es eben charakterisiert habe, störend einmischen, und vor allem, sollte dies andauernd geschehen, so wird aus dieser lebensvollen Beziehung zwischen zwei Menschen das Leben ausgetrieben. Jedes Schema – das unsrige eingeschlossen – ist lediglich ein nacktes, trockenes Knochengerüst, es ist eine Struktur, und diese Struktur muß in die Tiefen unseres Wesens hinuntersinken, da, wo sie hingehört, um uns ein Fundament zu geben, auf dem sich das Gebäude unserer kreativen Tätigkeit aufbauen muß. Sie können es deswegen auch mit dem Schema oder der Struktur vergleichen, die ein schöpferischer Musiker in sich aufnimmt, wenn er die Gesetze der Kompositionslehre studiert. Falls er wirklich ein schöpferischer Künstler ist, so wird all das in die Tiefen seines Wesens hinuntersinken und ihm aus dieser Sphäre heraus bei der Schöpfung eines Kunstwerkes behilflich sein. Bei der Beratung spielt sich im Grunde genommen genau dasselbe ab: Wir brauchen die Struktur, um ein Fundament zu haben, denn wir sind beständig in Gefahr, in unserem Denken, in unserer Einstellung, in unserer Haltung, in unserem ganzen Wesen die Form zu verlieren. Wie ich ja bereits einmal erwähnt habe, sprach Rilke von den Menschen als von den *Zerfallenden*. Tatsächlich können wir langsam und unversehens zerfallen, und die einmal erworbene Struktur, die wir auf den Grund unseres Wesens haben absinken lassen, wird uns helfen, nicht zu zerfallen. Die Begegnung muß jedoch ein schöpferischer Akt sein, der der Einmaligkeit der Situation und des betreffenden Menschen voll entspricht. Deshalb müssen wir uns in erster Linie klarmachen, daß wir in einer derartigen Begegnung etwas schaffen, daß wir etwas schaffen aus dem, was in ständigem Fluß ist wie das Leben im Weltall. Ich muß hier wieder an Goethes Zeilen denken:

Gestaltung, Umgestaltung,
des ewigen Sinnes ewige Unterhaltung.

Für Goethe ist das Leben eine Sache der ›Gestaltung und Umgestaltung durch den ewigen Geist, der ewig uns erhält‹. Vielleicht verstehen Sie jetzt, unter Beachtung des obigen Vorbehaltes, wie in meinem Denken die beiden ›Schemen‹ zusammenhängen?«

»Mit meinem Gefühl und mit dem intuitiven Teil meines Wesens, Hans«, sagte P. Marcus, »finde ich all das außerordentlich faszinierend und real, und doch muß ich mit dem kritischen Teil meines Wesens zugeben, daß ich gewisse Zweifel habe. Mein Denken ist zwar im Augenblick noch etwas zu aufgewühlt, um diese Zweifel genau formulieren zu können, aber ich will doch versuchen, sie, so gut es geht, zum Ausdruck zu bringen. Einerseits hatte ich das Gefühl, daß Sie in der durch meine Beanstandung veranlaßten Neufassung Ihrer Gedanken Ihrer ursprünglichen Intuition nicht ganz treu geblieben sind. Andererseits sagen Sie aber etwas äußerst Wertvolles, das neu formuliert werden könnte. Vielleicht stellt sich dann auch heraus, daß Sie eigentlich etwas anderes meinen und *deshalb* im Grunde etwas viel Tiefgreifenderes als das, was Sie unmittelbar zu sagen scheinen.«

»Kann sein«, sagte Dr. Schauder, etwas zweifelnd.

»Sehen Sie, Hans, um den negativen Teil meiner Reaktion vorwegzunehmen: Ich glaube, meine Frage nach der genauen Wechselbeziehung der Stufen der Beratung und der Stufen des spirituellen Entwicklungsweges und der mit ihm verbundenen Bewußtseinsstufen führt direkt zum Kern Ihrer Behauptung. Was ich über diese Querverbindung sagen möchte, entspricht dem, was ich schon früher über die Querverbindung gesagt habe, die Sie zwischen den Stufen der Beratung und den Stufen eines ganz gewöhnlichen, aber wahrhaftigen Gespräches zweier einander gleichgestellter Freunde aufzeigen wollten. Erinnern Sie sich daran, daß ich herausfinden wollte, ob es bei diesen beiden Arten zwischenmenschlichen Austausches tatsächlich Punkt für Punkt eine Korrelation gäbe, und daß wir dabei etwas den Boden unter den Füßen verloren? Sie mußten sich anstrengen, eine Punkt-für-Punkt-Übereinstimmung aufzuzeigen, nicht wahr, genauso wie Sie sich meiner Ansicht nach gerade vorhin anstrengen mußten, die Einzelheiten der Entsprechung zwischen den Stufen einer Beratung und den Stufen des geistigen Lebens aufzuzeigen.«

»Ja. Kann ich einen Augenblick unterbrechen?« fragte Dr. Schauder.

»Natürlich.«

»Es ist genau, wie Sie sagen. Ihre Frage brachte mich in ziemliche Verlegenheit. Allein wäre ich über die vorläufige Darstellung meiner neuen Einsicht wohl kaum hinausgegangen. Für mich selbst war das schon genug, und darüber hinaus mußte ich mich nun in gewisser Weise, wie Sie richtig bemerken, intellektuell anstrengen, was gar nicht meinem Wesen entspricht. Für mich selbst bestand das Wesentliche in dem, was ich die organische Verknüpftheit dieser beiden Prozesse nenne. Wenn ich aus all den später folgenden ziemlich herbemühten Aussagen und Versuchen, das Wesen dieser Verknüpfung deutlich zu machen, nur einen einzigen Gedanken hervorheben soll, so ist es der, daß wir es hier meiner Erfahrung nach mit einem *schöpferischen Akt* zu tun haben. Sie werden sich daran erinnern, daß das auch Jung festgestellt hat. Ich sage das nicht, weil Jung das auch gesagt hat, aber ich war doch außerordentlich erfreut, als ich feststellte, daß auch er so etwas gesagt hatte. Dieser schöpferische Akt ist ganz verwandt mit jenem des Künstlers, denn die eintretenden Veränderungen können so plötzlich erfolgen und so überraschend sein, daß man vollkommen anpassungsfähig und in einem schöpferischen Zustand bleiben muß, damit man auf das, was auf einen zukommt, eingehen, es verstehen und einen Schritt weiterführen kann, obwohl man vielleicht dafür völlig unvorbereitet ist. Nun behaupte ich, daß dieser schöpferische Zustand nur durch zwei Dinge erreicht werden kann: einerseits dadurch, daß man die rein strukturellen Elemente des Beratungsprozesses in das Unterbewußte oder gar Unbewußte absinken läßt, und andererseits dadurch, daß man sich tagtäglich auf dem spirituellen Erkenntnisweg lebendig fortbewegt, denn dann sollte man, wenigstens dem Ideal nach – ich verwende jetzt vielleicht eine übertriebene Formulierung – mit einer geistigen Kraftquelle in Berührung kommen. Das wird einen in Bewegung halten und in die Lage bringen, Hindernisse zu überwinden, Knoten zu lösen, sich von Überraschungen zu erholen, sich von nichts völlig aus der Fassung bringen zu lassen. Mit anderen Worten: der ganze Prozeß wird in Fluß bleiben, wird etwas Lebendiges sein – und das habe ich im wesentlichen sagen wollen.«

»Ja, ich kann das sehr gut verstehen, Hans, aber sehen Sie, eigentlich geht es mir darum, noch genauer zu verstehen, was Sie sagen. Ich halte die Einsicht in die Erkenntnis der Wechselbeziehung zwischen den Prozessen der Beratung und des spirituellen Lebens für äußerst wichtig. Gerade weil sie so wichtig ist, lohnt es sich, das Wesen dieser Wechselbeziehung so klar wie möglich herauszuarbeiten. Außerdem wird mir deutlich, daß das, was Sie in bewußter Weise zu formulieren versuchen, auf mehr oder weniger unbewußte Weise praktisch in jedem Akt menschlicher Kommunikation und auf jeder Stufe dieser Kommunikation stattfindet, und ich vermute, daß ein solcher Prozeß nicht nur bei einem Berater, sondern auch bei den von Ihnen vorher erwähnten Musikern stattfindet oder vermutlich sogar auch im physischen Liebesakt.«

»Ganz richtig«, stimmte Dr. Schauder zu.

»Alle diese Kommunikationsakte scheinen ein gemeinsames Element aufzuweisen, und ich finde es äußerst wichtig, daß wir versuchen, dieses durchgängige Element zu formulieren, genauer zu bestimmen, weil es sich hier, wie ich glaube, weitgehend um unerforschtes Gebiet handelt – nicht in bezug auf das, was sich *tatsächlich* abspielt, sondern in bezug auf das, was darüber *gesagt* wird. Ich glaube, was sich tatsächlich abspielt, haben Sie zu einem großen Teil in hervorragender Weise dargestellt. Aber nun würde ich eigentlich gern noch einmal einen Blick zurückwerfen, um zwei Aspekte dieses Sachverhalts genauer ins Auge zu fassen. Erstens möchte ich kritisch prüfen, welche Stufen des Beratungsprozesses und des spirituellen Lebens einander entsprechen. Zweitens, und das ist konstruktiver, möchte ich aus einer etwas genaueren Fassung Ihrer Erkenntnis einige Konsequenzen ziehen.«

»Ja, bitte tun Sie das und fahren Sie fort«, sagte Dr. Schauder.

»Gut, dann werde ich nun laut denken. Besonders beim letzten Teil Ihrer Ausführungen, als Sie noch einmal versuchten, die sieben Stufen des Beratungsprozesses Punkt für Punkt mit den vier Stufen der spirituellen Entwicklung und des spirituellen Bewußtseins in Beziehung zu setzen, blieben mir gewisse Zweifel, und vielleicht kann ich sie am besten verdeutlichen, indem ich Ihre Gedanken in Form einer einfachen graphischen Darstellung zusammenfasse. Die sieben Stufen des Beratungsprozesses scheinen für Sie also den vier Stufen des organischen Prozesses des spirituellen Wachstums zu entsprechen, und zwar in folgender Art:

Stufen der Beratungstätigkeit	*Stufen des spirituellen Lebens*
kann in Beziehung gebracht werden mit	
1. Vorbereitung	1. Moralische Selbsterziehung
2. Zuhören und Erschließung 3. Assimilierung	2. Meditation
4. Diagnostisches Zwischenspiel 5. Wahl der (des) Zielgebiete(s)	3. Intuitive Erkenntnis
6. Durcharbeitung der Zielgebiete mit dem Ratsuchenden 7. Dem Ratsuchenden helfen, die neue Lebensphase zu betreten	4. Identifikation – Einswerdung

Wären Sie mit dieser graphischen Rekapitulation Ihrer Gedankengänge einverstanden, Hans?«

»Ja, allerdings unter Berücksichtigung des Vorbehaltes, daß beide Prozesse im wesentlichen schöpferischer Art sind, wie ich ja bereits sagte.«

»Das kann ich Ihnen zugestehen, Hans, aber wenn Sie nun auch Ihrerseits meine Zusammenfassung akzeptieren, so gibt es auf der negativen und kritischen Seite meiner Antwort auf Ihre Gedankengänge immer noch drei Schwierigkeiten. Erstens erscheint mir die Zuordnung der Assimilierungsstufe zur Meditation fragwürdig, denn die Assimilierung erfordert ja wohl vor allem den höchsten Bewußtseinsgrad, den Sie als intuitive Erkenntnis oder gar Identifikation bezeichnen. Zweitens bin ich zwar zunächst ganz einverstanden damit, daß gerade auf dieser Assimilierungsstufe dasjenige gebändigt werden muß, was ich für den Augenblick als diskursiven Intellekt bezeichnen will, so daß ein intuitiver, beinahe unbewußter Intellekt lebendig werden kann, und doch muß selbst Ihren eigenen Ausführungen zufolge der gleiche diskursive Intellekt zum Zweck der Diagnosenstellung (Stufe 4), ganz zu schweigen von der Auswahl der Zielgebiete (Stufe 5), wieder ins Spiel gebracht werden.«

»Darf ich Sie in bezug auf diesen letzten Punkt kurz unterbrechen, Marcus? Sie haben natürlich ganz recht, wenn Sie darauf hinweisen, daß unsere bewußte Geistestätigkeit auf diesen Stufen des Beratungsprozesses teilweise wieder in Funktion tritt. Aber ich versuchte, diesen Punkt so zu erklären: Auf den Stufen des ›diagnostischen Zwischenspiels‹ und der Wahl der Zielgebiete (sowie übrigens auch auf den folgenden Stufen) ist die ›intuitive Erkenntnis‹ nicht die einzige Funktion, sondern eine solche, die die bewußte intellektuelle Tätigkeit fördert. Der intuitive Intellekt unterstützt gleichsam den bewußten Intellekt.«

»Ja, jetzt verstehe ich«, sagte P. Marcus, »aber die dritte und für mich größte Schwierigkeit ist damit noch nicht aus dem Wege geräumt. Sie erklären so gut die Notwendigkeit der Identifikation mit dem anderen Menschen, daß Sie die Tatsache ganz außer acht lassen, daß der Berater trotzdem *auch* er selbst bleibt. Diese Tatsache ist wesentlich, wenn der Berater auf den letzten Stufen imstande sein will, mit dem Ratsuchenden das Zielgebiet durchzuarbeiten und ihm zu helfen, sich in seinem neuen Lebensabschnitt zurechtzufinden. Sie sehen, mich interessiert nicht allein das Wesen der Wechselbeziehung zwischen den beiden Menschen, die auch die Möglichkeit der Identifikation einschließt. Mich interessiert gerade die Tatsache, daß es, damit überhaupt eine Wechselbeziehung entstehen kann, *zwei* Menschen braucht und daß beide deshalb auch sie selbst bleiben müssen. Hier möchte ich nun zum zweiten, konstruktiveren Teil meiner noch unentwickelten Überlegungen zu Ihrer These kommen, nämlich zu der Frage: Wie können wir auf die genaueste, beste und angemessenste Weise beschreiben, was sich hier eigentlich abspielt? Sie reden sehr schön davon, wie man der andere wird, und zwar auf intuitive Weise, aber scheinbar auf Kosten des eigenen Selbst. In Wirklichkeit löst man sich ja nicht auf, was schon daraus hervorgeht, daß man wieder in Erscheinung tritt, und es ist wesentlich, daß das geschieht. Was spielt sich also genau ab? Es ist eine Identifikation mit dem anderen Menschen *ohne Verlust des eigenen Selbst*. Tatsächlich ist das kontinuierliche Sich-Selbst-Bleiben, wenn auch gleichsam in völliger Zurückhaltung, für den anderen Menschen von großer Bedeutung, nicht nur aus dem offensichtlichen Grund, daß der Berater den Ratsuchenden zu führen hat, sondern vor allem deswegen, weil man es dem Ratsuchenden ja ermöglichen muß, aus *seiner* Welt in die Welt eines *andern* einzutreten, in diesem Fall in die Welt des Beraters. Darin liegt, wie ich meine, die Alchemie des ganzen Vorgangs.«

»Jawohl«, nickte Dr. Schauder.

»Darüber habe ich lange nachgedacht. Um den Gebrauch dieser Metapher noch etwas zu erweitern: Ich glaube, daß die Alchemie einerseits darin besteht, daß die eine Person, der Berater, die Fähigkeit hat, die Welt eines Menschen zu betreten, der mehr oder weniger gleichsam in einer ›Welt für sich‹ lebt, und hier spielt die Identifikation ihre Rolle. Andererseits teilt sich gerade die Tatsache, daß man das tun kann, auch dem anderen mit und regt bereits einen Befreiungsprozeß an, insofern der andere dadurch für Augenblicke Ihre eigene Welt wahrzunehmen beginnt, in der Art, wie man *seine* Welt wahrzunehmen vermochte, und so kann er anfangen, sein bisher eingeschränktes Weltbild zu erweitern und zu korrigieren. Aber falls das den wirklichen Tatsachen entspricht, dann heißt das, daß immer zwei Menschen da sein müssen, so daß es von diesem Gesichtspunkt aus völlig verfehlt wäre, von der Auflösung des Selbst auch nur andeutungsweise zu reden.«

»Aber ich habe ja gar nicht behauptet, daß sich der Berater irgendwie auflösen würde«, protestierte Dr. Schauder.

»Nein, das haben Sie zwar nicht explizit getan, aber ich glaube, Sie haben sich selbst außerordentlich unterbetont, weil Sie in erster Linie darauf bedacht waren, selbst der andere zu werden: ›Ich erlebte ihn‹; ›ich erlebte...‹; ›ich identifizierte mich mit ihm‹; ›ich wußte plötzlich, was es hieß und wie es war, in diesem Augenblick er selbst zu sein‹, und was es hieß, all seinen Belastungen und inneren Mühen ausgesetzt zu sein, als ob es die eigenen wären – wie Sie hinzufügten.«

»Darf ich hier kurz unterbrechen? Ich folge Ihren Gedanken sehr aufmerksam und will Sie auch nicht lange unterbrechen, denn Sie haben die Analyse des ganzen Prozesses mit großer Subtilität und feinem Wahrnehmungsvermögen wesentlich weitergeführt, als ich das selbst je hätte tun können, weil ich, wie Sie wissen, nicht über solche analytischen Geistesfähigkeiten verfüge. Aber sobald das Ganze einmal derart analysiert vor mir steht, sehe ich, daß Sie völlig recht haben. Selbst wenn ich sage, ich identifiziere mich, und wenn ich von totaler Assimilierung spreche, behalte ich doch tatsächlich auch mein Selbstgefühl, so daß immer *zwei* Menschen da sind.«

»Ich halte aber diesen Punkt für sehr wichtig für eine genaue Beschreibung dessen, was tatsächlich vor sich geht. Würden wir diesen Punkt nicht wirklich festhalten, so könnten wir, glaube ich, nur allzu leicht in eine östliche Anschauungsart von der Auflösung des individuellen Selbst abgleiten, und hier haben wir auch den Ansatzpunkt für den zweiten, konstruktiveren Teil meiner ursprünglichen Kritik an Ihrer These.

Ich behaupte also, daß fortwährend zwei Personen da sind, die allerdings in einer außerordentlich intimen und subtilen Weise miteinander in eine Wechselbeziehung treten. Aber ich frage mich, ob wir damit schon den ganzen Vorgang zur Genüge erfaßt haben oder ob uns nicht gerade die Feststellung dieser Tatsache wieder einen Schritt weiterbringt. Was ich suche, ist etwas, was mit einem Begriff zusammenhängt, Hans, der mir heute morgen einfiel, als ich mich in Erwartung der Fortsetzung unseres Gespräches hierher auf den Weg machte. Es ist ein faszinierender, vieldeutiger Ausdruck, der zuerst von den griechischen Kirchenvätern im vierten Jahrhundert benutzt wurde, als sie die Wechselbeziehungen innerhalb der Trinität charakterisieren wollten: *Perichoresis.* Wörtlich bedeutet der Ausdruck das Umeinander-Herumgehen. Die Perichoresis der Kirchenväter ist gewissermaßen ein Tanz wechselseitiger Identifikation bei vollkommener und fortwährender individueller Verschiedenheit. Die römischen Kirchenväter nannten es *circumincession*: In-und-Umeinander-Gehen in einer Art von Kommunikationskreis zwischen den Personen der Trinität. Ich vermute nun, daß sich so etwas auch innerhalb einer Beratungs-Beziehung oder noch grundlegender in jedem wahren *Gespräch* abspielen könnte. So paradox es zunächst klingen mag, ich habe das Gefühl, daß dieser theologische Begriff mit seinem übersinnlichen Bedeutungsinhalt vielleicht der allertreffendste Begriff ist, um mit der verwickelten gegenseitigen Identifikation und den in Wechselbeziehung stehenden Identitäten zweier Menschen zurechtzukommen. Aber Sie haben ja selbst schon darauf hingewiesen, daß man manchmal schon in der bescheidenen Ausübung des spirituellen Übens ein Gefühl haben kann von der Anwesenheit einer geistigen Kraft, obwohl man ganz für sich ist. So frage ich mich, ob sowohl in der individuellen Meditation als auch in jeder Kommunikation mit einem anderen Menschen nicht nur zwei, sondern eigentlich drei Wesen anwesend sind: da ist explizit oder implizit der andere Mensch, aber auch das *Andere* – mit einem großen A.«

»Sie sprechen mir ganz aus der Seele«, warf Dr. Schauder ein.

»Es ist sehr schön, was Sie da über die Perichoresis sagen – so heißt das Wort doch?«

»Ja.«

»Nach so etwas habe ich gesucht, aber ich hätte das nicht in solcher Art formulieren können. Das ist, was ich, vielleicht in sehr unzulänglicher Weise, mit dem Goethe-Zitat meinte. Denn in dem, was er als *Gestaltung, Umgestaltung* bezeichnet, haben Sie das Element der Bewegung, des Fließens und damit auch das Element des Findens und Verlierens. Auf all das deutet ja Ihr Begriff der Perichoresis und Ihr Gedanke vom beinahe kosmischen ›Tanz‹ in dieser Perichoresis hin. Aber ebenso haben Sie mich – und dafür bin ich Ihnen außerordentlich dankbar – auf etwas aufmerksam gemacht, was mir bisher nur in schattenhafter Art bewußt war und dessen ich mir erst durch Ihre Herausforderung voll bewußt geworden bin, nämlich, daß auch das Andere mit einem großen A anwesend ist. Aber auch hier hat Goethe den Weg gewiesen, insofern als er nach der *Gestaltung, Umgestaltung* etwas erwähnt, was man als einen Hinweis auf dieses Hineinfließen in den lebendigen Geist auffassen kann, der von oben und also vom Anderen herkommt. Und da haben Sie alles beisammen, nur hätte ich selbst das niemals auf solche Weise ausdrücken können. Im Hinblick auf unsere eigene gegenseitige Beziehung stellen wir zwei gleichsam das *Urphänomen* dar: Wir beide wirken auf ganz verschiedenen Ebenen. Ich wirke auf der Ebene der einfachen Erfahrung, während Sie selbst mehr auf einer analytischen Ebene tätig sind. Die Gegensätzlichkeit wie auch das gegenseitige Verständnis sind erstaunlich, aber ganz offen gesagt, ich glaube nicht, daß in all dem irgendein Widerspruch zwischen uns besteht.«

»Nein, Hans, es besteht keiner.«

»Sie haben einfach das, was ich dargestellt habe, in einer viel spirituelleren Form zum Ausdruck gebracht und dadurch die ganze Diskussion unendlich bereichert – so ist es doch?«

»Die eigentlich fruchtbaren Ideen kamen doch von Ihnen, Hans! Aber darf ich nun, von Ihren Bemerkungen ermuntert, da und dort noch ein paar I-Pünktchen aufsetzen oder ein paar kleine Abstriche vornehmen?

Ich glaube, durch den Kampf mit Ihren Ideen – oder vielleicht mehr noch dadurch, daß ich mich intensiver auf Ihren eigenen Kampf mit Ihren Ideen eingelassen habe –, kann ich nun etwas klarer sehen, wie ich Ihre Haupterkenntnis neu formulieren sollte. Dabei ist der anscheinend negative Teil meiner Kritik an Ihrer These dem positiveren Teil eindeutig untergeordnet, der ja darin besteht, Ihre Erkenntnis in solcher Art neu zu fassen, daß dadurch ihre weiteren Konsequenzen hervortreten.

Nun möchte ich Ihre Zentralerkenntnis über das, was Sie den Zusammenhang der Stufen der Beratung mit den Stufen des spirituellen Entwicklungsweges nennen, weiter abstützen, da das eine sehr wertvolle Erkenntnis ist. Aber ich möchte die beiden Prozesse in ihrer gegenseitigen Beziehung genauer beleuchten, falls das überhaupt möglich ist, um Ihre Erkenntnis noch um einen Schritt weiterzuführen. Denn wenn es stimmt, daß die verschiedenen Bewußtseinsstufen von den verschiedenen Stufen jeden wahren Gespräches durchzogen sind, und zwar auf vielfältigere und subtilere Weise als Sie, wie es scheint, in der Neufassung Ihrer ursprünglichen Einsicht angenommen haben, dann werden wir wohl auch meine eigene Zentralidee der *Perichoresis* – welche ja ihrerseits eine Neuformulierung Ihrer Zentralidee darstellt! – in eine neue Fassung bringen können. Wir können doch sagen, nicht wahr, daß gerade weil diese *Perichoresis* stattfindet, d. h. dieses wechselseitige Antworten und Ineinanderwirken zweier Menschen bei der tragenden Anwesenheit des Anderen, eines Dritten, in der *Umwelt des ewigen Sinnes* und seiner *ewigen Unterhaltung*, die verschiedenen Stufen der spirituellen Entwicklung verschiedenen Aspekten oder Ebenen der sich in Kreis- oder Spiralform bewegenden Kommunikation entsprechen. Sie stellen gleichsam den Aufstieg und Fall des bewußten Ich, einmal des einen, dann wieder des anderen, dar, aber auch Aufstieg und Fall des vernünftigen Ich im Unterschied zum intuitiven Ich *innerhalb* ein und derselben Person, so daß wir es – das ist sehr schwer zu beschreiben – mit etwas wie einer wellenartigen Bewegung zu tun haben. Es handelt sich um einen Rhythmus, eine Wellenbewegung und einen Rhythmus der Abwechslung und des Ausgleichs, gewissermaßen um eine Art Tanz zwischen den beiden, aber auch eine Art Tanz *innerhalb* jeder Person selbst.«

»Ja, schön, Marcus«, sagte Dr. Schauder. »Das ist wieder ein kosmisches Bild. Sie gebrauchten das Bild des Fließens, der Bewegung, der Gezeiten, das Bild der *Gestaltung und Umgestaltung*. Hier würde ich nun gerne wieder zurückkommen auf das, was für mich, vom praktischen Gesichtspunkt aus gesehen, das Wesentliche ist. Bisher haben wir angenommen – vielmehr habe *ich* angenommen –, daß wir einerseits den Beratungsprozeß haben und andererseits ein spirituelles Leben und daß man in einem Bereich seines Lebens ein guter Berater sein kann – oder mindestens versuchen kann, ein solcher zu sein –, während man in einem anderen Lebensbereich einem spirituellen Entwicklungsweg folgt, um ein ausgeglichener und geistig entwickelter Mensch zu werden. Aber ich habe bisher noch nie so unmittelbar erlebt, daß zwischen den beiden Bereichen eine vollkommene Wechselwirkung besteht. Mit anderen Worten: Wenn jemand ein Berater werden will in dem Sinne, wie wir das diskutiert haben, dann haben wir es tatsächlich mit einem so intimen Zusammenspiel des Beratungsprozesses mit dem spirituellen Leben zu tun, daß es notwendig ist, einem Berater nicht nur, sagen wir, eine Übungsanalyse zu bieten, was ja ganz in Ordnung ist, oder ihn während einer bestimmten Zeitperiode zu betreuen, sondern ihm auch eine spirituelle Ausbildung zu geben, die ihn zu einem besseren, ausgeglicheneren und mehr in sich ruhenden Menschen macht und ihn gleichzeitig befähigt, ein *besserer Berater* zu werden – ein Berater, der gerade innerhalb der Beratungssituation mit größerer Aufmerksamkeit und mit größerer Urteilskraft wirken kann. Das ist mein Hauptgesichtspunkt.«

»Damit bin ich sehr einverstanden, Hans, und gerade aus diesem Grunde möchte ich noch eine andere Ihrer wichtigen Aussagen auf meine Weise zum Ausdruck bringen, die Aussage nämlich, daß das spirituelle Leben die Offenbarung des eigentlichen Urbildes einer wahren Beziehung werden kann. Aber ich möchte das etwas anders formulieren und von einem Ihrer Hinweise auf Goethe ausgehen. Goethe spricht, nach Ihren Worten, vom Menschen als von einem *dialogischen Wesen*. Das *Gespräch* ist das Urbild, das sich unter anderem auch in der Beratung offenbart, eben weil der Mensch ein dialogisches Wesen ist. Gerade weil er ein dialogischer Mensch ist, sucht er das Gespräch.«

»Ich würde sagen, weil er ein dialogischer Mensch ›sein sollte‹«, sagte Dr. Schauder.

»Gut, ›sein sollte‹, und deshalb in tiefem Sinne von Natur aus doch zum Dialog veranlagt ist. In seinem innersten Wesen ist er zum Dialog fähig, mag diese Fähigkeit noch so sehr überwuchert oder verkümmert sein. Daraus ergibt sich, daß das Weggezerrtwerden vom Zentrum oder der Verlust des Zentrums, von dem Sie zu Beginn gesprochen haben, als eine Beeinträchtigung des innersten Menschen bezeichnet werden kann. Worin besteht also das tiefste Wesen dieses *Gesprächs*? Führen wir das noch einen Schritt weiter. Nun, das Gespräch findet offenbar mit einem menschlichen Partner statt und hat deshalb offensichtlich auch eine menschliche Dimension. Aber wir haben auch zu ahnen begonnen, daß jedes wahre Gespräch in seinen Tiefen auf eine dritte Person hinweist und somit noch eine andere Dimension hat, die Dimension des Anderen. Gleichzeitig haben wir aber zu erahnen begonnen, daß das Ziel des spirituellen Lebens die Vereinigung mit diesem Anderen ist, wobei uns diese Vereinigung jedoch auch freier macht für eine tiefere Verständigung mit anderen Menschen. Und so erscheint das menschliche Gespräch (sei es in Form der Beratung oder in anderer Form) gleichsam als das Explizitwerden, als die Veräußerlichung des spirituellen Lebens und umgekehrt. Der Dialog und der spirituelle Schulungsweg unterscheiden sich allerdings darin, daß das Gespräch den menschlichen Aspekt der triadischen – vielleicht können wir nun sagen, der Ich / Du – Du / Wir-Beziehung zur Erscheinung bringt, während die Praxis des sogenannten spirituellen Lebens den göttlichen Aspekt deutlich macht. Aus dieser Sicht betrachtet werden also das menschliche Gespräch und die Spiritualität zu zwei Seiten ein und derselben Realität, wobei die eine Seite das mehr menschliche, die andere das mehr spirituelle Gesicht zum Vorschein bringt. Oder man könnte auch von der Außen- und der Innenseite derselben Realität sprechen. Ich komme wie Sie zu dem Schluß, daß der Beratungsprozeß und das spirituelle Leben tatsächlich unauflöslich zusammengehören. Nur komme ich zu diesem Schluß auf eine etwas andere Art als Sie. Ist das verständlich?«

»Ich verstehe das gut«, sagte Dr. Schauder warmherzig, »und ich kann Ihre Sichtweise vollkommen akzeptieren. Ich möchte in diesem Zusammenhang nur noch etwas hinzufügen, auf das ich kürzlich stieß. Vor nicht allzulanger Zeit las ich wieder einmal das Johannes-Evangelium und kam zu der Stelle, wo berichtet wird, wie Jesus sagte: ›Wer aufnimmt, den ich gesandt habe, der nimmt mich auf, und wer mich aufnimmt...‹ Und während ich das las, wurde mir deutlich, daß damit ganz genau ausgedrückt wird, was auf einer mystischen – ist das der passende Ausdruck? – Ebene des *Gespräches* geschieht. Man nimmt jemanden in sich auf, jemanden, den das Schicksal, den das Leben selbst einem gesandt hat, aber in dem Augenblick, wo man das tut, nimmt man auch das Andere auf. Können Sie das verstehen? Wir sind wieder bei dem, was Sie eben gesagt haben. Mit anderen Worten: Wenn man das Gespräch, das Zuhören als ein Aufnehmen, als eine Verinnerlichung oder Assimilierung auffaßt, dann nimmt man in dem Augenblick, wo man das in wahrhaftiger, hingebungsvoller, demütiger und liebevoller Art tut, jemanden auf, jemanden in Empfang, der einem gesandt worden ist und damit auch Ihn, der einem diesen Menschen gesandt hat. Verstehen Sie? Können Sie den Zusammenhang sehen?«

»Ich sehe ihn«, antwortete P. Marcus, »es ist dieselbe Trinität, wenn Sie so wollen.«

»Ja, es ist dieselbe Trinität«, bestätigte Dr. Schauder.

»Es ist das Mysterium der Beziehung zwischen den Mitmenschen und Gott: Gott ist im anderen, und doch ist er mehr als der andere, er ist anders als der andere.«

»Ja, und als ich auf diese Stelle gestoßen war, kam ich auf den Gedanken, einem Freund, der mich gerade aufsuchte und der mich fragte: ›Was ist ein Gespräch?‹, die Antwort zu geben: ›Nun, vor allem ist es ein Mysterium.‹«

»Ich glaube, dem brauche ich nichts mehr hinzuzufügen.«

Epilog

Von Anfang an versuchte ich klarzumachen, daß meiner Ansicht nach die wirklich kreativen Ideen in unseren Gesprächen von meinem Freund Dr. Schauder kamen, der auf eine langjährige und tief durchdachte Beratungserfahrung zurückblicken kann, wie sehr die Kraft seiner Ideen dann auch mich selbst zu Antworten aus jeder Schicht meines eigenen Wesens herausgefordert haben möge. Andererseits habe ich darauf hingewiesen, daß diese Aufzeichnung so viel wie möglich von der Lebendigkeit und damit auch von dem fragmentarischen Charakter unserer Gespräche zu erhalten suchte. Die hier mitgeteilten Gespräche stellen im wesentlichen etwas Unvollendetes und Unbearbeitetes dar. Auf diesen Aspekt unserer Gespräche möchte ich mit diesem Nachwort zurückgreifen, indem ich einige abschließende Bemerkungen hinzufüge.

Wenn nun die Gespräche, wie wir sie arrangiert haben, eine organische Entwicklung und Entwicklungsrichtung zu haben scheinen, so war das keineswegs im voraus geplant. Vielmehr ist das die Frucht ›verspäteter Einsicht‹. Wir konnten zwar während der Gespräche unsere Fortschritte miteinander besprechen, doch im Prinzip ließen wir jedes Thema in das nächste übergehen, und so stammt das Folgende immer aus dem Vorangegangenen, so wie wir auch jedes einzelne Gespräch seine mannigfaltigen Umwege gehen ließen. Gerade die sich über vier Jahre erstreckende Entwicklung unserer Gespräche erlaubte uns nicht, jedes Thema in expliziter Form darzustellen. Es gab zu viel zu entdecken und zu erforschen – dank unserer Empfänglichkeit füreinander. Gerade diese nur zum Teil ausgeführten, nur zum Teil aufgegriffenen thematischen Fäden finden in Kapitel 7 – Offenes Ende – ihren symbolischen Ausdruck. Doch eines dieser halbausgeführten Motive möchte ich nun hier noch etwas eingehender behandeln, auch wenn es zweifellos ebenso unvollendet bleiben wird wie Michelangelos Rondanini-Pietà.

Dieses Motiv erscheint mir nun im Rückblick auf unsere Gespräche wie ein echtes Leitmotiv. Zuerst wurde es so leise angeschlagen, daß es beinahe ungehört blieb, dann wurde es bei verschiedenen Gelegenheiten wiederum angeschlagen, trat aber immer wieder in den Hintergrund, bis es schließlich im vorletzten Gespräch über die Wechselbeziehung zwischen den Stufen der Beratung und den Stufen des spirituellen Lebens Crescendocharakter annahm. Ich meine das Motiv der halb erahnten, halb verborgenen, schwer faßbaren und in diesem Sinne beinahe Pan-ähnlich verspielten *Anwesenheit des Anderen*, wie wir es nannten, das es zwischen und mitten in den Beiden und um die Beiden herum in ihrer Verschiedenheit gibt.

Ich kann mir gut denken, daß viele Leser, die uns bisher mit Wohlwollen gefolgt sind, an diesem Punkt mit verschiedenen Graden des Spottes und der Enttäuschung abspringen werden. Trotzdem möchte ich darauf hinweisen, daß diese Beziehung, je tiefer man sich in sie einläßt und je mehr reflektiertes Bewußtsein man von ihr entwickelt, um so deutlicher dann die geheimnisvolle Anwesenheit von etwas Drittem offenbart. Es ist aber etwas so Subtiles, Empfindliches und Belebendes, als ob es etwas Persönliches wäre, ein Atemzug, ein Atmen, das wie eine Inspiration, aber auch wie eine Gnade ist. Das, so wage ich zu behaupten, kommt in den Tiefen, im innersten Kern oder Raum einer solchen Erfahrung von Gespräch und gegenseitiger Dualität zum Vorschein. Es ist, um Dr. Winifred Rushforths schönen Ausdruck zu gebrauchen, die Wahrheit auf dem Grund der Quelle, der unerschöpflichen Quelle aller Quellen, des Mysteriums, das allen Quellen zugrunde liegt. Das ist nun der innere Grund, weshalb wir diesen Gesprächen den Untertitel »Dialog und Trinität« gegeben haben. Diese Begriffe bringen den inneren Elan oder die Schwungkraft dieser Gespräche zum Ausdruck, und zwar im Laufe der Zeit in zunehmenden Maße: eine Beratungstätigkeit, die aus Liebe heraus vollzogen und von einem wahrhaftigen spirituellen Leben genährt wird, zeigt sich nach Dr. Schauders Worten immer mehr als das Urbild des menschlichen Gesprächs überhaupt; dieses aber wiederum offenbart sich als das menschliche Angesicht eines ewigen Gegenübers. So sind diese Schlußworte deshalb sehr persönlicher Natur. Ich glaube indessen nicht, daß sie damit vollkommen subjektiven Charakter haben. Um anzudeuten, daß wir hier nach Jungs Worten ›um ein unbekanntes

Zentrum herumgehen‹, und zwar in Gesellschaft mancher berühmter Männer aller Zeiten, möchte ich mit zwei Zitaten schließen.

Das erste stammt von Martin Buber:

»Die verlängerten Linien der Beziehungen schneiden sich im ewigen Du. Jedes geeinzelte Du ist ein Durchblick zu ihm. Durch jedes geeinzelte Du spricht das Grundwort das Ewige an. Aus diesem Mittlertum des Du aller Wesen kommt die Erfülltheit der Beziehungen zu ihnen, und die Unerfülltheit. Das eingeborene Du verwirklicht sich an jeder und vollendet sich an keiner. Es vollendet sich einzig in der unmittelbaren Beziehung zu dem Du, das seinem Wesen nach nicht Es werden kann.«[1]

Das zweite Zitat stammt von Thomas von Aquino:

»Insofern ›Gabe‹ im Göttlichen personhaft genommen wird, ist es Eigenname des Heiligen Geistes. Um das einzusehen, muß man wissen, daß dem Aristoteles zufolge *Gabe* eigentlich ein *Geben ist, das nicht rückgängig gemacht werden kann*, das heißt, was nicht mit der Absicht auf Vergütung gegeben wird, und so besagt es eine frei geleistete Schenkung. Der Grund der frei geleisteten Schenkung aber ist Liebe; denn deshalb geben wir jemandem etwas umsonst, weil wir ihm Gutes wollen. Das erste also, was wir ihm geben, ist Liebe, mit der wir ihm Gutes wollen. Damit ist klar, daß die Liebe den Sinn einer ersten Gabe hat, aufgrund deren alle frei geleisteten Gaben gegeben werden. Da nun der Heilige Geist als die *Liebe* hervorgeht (27,4; 37), geht Er in der Eigenschaft einer ersten Gabe hervor. Deshalb sagt Augustinus: *Durch die Gabe, die der Heilige Geist ist, werden viele besondere Gaben an die Glieder Christi ausgeteilt.*«[2]

»Die Liebe hat den Sinn einer ersten Gabe, aufgrund deren alle frei geleisteten Gaben gegeben werden.«

Marcus Lefébure

---

[1] Martin Buber, Ich und Du, Köln 1966. S. 91
[2] Thomas von Aquino, Summa Theologica, Salzburg 1939. S. 200

II.

Menschliche Erfahrung
und
die Kunst der Lebensberatung

Erstes Gespräch: Beratung und Kreativität

Vor etwa hundert Jahren lebte in Indien ein Dichter-Heiliger namens Rajjab. Als sich herumgesprochen hatte, daß Rajjab »erleuchtet« worden war, suchten ihn von nah und fern die Menschen auf und fragten ihn: »Was ist es, was Sie sehen? Was ist es, was Sie hören?« Er antwortete: »Ich sehe das ewige Spiel des Lebens. Ich höre himmlische Stimmen, die singen: ›Verleihe dem noch Ungestalteten Gestalt, sprich und drücke dich aus.‹«

K.N. Sen[1]

»Wir haben schon ziemlich viele Themen miteinander diskutiert, Hans. Wie Sie sich erinnern werden, sind wir zuerst auf beruflicher Ebene zusammengekommen, aber wir machten bald die Entdeckung, daß wir, ganz abgesehen von unseren Berufsgemeinsamkeiten, rein menschlich vieles miteinander gemeinsam haben. So wurden unsere Zusammenkünfte immer regelmäßiger, und aus unserer Verbindung wurde allmählich eine Freundschaft. Wir stellten im Laufe der Zeit auch fest, daß wir bei all unseren Gemeinsamkeiten doch von ganz verschiedenen Ausgangspunkten und verschiedenen Lebenshintergründen zu unseren Erfahrungen gekommen waren, der eine als Berater, der andere als Priester. Ferner stellten wir fest, daß dadurch ein farbiges und kontrastreiches Bild entstand. Und so haben wir inzwischen manche Punkte, in denen wir übereinstimmen, zutage gefördert, aber wir haben auch eine ganze Anzahl von wichtigen Streitfragen zwischen uns erörtert. Und natürlich mußten wir dabei vieles ganz unberührt lassen. Es schweben mir einige

---

[1] K.M. Sen, Hinduism. Penguin Books, Harmondsworth, Middx, 1981, S. 13

weitere Themen vor, die ich gerne mit Ihnen durchsprechen würde, aber heute möchte ich eines herausgreifen, das von zentraler Bedeutung für mich ist. Und damit stelle ich auch die Frage an Sie, ob Sie es für sinnvoll halten, sich noch einmal auf eine Reihe von Gesprächen über Themen gemeinsamen Interesses einzulassen?«

»Ich halte es nicht nur für sinnvoll, Marcus, unsere früheren Gespräche fortzusetzen. Es bereitet mir die allergrößte Freude. Unsere Zusammenkünfte sind für mich etwas sehr Wichtiges geworden. Wir führen ja diese Gespräche nun schon seit vielen Jahren. Zu Beginn unserer Gespräche stand ich schon auf der Schwelle zum Greisenalter, und jetzt stehe ich im vollen Erleben dieses Alters darin. Und so waren unsere Gespräche in meiner Situation wirklich eine Art Rettungsleine für mich. Sehen Sie, ich habe stets auf der Ebene intimer, persönlicher Erfahrungen gelebt, die ich durch ein Gefühlsleben, das vielleicht etwas Künstlerisches hat, zu vertiefen suchte. Aber ich habe – abgesehen von einigen Gedichten – nie etwas geschrieben; ich habe niemals einen Vortrag gehalten. Dagegen sind *Sie* ein begabter Denker, Sie müssen von Berufs wegen reden und sich ausdrücken, und alles, worüber Sie diskutieren, können Sie in Zusammenhang bringen mit ihren umfassenden theologischen und philosophischen Kenntnissen. Und, wenn ich mit Ihnen zusammen bin und das Glück habe, Ihrem außerordentlich geschulten und eindringlichen Denken ausgesetzt zu sein, fangen meine Gedanken an, sich zu verdichten, während sie sonst gleichsam wie Wolken dahinschweben. Und dafür bin ich Ihnen sehr dankbar.«

»Sie sind zu freundlich, Hans. Aber ich hoffe, daß Sie sehen, wie gerade dieser Kontrast unserer Anlagen auch mich selbst gleichsam ernährt. Aber kommen wir zur Sache. Ich habe schon angedeutet, daß sich die erste Frage, die ich gerne mit Ihnen diskutieren möchte, aus unseren früheren Gesprächen ergeben hat, und es ist zufälligerweise gerade eine Frage, die Sie selbst eben berührt haben, als Sie vom ›künstlerischen Gefühl‹ sprachen. Zu Beginn einer unserer früheren Zusammenkünfte setzten Sie mir auseinander, daß sich der typische Beratungsprozeß für Sie über sieben Stufen entfaltet: über die Stufen der Vorbereitung, des Zuhörens und der Erschließung, der Assimilierung, des ›diagnostischen Zwischenspiels‹, der Auswahl des oder der Zielgebiete(s), der Durcharbeitung der Zielgebiete zusammen mit dem Ratsuchenden und schließlich der Erarbeitung einer neuen Lebensweise durch die gemeinsame Bemühung von Berater und Ratsuchendem. Nun war das sehr aufschlußreich für mich, und doch habe ich mich, je mehr ich darüber nachdachte, immer mehr gefragt, ob die genaue Formulierung dieser sieben Stufen nicht gerade von dem ablenken könnte, was für den ganzen Prozeß wesentlich ist und was ihn in Gang hält. Vielleicht sehen wir vor lauter Bäumen den Wald nicht mehr.

Es ist mir klar, daß sich diese Ideen in sehr persönlicher Weise entwickelt haben, und doch habe ich das Bedürfnis, sie auch mit den Ideen anderer Menschen in Verbindung zu bringen. Das haben auch Sie selbst indirekt angeregt, als Sie Ihr Siebener-Schema dem Dreier-Schema von Stafford-Clark gegenüberstellten: Aufnehmen, Assimilieren, Eingreifen. Ich habe für mich inzwischen einen weiteren Vergleich mit dem ähnlich dreifachen Schema von Carkhuff und Egan vorgenommen: freie Ventilierung und Erschließung; Verstehen; positives Handeln. Und wenn ich nun diese verschiedenen Auffassungen zusammenbringen möchte, so vor allem, um zu betonen, was das Besondere an Ihrem speziellen Schema ist. Der flüchtige Vergleich Ihres Siebener-Schemas mit solchen Dreier-Schemata ist dazu ein guter Ausgangspunkt. Ich habe eigentlich immer mehr den Eindruck bekommen, daß Sie im Grunde genommen von einer Triebfeder sprechen, die im siebenstufigen Prozeß tätig ist, die aber nur allzu leicht aus den Augen verloren werden kann, wenn man sich mit den Einzelheiten dieses Prozesses beschäftigt. Darauf haben Sie ja schon in unseren früheren Gesprächen aufmerksam gemacht, als Sie den gesamten Prozeß gelegentlich als ›kreativen‹ Prozeß bezeichneten, allerdings ohne das näher auszuführen.

Stimmt es, daß in dieser Richtung für Sie das Wesen des siebenstufigen Prozesses zu suchen ist?«

»Sehen Sie, nun sind Sie in beinahe unheimlicher Weise auf einen Punkt zugesteuert, über den ich in der Rückschau auf unsere früheren Gespräche selbst nachgedacht hatte. Und so werde ich mit besonderer Freude herauszufinden versuchen, worin die wahre Triebfeder des Beratungsprozesses, die Sie ja ganz richtig erspürt haben, eigentlich besteht.

Zunächst möchte ich einmal feststellen, daß mit der Zahl Sieben in unserem Zusammenhang nichts Heilig-Mystisches verbunden ist. Mein eigener Siebener-Rhythmus ließe sich in der Tat auch auf einen Dreier-Rhythmus reduzieren, insofern es die ersten drei Stufen mit einem *Aufnehmen*, die letzten drei Stufen mit einem *Abgeben* zu tun haben, während die vierte als Schwerpunkt dient. Man könnte es mit dem Ein- und Ausatmen vergleichen, die von einer Pause und der Atemwende unterbrochen werden. Aber das sind nur verschiedene Versuche, etwas in differenzierter Weise zu beschreiben, was ich zuerst als einen kontinuierlichen Strom erlebte. Wie ich Ihnen bereits sagte, übte ich meine spezielle Methode bereits lange aus, bevor ich über ihren Prozeß nachzudenken anfing und bevor ich feststellte, daß Stafford-Clark auf ein im wesentlichen ähnliches Arbeitsmodell gekommen war. Und es wäre mir am liebsten, man betrachtete die beiden Modelle als von einander unabhängige Varianten.

Ich will damit sagen, daß ich die Beratertätigkeit zunächst einfach erlebte, und zwar als etwas Allgemein-*Menschliches*, als allgemein*menschliche* Erfahrung, als eine Erfahrung zweier sich begegnender Menschen, die miteinander zu tun bekommen. Und das Wichtigste ist vielleicht, daß ich schon immer gefühlt, mir vorgestellt oder auch gedacht hatte, daß jede wirkliche Beziehung mit einem anderen Menschen in ihren Tiefen ein *schöpferischer* Prozeß ist. Ich vergleiche das, was in einem Berater vorgeht, am liebsten mit dem, was bei der Gestaltung eines plastischen oder musikalischen Kunstwerkes geschieht. Es klingt vielleicht etwas an den Haaren herbeigezogen, wenn man den Berater in seiner Beziehung zum Ratsuchenden mit einem schöpferischen Künstler vergleicht. Lassen Sie mich also versuchen, dies etwas näher zu erklären.

Hat der Berater eine ruhige, offene und objektive Gesinnung, so wird er vom Ratsuchenden eine Vielfalt von Eindrücken aufnehmen können; er muß sie nicht suchen, sie kommen in der verschiedensten Form auf ihn zu, von den subtilsten, beinahe unbemerkbaren bis zu den alleroffensichtlichsten. Aber er wird nicht über sie spekulieren. Er wird sie in die Tiefen des eigenen Wesens absinken lassen, damit sie hier, ungestört vom sich einschaltenden Intellekt, reifen können. Schließlich werden sie eine organische Einheit und Kohärenz erlangen, ein Eigenleben entfalten und ihr Wesen und ihre Bedeutung in einer eigenen Sprache offenbaren. Dann gewinnt der Berater allmählich eine verstehende Einsicht in das Wesen und die

Nöte des Ratsuchenden, ganz ähnlich wie der Künstler, nachdem er unzählige subtile Eindrücke in sich aufgenommen hat, wenn die Zeit reif ist, zum Instrument des künstlerischen Impulses wird, der in seinem Innern herangereift ist, und er wird eine noch unentdeckte Wahrheit und nicht eine willkürliche Konstruktion seines Intellekts zur Erscheinung bringen. Und deswegen lege ich so viel Wert darauf, daß ein Berater viel Umgang mit Kunst hat, aber auch viele Erfahrungen mit den verschiedensten Lebensformen gemacht hat. Ich selbst besuche leidenschaftlich gern Konzerte, und das war während meines Medizinstudiums in Wien für mich immer eine Möglichkeit, mich von dem mechanistischen Studium zu erholen.

Heute denke ich, daß es vor allem diese Auffassung der Beratungstätigkeit ist, die allem, was an meiner Methode besonders sein mag, zugrunde liegt. Es ist mir auch viel klarer geworden, daß sich all das auf die *Stufen der Vorbereitung* und der Assimilierung konzentriert und dort am meisten zum Ausdruck kommt. Sie erinnern sich daran, daß ich betonte, wie wichtig es ist, daß sich ein Berater Zeit nimmt, um sich auf einen Besucher vorzubereiten, Zeit um sich zu sammeln und über sein gewöhnliches intellektuelles Alltagsbewußtsein hinauszukommen. Er versucht sein ganzes Wesen auf den Bewußtseinszustand einzustellen, der notwendig ist, um dem Ratsuchenden zuhören zu können. Ich zitierte Steiners Worte vom Denken »unter Enthaltung vom Denken«. Im wesentlichen dieselbe Vorstellung finden wir auch in zwei weiteren Zitaten; das eine stammt aus dem Osten, das andere aus dem Westen.

Das erste stammt von Carl Gustav Heyer, der, wie Sie vielleicht wissen, ein Schüler Jungs war, wenn auch ein unabhängiger. Es handelt sich um den Auszug aus einem Vortrag für seine Studenten:

›Da habe ich etwas getan, was sich m. E. immer empfiehlt, wenn man einem Phänomen gegenübersteht und nicht weiterkommt. Gestatten Sie, daß ich dies der Kürze halber einmal so nenne: ich habe nicht scharf fixiert, nicht energisch hingeschaut, sondern ich habe ‚geblinzelt'. Wieso das? Im Lauf einer wissenschaftlichen Entwicklung mit ihrer besonderen Einstellung, ihren Entdeckungen, Theorien und Gewohnheiten pflegen gewisse Fakten, die festgestellt sind, ganz hell ins Licht zu rücken. Der Blick der Forscher wie der Praktiker ist von ihnen fixiert. Und je weiter sich eine wissenschaftliche Richtung ausbildet, desto heller werden diese Dinge – desto dunkler aber werden andere, die entsprechend immer mehr in den Schatten rücken. Wenn Sie aber etwas im Schatten Liegendes erblikken wollen – das wissen Sie von nächtlichen Wegen, von Gängen im Keller usw. –, dann orientieren Sie sich nicht dadurch, daß Sie scharf hinsehen, sondern daß Sie die Augen halb zulassen. Dann werden diejenigen Dinge, die zu grell sind und uns die anderen wegleuchten, abgeblendet. So meine ich es, wenn ich sage: ich habe das Phänomen angeblinzelt. Ich könnte auch sagen: ich habe es auf mich wirken lassen; ich habe mich verhalten, wie das ein altes indisches Sprichwort sagt. Dies heißt: ‚Wenn dir einer sagt, er habe gesucht und gefunden, so glaube ihm nicht; so dir aber einer sagt, er habe nicht gesucht und gefunden, dem magst du glauben.' Das klingt für unsere abendländischen Ohren und Einstellungen wohl reichlich paradox. Ich darf Sie aber versichern, daß wir in den psychologischen Welten, die uns zu beschäftigen haben, noch oft auf diese Tatsache zurückkommen werden, daß man durch Suchen weniger findet, als durch Aufsichzukommenlassen, durch Aufsichwirkenlassen; durch ‚Blinzeln'.

Lassen Sie mich noch etwas genauer hierauf eingehen, weil diese passive Haltung – wie gesagt – in der psychotherapeutischen Arbeit eine so bedeutsame Rolle spielt; und weil wir, soweit wir von der klinischen Medizin herkommen, uns ganz anders zu verhalten gewöhnt sind. Das psychologische Geschehen hat in höherem Grade als das somatische den Charakter der Einmaligkeit. Eine Lungenentzündung oder ein Beinbruch geben schließlich doch immer wieder sehr ähnliche Bilder und werden auch weitgehend ähnliche Behandlungen erfordern. Im Bereich des Körperlichen sind die Menschenleben sehr ähnlich organisiert. Im körperlichen Bereich dürfen wir deswegen, wenn diese und jene Anhaltspunkte vorliegen, mit einiger Sicherheit eine Diagnose vermuten und sie verfolgen. Ganz anders, viel komplizierter liegt es, sowie es sich um das Seelenleben handelt. Da tritt die große Verschiedenheit der Menschen, ihrer Anlagen, ihrer Vorgeschichte, ihres Charakters klar zutage und fordert ihr Recht. Gewiß, ich kenne auch Psychotherapeuten, die mir stolz (und, wie mir schien, etwas gelangweilt) sagten, wenn sie einen Patienten 5 Minuten gesprochen hätten, dann sei ihnen schon alles klar; es sei ja doch immer wieder dasselbe... Dasselbe? Ja: nämlich das Schema F, das Schema irgendeiner Schule, der sich der Betreffende verschworen hat; und in deren Rahmen und Begriffssystem nun das ganze wechselreiche Leben hineinzupressen er sich gewöhnte. Ich darf Ihnen ganz offen gestehen, daß es mir noch nicht gelungen ist, zu diesem Stolz (und der damit verbundenen Langeweile!) zu gelangen. Gewiß, *nachher*, wenn man das ganze dramatische Ereignis eines Lebens mit seinen bunten und gestaltenreichen Szenen vorüberziehen sah, wenn man es – immer wieder neu und immer wieder anders – erlebt hat, dann wird man rubrizieren können und dürfen: das ist hysterischer Mechanismus, das sind Minderwertigkeitsängste; das ist infantil und jenes ist gestört nach diesem oder jenem Begriff. Aber wenn ich zu früh das Schema anwende, dann glaube ich zu wissen und weiß doch nichts. Denn es kommt für die Erfassung und Behandlung eines Menschen nicht darauf an, daß ich seine Diagnose sagen kann, sondern daß ich erfahre und, mehr noch, daß er es spürt: daß seine jeweilige, höchstpersönliche seelische Situation verstanden wird. Da heißt es hinhorchen auf leise Nuancen; heißt es sich verwundern können! Nicht das mir schon Bekannte braucht ja den Schlüssel zum Zimmer seines Inneren zu bieten, sein Geheimnis zu eröffnen – es wird sich, da der Bereich und die Möglichkeiten seelischen Geschehens weltenweit sind und größer als die bisherige Erlebenssphäre auch des erfahrenen Einzelmenschen, sehr oft darum handeln, bisher noch Unbekanntes, Ungewußtes zu spüren und zu enträtseln. Wer sich da den Blick blenden und befangen läßt von den antizipierenden Vorstellungen der Lehre, den schematischen Begriffen, der wird freilich seine Erwartungen subjektiv immer bestätigt finden; aber ob er objektiv auch den Tatbeständen gerecht wird, ist eine sehr andere Frage. So müssen wir in der psychotherapeutischen Arbeit sehr oft ‚blinzeln', um ja nicht von den hell im Bewußtsein des Arztes (und des Kranken!) stehenden Begriffen geblendet und abgelenkt zu werden und von den oft wesentlicheren Geschehnissen, die im Hintergrund, im Schatten geistern.‹[1]

Ich finde, das ist eine großartige und tiefe Aussage, und deshalb habe ich mir auch erlaubt, sie in voller Länge zu zitieren. Am bedeutsamsten ist nun aber, daß Heyer den Bewußtseinszustand und

---

[1] Carl Gustav Heyer, Der Organismus der Seele. München 1951, S. 11

die von ihm geforderte Vorbereitung im scheinbar schlichten Wort ›blinzeln‹ zusammenfaßt: dem willkürlichen Herabdämpfen unseres normalen intellektuellen Alltagsbewußtseins.

Das andere Zitat stammt aus einem Essay über den indischen Weisen Krishnamurti; er wurde von A. Bancroft geschrieben und ist in ihrem Buch *Twentieth Century Mystics and Sages* enthalten:

›Er kehrt immer wieder zum selben Punkt zurück: wir müssen für das, was uns bedingt hat, wir müssen für die bekannte Vergangenheit absterben, damit wir uns der Gegenwart, welche das Unbekannte ist, voll bewußt werden können. Dieses Sterben kann, so sagt er, von Augenblick zu Augenblick stattfinden. Wir schrecken vor dem Augenblick der Leere zurück, die sichtbar würde, wenn wir aufhörten, uns an die Dinge zu klammern. Im wesentlichen klammern wir uns an das Bekannte, das wir Leben nennen, und haben Angst vor dem Unbekannten.

›Das Problem ist also‹, sagte Krishnamurti, ›den Geist freizubekommen von dem Bekannten, von allem, was er in sich angesammelt, erworben, erfahren hat, so daß er *unschuldig* wird und deshalb verstehen kann, was der Tod, was das Unerkennbare ist.‹[1]

Sie sehen, das wesentliche Bestreben ist darauf gerichtet, einen Zustand der Unschuld zu erlangen, um zum Verstehen zu kommen, und das ist dasselbe, was ich selbst auch anstrebe. Das Schlüsselwort ist somit die ›Unschuld‹. Und der Zusammenhang mit dem ›Blinzeln‹ ist offensichtlich.«

»Ja, in der Tat«, sagte P. Marcus, »und das ist genau der Punkt, den ich aufgreifen will. Aber zuvor möchte ich noch feststellen, daß ich diese Zitate so passend wie eindrücklich finde und daß ich den Eindruck habe, sie weisen beide auf einen potentiellen Bewußtseinszustand hin, den die Menschen immer wieder von neuem aufdecken. Darauf wurde ich aufmerksam, als ich die Arbeit von zwei Psychiatern, Clancy D. Mackenzie und Lance S. Wright, las, die den Appendix zum Buch *The Silva Mind Control Method* von José Silva und Philip Miele bildet. Darf ich Ihnen also Ihr voriges Kompliment erwidern und Ihnen meinerseits ein Zitat zu Gemüte führen?«

»Ja, bitte«, sagte Dr. Schauder.

---

[1] Anne Bancroft, Twentieth Century Mystics and Sages, London 1976, S. 76

»Ich muß vielleicht vorausschicken, falls Sie es nicht schon wissen, daß José Silva ein Texaner ist, der nie eine reguläre Schulbildung genossen hatte. Silva machte eines Tages an sich selbst die Entdeckung, daß es eine Methode gibt, die tiefsten Schichten des Bewußtseins, die sogenannte Alpha-Schicht, anzuzapfen, um sie dann in den Dienst des bewußten Geistes, der als Betha-Schicht bezeichnet wird, zu stellen. Im Laufe der Jahre hat er diese Methode dann weiterentwickelt und dann in Form einer typisch amerikanischen Erfolgs-Story in millionenfacher Auflage publizieren lassen. So weit ich es verstehe, ist es gerade die Kombination dieser beiden Geistesschichten, das heißt, wenn Sie so wollen, der Passivität des unbewußten Geistes mit der Aktivität des bewußten Geistes, aus der die Bezeichnung ›dynamische Meditation‹ hervorgegangen ist. Silvas Methode ist mit EEG-Geräten meßbar, und so hat sie ihren Platz unter den zahlreichen, zugleich wissenschaftlichen und meditativen Forschungsmethoden, welche William Johnston in seinem Buch *Silent Music* entworfen hat. Und nun das Zitat aus der oben erwähnten Arbeit:

›Der ganze Kurs besteht in bestimmten Techniken, den Geist in sinnvoller Weise nutzbar zu machen. Nachdem wir das selbst erfahren und auch gesehen hatten, wie viele andere von diesen Techniken Gebrauch machten, haben wir keinerlei Zweifel daran, daß der Geist in höherer Weise funktioniert, wenn sich der betreffende Mensch in einem wachen Entspannungszustand bestimmter Techniken bedient. Es handelt sich hierbei um einen ähnlichen Zustand, wie ihn auch Sigmund Freud in seiner Arbeit über das Zuhören beschrieben hat, oder wie ihn Brahms herstellte, wenn er seine musikalischen Kompositionen schuf, oder auch wie ihn Thomas Edison zur Entdeckung neuer Ideen charakterisierte.‹[1]

Ich könnte noch hinzufügen, daß auch Wilfred Bion, einer von Freuds originellsten Schülern, den hier bezeichneten Bewußtseinszustand meinte, als er den Ausdruck ›ohne Gedächtnis noch Begierde‹ prägte.

Nun wäre es, denke ich, interessant, alle diese Menschen aus Ost und West einmal miteinander in Zusammenhang zu bringen, denn

---

[1] J. Silva and P. Miele, The Silva Method of Mind Control. Grenada Publishung Herts 1980, S. 172

ich habe den Eindruck, daß wir es hier mit einer allgemein-menschlichen Fähigkeit zu tun haben, die nach periodischen Zeiträumen immer wieder entdeckt wird, um immer wieder aufs neue verlorenzugehen. Mit anderen Worten, wir sprechen von einem Geburtsrecht des Menschen auf sein eigentliches Menschsein, und schon allein die Tatsache, daß dieses Recht aus seiner Vergangenheit wieder heraufgeholt werden muß, macht den Ausdruck, den Sie von Krishanamurti anführen – ›Zustand der Unschuld‹ – so treffend.

Ist die Wiedererlangung dieses Bewußtseinzustandes vielleicht ein Teil des Mysteriums der Rückkehr zum Zustand der Unschuld, in dem man wieder lernt, ›jene Engelsgesichte lächeln zu sehen, welche man seit langem liebte und die man für eine Weile verloren hat‹; wie Kardinal Newman sagte, oder in dem man ›das Gesicht wiederfindet, das man bei seiner Geburt getragen hat‹, wie ein zenbuddhistischer Ausspruch sagt?

Es handelt sich dabei aber nicht so sehr darum, eine gewohnheitsmäßige Willensanstrengung aufzubringen, um fallenzulassen, was man gelernt hat und was man immer wieder geneigt ist, in Form von vorgefaßten Vorstellungen in neue Situationen hineinzutragen. Vielmehr handelt es sich im wesentlichen darum, daß man, hat man einmal eine solche frische Empfänglichkeit des Geistes erworben, das gesamte Wissen, über das man verfügt, anwenden kann und auch anwenden *muß*. Und schließlich lassen ja auch Sie in Wirklichkeit diese mehr bewußten Prozesse des Nachdenkens gelten, wenn Sie vom ›diagnostischen Zwischenspiel‹ und von der Durcharbeitung von Zielgebieten sprechen.

Ich denke, es ist wichtig, daß man den ganzen Prozeß ins Auge faßt, damit man die Rolle jedes Teiles dieses Ganzen besser begreifen kann. Zweifellos gibt es die Bemühung um Offenheit, auf welche Sie Wert legen, aber haben wir es nicht auch mit der mühsamen und verwickelten verstandesmäßigen Untersuchung zu tun, mit Versuch und Irrtum, mit Passivem wie mit Aktivem, mit Bewußtem wie mit Unbewußtem? Müssen wir also nicht *beides* berücksichtigen: die notwendige Unschuld, das innere Leermachen, das Sich-Losmachen von allen Bedingtheiten, aber *auch* die Fähigkeit, das Gelernte anzuwenden, um das, was man gerade aufnimmt, zu strukturieren, wenn auch vielleicht von einem neuen Gesichtspunkt aus, der der gegenwärtigen Situation entspricht?«

»Ich verstehe, was Sie meinen, Marcus. Sie sind, wie so oft, darum bemüht, die Dinge in ihrer Ganzheit zu sehen – ich habe früher einmal in einem anderen Zusammenhang gesagt: ›die Dinge stetig sehen und in ihrer Ganzheit‹. Ich möchte aber zu meiner Verteidigung sagen, daß ich das, was Sie die mehr bewußten und verstandesmäßigen Elemente nennen, durchaus gelten ließ, wie Sie ja zugegeben haben. Ich habe sie nur nicht in einer solch expliziten Weise mit den anderen Elementen in Zusammenhang gebracht, wie Sie das eben taten. Ich wollte im wesentlichen lediglich die Wichtigkeit des ersten Prozesses deutlich werden lassen, weil dieser in meinen Augen nicht genügend berücksichtigt wird. Ich möchte sogar noch weiter gehen und behaupten, daß der zweite Prozeß, von dem Sie gerade gesprochen haben – der bewußte verstandesmäßige Prozeß –, mehr oder weniger steril bleiben wird, wenn ihm nicht der erste Prozeß, auf den ich den Akzent lege, vorausgegangen ist. Und *dieser Prozeß bildet für mich eben das Herz der Beratungstätigkeit*, und deswegen lege ich so großen Wert darauf, daß er richtig verstanden werde.

Die sogenannten sieben Stufen der Beratung dürfen wegen der Beziehung zur Zahl Sieben bestimmt nicht wie eine heilige Kuh behandelt werden. Sie dürfen aber auch nicht einfach wie eine weitere ›Methode‹ behandelt werden. Für mich hängen sie mit einem Grundgesetz des Lebens und, was noch wesentlicher ist, mit einem Grundgesetzt der *Kreativität* zusammen, die im ›Zustand der Unschuld‹ ihre Wurzeln hat. Vielleicht ist das, was ich meine, deshalb immer wieder gerade von kreativen Künstlern zum Ausdruck gebracht worden. Ich denke hier insbesondere an zwei Künstler, einen Dichter und einen Maler.

Wahrscheinlich sind Ihnen die zu Recht berühmten *Briefe an einen jungen Dichter*, die *Rilke* an einen werdenden jungen Dichter richtete, ein Begriff. Ich möchte Ihnen einige Zeilen daraus zitieren:

›Alles ist austragen und dann gebären. Jeden Eindruck und jeden Keim ganz in sich, im Dunkel, im Unsagbaren, Unbewußten, dem eigenen Verstande Unerreichbaren sich vollenden lassen und mit tiefster Demut und Geduld die Stunde der Niederkunft einer neuen Klarheit abwarten: das allein heißt künstlerisch leben: im Verstehen wie im Schaffen.

Da gibt es kein Messen mit der Zeit, und zehn Jahre sind nichts. Künstler sein heißt: nicht rechnen und zählen; reifen wie der Baum, der seine Säfte nicht drängt und getrost in den Stürmen des Frühlings steht ohne die Angst, daß dahinter kein Sommer kommen könnte. Er kommt doch. Aber er kommt nur zu den Geduldigen, die da sind, als ob die Ewigkeit vor ihnen läge, so sorglos still und weit. Ich lerne es täglich, lerne es unter Schmerzen, denen ich dankbar bin: *Geduld* ist alles!‹[1]

Es gibt hierzu eine merkwürdig übereinstimmende Parallel-Aussage über den Maler Matisse:

›Von *Henri Matisse* etwa erzählt man sich, er habe den Gegenstand, den er zu malen beabsichtigte, wochenlang, ja monatelang betrachtet, bis sich sein Geist in ihm zu regen begann und ihn gewaltsam antrieb, die Betrachtung zum Ausdruck zu bringen. Durch solch hingebendes, ergriffenes Anschauen verlor er sich mehr und mehr im Gegenstand, so daß schließlich nicht sein Ich, seine eigenen Vorstellungen das Werk malten, sondern er nur als Werkzeug dazu diente, daß sich der Gegenstand selber malte. Derartige Kunstwerke sind dann nicht bloße Abbilder, Photographien gleich, sondern sie sind erfüllt vom Wesen des Gegenstandes.‹[2]

Und für mich sind beide Äußerungen von einem Menschen zusammengefaßt worden, der zwar kein Künstler im strengen Sinne des Wortes, in meinen Augen aber eine außerordentlich kreative Persönlichkeit war. Ich meine Rudolf Steiner, der in den Vorträgen *Die Welt der Sinne und die Welt des Geistes* (im 2. Vortrag) das Folgende ausführte:

›Wir sollen die Dinge reden lassen, immer mehr und mehr passiv uns zu den Dingen verhalten und die Dinge ihre Geheimnisse aussprechen lassen. Es würde ja vieles vermieden werden, wenn die Menschen nicht urteilen würden, sondern die Dinge ihre Geheimnisse aussprechen lassen würden... Ergebung ist eben jene Seelenverfassung, die nicht von sich aus die Wahrheit erforschen will, sondern die alle Wahrheit von der Offenbarung erwartet, die aus den Dingen strömt, und die warten kann, bis sie reif ist, diese oder jene Offenbarung zu empfangen.‹[3]

---

[1] Rainer Maria Rilke, Briefe an einen jungen Dichter. Insel Bücherei Bd. 406, S. 19
[2] Udo Reiter (Hg), Meditation – Wege zum Selbst, München 1976, S. 45
[3] R. Steiner, Die Welt der Sinne u. die Welt des Geistes, Dornach 1976, S. 32/S. 34

Die Dynamik dieses Grundgesetzes, welche von diesen drei schöpferischen Menschen so gut zum Ausdruck gebracht worden ist, besteht darin, daß wir uns, wenn wir unsere Erfahrungen in ihren Tiefen durchleben und fruchtbar machen wollen, mit der Totalität der – groben wie subtilen – Eindrücke, die unsere Erfahrungen beinhalten, langsam und geduldig durchdringen lassen müssen. Die Eindrücke müssen in den Tiefen der Seele heranreifen können, bevor sie aus dem Innern heraus ihre eigene Sprache zu sprechen beginnen, in der Art, wie Matisse das für sein eigenes künstlerisches Medium beschreibt, wenn er sagt, das Bild beginne sich selbst zu malen. Nur so werden die in den Erfahrungen oder, in unserem Fall, die in der Begegnung zwischen Berater und Ratsuchendem enthaltenen Fragen stufenweise zu den richtigen Reaktionen, Einstellungen und Antworten führen.

Daß dieses Gesetz der Kreativität universelle Geltung besitzt, wurde mir ganz nachdrücklich klar, als ich Leonhard Fiedlers Biographie über den Regisseur Max Reinhardt las: ›Denn ein Charakteristikum des Regisseurs, der in und durch Reinhardt zur schöpferischen Persönlichkeit wurde, ist – so paradox das erscheinen mag – die Fähigkeit, zurückzutreten und Eindrücke aufzunehmen: *Anhören schadet nicht und man kommt dadurch auf Ideen.* Die Kunst zuzuhören, individuelle Leistungen in ihrem Kern zu erfassen und anzuerkennen, sie zu fördern, um sie dann in die Harmonie einer Aufführung einzubeziehen, ist Reinhardts immer wieder beschriebene und meistbewunderte Eigenschaft.‹[1]

Dieses Zitat deutet nicht nur auf eine auffällige Parallele mit der Kreativität der Beratungstätigkeit, sondern betont sie auch dadurch, daß Reinhardt dafür bekannt war, während der Proben meistens schweigend zuzuhören, niemals direkt einzugreifen oder Anweisungen zu geben, sondern nur gelegentlich ruhig aufzustehen und seinem Schauspieler etwas ins Ohr zu flüstern.

Aus all dem können wir noch klarer ersehen, daß der Berater nur imstande ist, immer wieder die Willensanstrengung aufzubringen, sein Bewußtsein von Sorgen und vorgefaßten Meinungen zu entleeren, wenn er andauernd bemüht ist, sich selbst zu läutern und zu

[1] Leonhard Fiedler, Max Reinhardt, Hamburg 1975, S. 38

überwinden, was ich im wesentlichen unter einer ›spirituellen Lebensführung‹ verstehe. Das Wirken des eisernen Gesetzes der Kreativität, auf das ich hindeuten wollte, muß durch eine Disziplin spiritueller Ordnung garantiert werden. Um es einfach zu sagen: es darf sich nichts bloß Subjektives oder Willkürliches einmischen.«

»Ich stimme völlig mit Ihren Ausführungen überein, Hans, und ich bin froh, daß Sie von Anstrengung und fortwährender wiederholter Anstrengung reden, denn damit wird eine merkwürdige Erfahrung, die ich gemacht habe, vielleicht leichter verständlich. Persönlich gesprochen: ich habe manchmal bemerkt, daß Menschen ein bestimmtes Erinnerungsbild von mir, ja auch von dem Zimmer, in dem ich gewöhnlich arbeite, in sich tragen, auch wenn ich mir selbst kaum anderer Dinge bewußt bin als des Tumults und der Finsternis in meinem Innern. Anscheinend können wir gleichzeitig auf verschiedenen Ebenen leben – wenn wir durch Selbstüberwindung und geistige Bemühung im Tiefsten der Seele innere Sammlung erreichen, dann können wir dieses Gefühl aus dem Bestreben des eigenen Wesens heraus auch anderen mitteilen, unbeschadet dessen, was sonst noch in unserem Inneren vorgeht.«

»Ja, ich rede über etwas hart und nur allmählich Errungenes, ich rede vom allmählich sich einstellenden Ergebnis eines Kampfes, nicht von etwas naturgemäß Ererbten oder im Laufe der Erziehung Erworbenem, und ich teile Ihre Ansicht vollkommen, daß wir auf verschiedenen Ebenen leben. Und so können wir andern auch mehr mitteilen, als wir in bestimmten Augenblicken zu haben scheinen. Dies wurde mir einmal in eindrücklicher Weise in Form eines Briefes bestätigt, den ich von einer jungen Frau, mit der ich eine Anzahl von Sitzungen gehabt habe, aus dem Ausland erhielt. Sie schrieb unter anderem: ›Ich erwarte keine Antwort von Ihnen, aber wenn Sie mich gelegentlich in Ihren Frieden und in Ihre Ruhe einschließen könnten, wäre ich Ihnen äußerst dankbar.‹ Und im wesentlichen dasselbe Gefühl wird in einer allgemeineren Weise in Goethes *Iphigenie auf Tauris* zum Ausdruck gebracht. Iphigenie ist die Priesterin, und sie spricht von jenen, die in Verwirrung oder von Elend und Schuld bedrückt sind:

> Denken die Himmlischen
> Einem der Erdgeborenen

Viele Verwirrungen zu,
Und bereiten sie ihm
Von der Freude zu Schmerzen
Und von Schmerzen zur Freude
Tief erschütternden Übergang;
Dann erziehen sie ihm
In der Nähe der Stadt,
Oder am fernen Gestade,
Daß in Stunden der Not
Auch die Hülfe bereit sei,
Einen ruhigen Freund.
O segnet Götter unsern Pylades
Und was er immer unternehmen mag!
Er ist der Arm des Jünglings in der Schlacht,
Des Greises leuchtend Aug in der Versammlung,
Denn seine Seel ist stille, sie bewahrt
Der Ruhe heiliges unerschöpftes Gut,
Und den Umhergetriebnen reichet er
Aus ihren Tiefen Rat und Hülfe ... (IV, I)

Es wird Ihnen gewiß nicht entgangen sein, daß der Friede, von dem hier die Rede ist, eine vom Individuum errungene Ruhe ist, eine Ruhe, die aus einer Sphäre jenseits alles Persönlichen stammt und die nicht so sehr aus dem kommt, was wir tun, sondern aus dem, was wir sind und was uns gegeben wird.«

»Sie wollen also sagen, daß sich die Ruhe von einem Menschen auf einen anderen übertragen, daß der eine sie vom anderen empfangen kann. Aber könnten wir den Gedanken nicht etwas weiterführen und sagen, daß auch die Kreativität dem anderen vermittelt werden kann und muß? Denn, was Sie bis jetzt beschrieben haben, ist die Art, wie ein wirklich kreativer Prozeß der Assimilierung und der Reifung – man könnte diesen Prozeß mit der Schwangerschaft vergleichen – stattfindet oder stattfinden sollte, und zwar im *Berater* selbst. Aber der Berater ist da, um dem Ratsuchenden zu helfen, so daß dafür gesorgt werden muß, daß dieser Prozeß dem Ratsuchenden zugute kommt; und das wiederum führt zu der Annahme, daß sich der kreative Prozeß, zumindest bis zu einem gewissen Grade, auch auf den Ratsuchenden übertragen muß, etwa nach Art einer gesunden Ansteckung, *damit auch der Ratsuchende allmählich lernt, aus den tieferen Kräfteschichten seines Wesens heraus zu leben.* Müßten wir also nicht sagen, daß die kreative Haltung, auf die Sie hingewiesen haben, im Prinzip zu einem mit dem Ratsuchenden geteilten Prozeß wird?«

»So müssen wir das in der Tat betrachten, Marcus. Und was dies eigentlich bedeutet, kann uns ein kleines Ereignis im Leben des Dirigenten Fritz Busch sehr gut beleuchten. Denn wir haben es mit etwas Ähnlichem zu tun wie mit der Beziehung zwischen einem Orchester und dem Dirigenten. Jeder Dirigent muß bekanntlich den Takt angeben. Aber der Unterschied zwischen dem Klang, den ein großer Dirigent oft nur mit sparsamen Gesten und Blicken erzielt, und dem, was ein zweitrangiger Dirigent mit viel Aufwand erreicht, überzeugt mich davon, daß zwischen einem Orchester und dem Dirigenten beinahe eine telepathische Beziehung besteht, vom allerersten Taktstrich an. Nun probte Fritz Busch einmal in Glyndebourne die Overtüre zum *Figaro*, und als die Geiger die Instrumente hoben, sagte er: ›Bereits zu laut‹. Sie sehen, die kleinste Geste, die ganze Stimmung hatte sich schon vermittelt.«

»Ein ausgezeichnetes Beispiel – und, wissen Sie, angesichts Ihrer vielen Ideen, die einen Teil ihrer Kraft wohl aus Ihrer überzeugenden Konzentriertheit beziehen, habe ich manchmal ein schlechtes Gewissen, wenn ich sie dann dem plumpen Zugriff meines analytischen Bewußtseins überlasse. Aber solange wir die Komplementarität unserer verschiedenen Geistesarten richtig schätzen können, können wir auch, so hoffe ich, zu unserer gegenseitigen Bereicherung zusammen weitermachen.«

»Ganz gewiß können wir das«, stimmte Dr. Schauder bei.

»Nun gut, Hans, in diesem Fall darf ich unsere gemeinsame Untersuchung noch etwas weitertreiben, und zwar ganz in der Richtung des von Ihnen bereits Angedeuteten.

Zu Beginn unseres Gespräches haben Sie betont, daß die Beratungstätigkeit ein kreativer Prozeß und am ehesten mit einem Kunstwerk vergleichbar ist. Sie führten dann im weiteren aus, daß sich dieses kreative Element in erster Linie auf die Stufen der Vorbereitung und der Assimilierung konzentriert, insofern wir es hier mit einem Bewußtseinszustand zu tun haben, der als empfänglich, als unschuldig bezeichnet werden könnte.«

»Ja, und die Hauptsache für mich ist, daß diese willkürliche und disziplinierte Enthaltung vom Denken *die Voraussetzung ist*, um das Wesen und die Lebenslage eines anderen Menschen in ähnlicher Art in sich heranreifen zu lassen, in der ein kreativer Künstler das Kunstwerk sein Eigenleben entfalten läßt.«

»Genau. – Dann haben wir uns darüber geeinigt, daß der ›Zustand der Unschuld‹ weniger eine Frage des tatsächlichen Erreichens als des echten Bestrebens auf seiten des Beraters ist, und daß er gerade aufgrund dieses Bestrebens eine gewisse Ruhe ausstrahlen kann. Und an diesem Punkte äußerte ich den Gedanken, daß sich auch die Kreativität selbst in ähnlicher Weise vermitteln ließe. Damit kommen wir also zu der Feststellung, daß das Wesen des Beraters wichtiger ist als das, was er tut, ja, daß all seine Betätigung in seinem Wesensgrund verankert sein muß: und so kann er manchmal auch eine größere Ruhe ausstrahlen, als er zu einem bestimmten Zeitpunkt selbst in sich erlebt. Und damit verbunden ist schließlich, daß sozusagen die Alchemie der Veränderung im Ratsuchenden weitgehend darauf beruht, daß etwas von dieser Kreativität auf ihn übergeht. Aber wenn wir nun alle diese Feststellungen zusammen betrachten: stehen wir nun nicht vor einer weiteren Wahrheit?

Sehen Sie, als Sie mir Udo Reiters Buch mit der Stelle über Matisse zeigten, fiel mir auf, daß der Autor einige Zeilen später Matisse selbst zitiert – dürfte ich das Buch ganz kurz noch einmal haben?

Nun scheinen aber Matisse's Erwähnung einer ›Kraft‹, die in und durch den Künstler wirkt, und die entsprechende Auffassung des Autors vom Künstler als einem ›Instrument‹ darauf hinzudeuten, daß es etwas gibt, das über das Individuum und die aus seinen eigenen Kraftquellen gespeiste Kreativität hinausgeht. Matisse schließt mit seiner Äußerung ganz an den Gedanken des Sokrates an, der ja davon sprach, daß er von einem Dämon inspiriert werde und ihn gleichsam von außen einatme. Das heißt aber nun wiederum: wenn ein anderer Mensch allmählich in einen solchen kreativen Prozeß miteinbezogen wird, dann gibt es etwas, das umfassender ist als diese beiden. Könnten wir nun also nicht den Prozeß des *Gespräches* folgendermaßen beschreiben: es ist eine Einladung des Beraters an den Ratsuchenden, immer mehr als ebenbürtiger Partner an dem

Prozeß teilzunehmen, und es ist deshalb auch eine Einladung zu der Anstrengung der Selbst-Überwindung an den anderen Menschen, bis beide Menschen zusammen handeln, aber auch zusammen etwas empfangen, was umfassender ist als sie beide? Könnten wir vielleicht sogar sagen, sie stehen gemeinsam im Dienst einer gemeinsamen Sache? Mit anderen Worten, der Berater scheint nicht so sehr etwas zu verleihen als etwas zu vermitteln, nicht so sehr zu geben als in einen umfassenderen Prozeß hineinzuführen. Zeigt es sich nicht, daß wir nicht so sehr eine Umwandlung bewirken als Werkzeuge einer solchen Umwandlung sind – in der Art, wie Mozart, trotz und gerade wegen seiner Menschlichkeit zuletzt von seinem Rivalen Salieri als Träger der stummen ›Sphärenmusik‹ betrachtet wurde, als ein wahrhafter *amadeus*, das heißt ein von Gott Geliebter?

Ich versuche, in dieser Art einige Konsequenzen aus Ihren Einsichten zu ziehen, weil uns das wieder zu unserem Ausgangspunkt zurückbringt und uns in tieferem Sinne verstehen läßt, weshalb die Beratungstätigkeit ein kreativer Prozeß ist, was Sie ja schon lange erkannt und festgestellt haben. Wir beginnen zu begreifen, wie sie als Teil eines kosmischen Prozesses aufgefaßt werden kann. Ich muß hier an die Worte denken, die Ester Harding beinahe am Schluß ihres Buches *The Way of All Women* schreibt – und das bringt den Prozeß der Beratungstätigkeit übrigens auch wieder mit dem Alltagsleben in Verbindung:

›In jedem Akt des sexuellen Verkehrs akzeptiert die Frau in impliziter Weise die Rolle als Dienerin im Tempel des Lebens... Aus der Erkenntnis, daß der Mensch auch in seinen individuellsten und persönlichsten Taten nicht nur für sich selbst lebt – ja nicht einmal in der Beziehung zum einzigen Menschen der Welt, den er liebt –, aus dieser Erkenntnis entspringt alle wahrhaft religiöse Gesinnung. Die kostbartsten Dinge des Lebens gehören uns nicht persönlich. In unseren intimsten Handlungen, in unseren geheimsten Augenblicken werden wir vom Leben *gelebt*. Immer wieder werden wir daran erinnert, daß wir im täglichen Umgang mit einem von uns geliebten Menschen unsere kleinen persönlichen Egos überwinden müssen; nur so *können wir im Strom des Lebens unseren Platz finden und uns jenem überpersönlichen Wert unterordnen*, welcher allein dem einzelnen Bedeutung und Würde verleihen kann. Denn wenn zwei Menschen einander ohne Masken erleben – in nackter

Realität –, dann wird eine Gefühlsenergie, welche in der Vergangenheit nur in der religiösen Erfahrung ihre Entsprechung hatte, frei und kann der menschlichen Entwicklung dienen.‹[1]«

»Wissen Sie, Marcus, ich habe das noch nie auf diese Weise betrachtet, und doch ahne ich schon seit langem etwas von den kosmischen Dimensionen meines siebenfachen Schemas.«

»Wir scheinen nun in der Tat auf die Erkenntnis gestoßen zu sein, daß die Beratungstätigkeit – wenigstens auf ihrer tiefsten und wertvollsten Ebene – die Reproduktion des schöpferischen Weltprozesses auf der zwischenmenschlichen Ebene darstellt. Deswegen ist es besser, wir sprechen von einem Prozeß, der über das Eng-Persönliche hinausgeht, und da der Evolutionsprozeß der Welt eine Richtung und damit auch ein Ziel und eine Zukunft hat, ist das möglicherweise auch der Grund, wieso Sie schon seit langem erkannt haben, daß der Beratungsprozeß zukunftsorientiert sein muß, nicht wahr? Darum sollten wir dieses Thema vielleicht einmal aufgreifen und es in diesem Sinne entwickeln?«

---

[1] Esther Harding, The Way of all Women, London 1971, S. 275 f.

Zweites Gespräch: Rückwärts und Vorwärts

> ... doch wie kommt's,
> daß dies im Geist dir lebt?
> Was siehst du sonst
> Im dunkeln Hintergrund und Schoß der Zeit?
>
> Shakespeare, *Der Sturm*, I, 2

> Wenn ihr durchschauen könnt die Saat der Zeit
> Und sagen: dies Korn sproßt und jenes nicht,
> so sprecht zu mir, der nicht erfleht noch fürchtet
> Gunst oder Haß von euch.
>
> Shakespeare, *Macbeth*, I, 3

»Ich würde gerne fortfahren, wo wir letztes Mal geendet haben, Hans. Wir sprachen darüber, daß die Beratungstätigkeit als ein kreativer Prozeß Teil eines umfassenderen Schöpfungsprozesses ist, der in die Zukunft geht, ebenso wie die Beratungstätigkeit. Um den Faden für heute wieder aufzunehmen: es gibt auf der anderen Seite gerade eine Bemühung bei den Therapieformen, die *Vergangenheit* auszuloten. Man spricht viel von ›kontrollierter Rückkehr‹ in die Vergangenheit und ist neuerdings sogar an der Rekonstruktion des Geburtsvorgangs und des ersten Schreies interessiert. Zumindest in manchen therapeutischen Kreisen scheint man zu ahnen, daß wir, sobald wir zu den Ursprüngen unserer Krisen zurückkehren können, auch eine Alternative erahnen und uns vorstellen können.

Es scheint mir in diesem Zusammenhang bedeutsam zu sein, nicht nur bezüglich der Tendenz in der Psychoanalyse mit ihren Verästelungen, sondern auch für die Popularisierung dieser Tendenz, daß bereits vor etwa zwanzig Jahren in der farbigen Sonntagsbeilage des *Observer* ein Interview mit dem bedeutenden Psychoanalytiker Donald Winnicott erschienen ist. Der Journalist machte den Einwand: ›Wie können Sie *wissen*, ob ein Säugling dieses Gefühl von der Mutterbrust hat? Er kann es Ihnen nicht sagen, er erinnert sich später nicht daran.‹ Winnicott darauf: ›Wenn Sie schwer gestörte Patienten in die Analyse bekommen, dann erzählen diese Ihnen nicht nur allerhand, nein, sie *werden* wirklich zu dem, was sie einmal gewesen sind – sie sitzen da und beschmutzen sich und schreien, Sie lecken Ihnen die Milch von den Fingern.‹ Ich sagte: ›Aber das sind ja keine normalen Leute – was kann Ihnen das denn über normale Säuglinge sagen?‹ Nach einer kleinen Pause sagte Winnicott: ›Etwas ganz Wunderbares – sie zeigen einem, *wie die Entwicklung hätte richtig gehen können.*‹ Mit dieser zukunftsgerichteten Tendenz der Therapie, die ja auch Ihr wichtigstes Anliegen ist, ist für mich neben dem Namen Winnicotts auch der Name Eugene Heimler verbunden, der wie Bruno Bettelheim und Victor E. Frankl den Holocaust der Konzentrationslager überlebt hat und für den seine Erlebnisse zu einer Quelle der Kreativität und Menschenerkenntnis geworden sind. Eine Grundüberzeugung Heimlers ist es, daß dem Menschen dabei geholfen werden muß, auf die Zukunft hinzuarbeiten, und daß es der Erfolg in der Bewältigung der Gegenwart ist, welcher ein neues Gefühl und eine neue Sicht der Vergangenheit mit sich bringt, und nicht umgekehrt.

Ich frage mich nun, ob der Berater an der Vergangenheit oder an der Zukunft arbeiten, ob er rückwärts oder vorwärts gehen sollte; wenn Sie so wollen – ob Freud oder Heimler zu folgen sei.«

»Ich bin ganz überzeugt davon, Marcus, daß die Hauptaufgabe des Beraters darin besteht, den Ratsuchenden für die Zukunft offen zu machen. Ich möchte diese Überzeugung einmal in Form einer Erfahrung zum Ausdruck bringen, die für mich zum bedeutsamen Symbol geworden ist.«

»Als Teil einer privaten Mythologie?«

»Ja, als Teil einer privaten Mythologie. Sie wissen, ich bin früher immer gerne nach Crammond hinunterspaziert. Dabei konnte ich immer wieder beobachten, daß der kleine Hafen gewöhnlich mit

Abfällen aller Art vollgestopft war und daß der Fluß Almond, welcher in den Hafen mündete, meistens zu träge dahinfloß, um den Abfall von der Stelle bewegen zu können. Von Zeit zu Zeit aber schwoll der Fluß an, und dann schwemmte er einen großen Teil dieser Ablagerungen der Vergangenheit ins Meer hinaus. Natürlich wurde nicht gleich der ganze Abfall weggeschwemmt. Manches mag auch in das Flußbett hineingetrieben worden sein, aber auf jeden Fall waren die Hindernisse weggeräumt. Diese Naturtatsache wurde mir zum Bild dafür, wie das Leben behindert, aber auch wieder befreit werden kann. Wenn wir den Menschen nur helfen können, die auf die Zukunft gerichteten Lebensenergien zu befreien, so werden schon allein dadurch die meisten Hindernisse einfach aus dem Wege geschwemmt.

Nun ist mir aber klar, daß eine solche Befreiung von Energien und ihre Hinlenkung auf die Zukunft erst eine *zweite* Phase darstellt, nach dem, was ich als eine ruhigere und mehr introspektive Phase charakterisieren möchte. Niemand kann um Befreiung kämpfen, solange er noch vollkommen in seiner Vergangenheit verstrickt ist und noch vieler geduldiger Zuwendung bedarf, ehe er von seinen emotionellen Belastungen und den Gefühlen der Schuld und des Versagens loskommen kann. Diese Anfangsphase entspricht ohne Zweifel dem analytischen Prozeß, auf den Sie im Zusammenhang mit Winnicott und Freud hingewiesen haben. Nur nenne ich diese Phase nicht analytisch, denn ich habe sie, ganz offen gestanden, nie in dieser Art erlebt.

Erstens klingt schon der Ausdruck ›analytisch‹ viel zu mechanistisch und läßt einen – jedenfalls geht es mir so – an chemische Analyse und die Suche nach einem bestimmten spezifischen Defekt denken.

Warum ich die analytische Methode auch darüber hinaus für wenig hilfreich halte? Darüber mußte ich mit einiger Anstrengung nachdenken. Folgendes ist meine vorläufige Antwort auf diese Frage: Ich habe heute das Gefühl, eine solche Methode sei zu Freuds Zeit durchaus angemessen gewesen, denn es war eine repressive Epoche, in welcher vieles in den seelischen Untergrund abgedrängt wurde. Ich kenne das aus eigener Erfahrung; ich lebte ja in dieser Epoche; ich kannte die Familienverhältnisse und wußte von kleinen jüdischen Jungen, die mit ihren Müttern schliefen, und vom Oedipus-Konflikt usw. Aber seither hat sich so vieles grundlegend geändert. Wir leben nicht mehr in einem repressiven Zeitalter. Im Gegenteil, in sexuellen Belangen haben wir eine ganz neue Freiheit gefunden. Eine Freiheit, die wir noch nicht voll in der Hand haben. Junge Menschen sind in wunderbarer Weise freie und strebende Seelen, und doch tappen sie im Unsicheren herum, weil ihnen die nötige Disziplin und Einsicht abgeht. Wenn ich also mit jungen Menschen zu tun habe, wie das lange Zeit der Fall gewesen ist, dann brauche ich nicht erst alles Mögliche auszugraben – es liegt ja alles offen zutage. Was ich erlebe, ist eine Menge Unklarheit, Schuld und Versagen, und vor allem viele Irrtümer und Fehlurteile. Es ist bedeutsam, daß in der Lehre Buddhas, der die Menschen doch wirklich sehr gut kannte, die Quelle aller Übel in der Unfähigkeit liegt, die Realität zu begreifen, wie sie wirklich ist. Deshalb ist es meine Aufgabe, den Leuten zu helfen, die Dinge so zu sehen, wie sie tatsächlich sind, oder wie Goethe es in einem schönen kleinen Gedicht ausdrückte: ›sich ins Rechte zu denken‹.

Ich tue also sicher nicht etwas Leichteres als die Analytiker, aber es hat einen anderen Charakter. Ich forsche nicht nach dem tiefsitzenden unbewußten Hindernis, denn bei den meisten Menschen *existiert es gar nicht*, aber ich muß alle möglichen fehlerhaften Vorstellungen, Fehlurteile, Irrtümer hinwegräumen. Sind diese aber einmal beiseite geräumt und kann ein Mensch aus der dämmrigen, schuldbehafteten Sphäre mit einem gewissen Maß an Selbstachtung heraustreten, dann können wir anfangen, die Energie des Lebensstromes in Freiheit zu setzen.

Ich möchte an dieser Stelle zwei Zitate anführen, welche mich sehr beeindruckt haben. Das erste stammt aus Prabhavananda und Isherwoods Darstellung von der Lehre Patanjalis, dem klassischen Vertreter des Yoga-Systems in ihrem Buch *How to know God – The Yoga Aphorisms of Patanjali*. Die beiden Autoren zitieren am Anfang des Buches den dritten Aphorismus aus dem vierten Buch der Yoga-Sutren über Befreiung und schließen dann ihren eigenen Kommentar an:

›3. Gute oder schlechte Handlungen sind nicht die direkten Ursachen der Umwandlung. Sie haben nur die Funktion, die Hindernisse der natürlichen Evolution hinwegzuräumen; genauso wie ein

Bauer die Hindernisse aus dem Wasserlauf wegräumt, damit das Wasser ungestört hindurchfließen kann.‹[1]

Hier erklärt Patanjali die Hindu-Theorie der Evolution der Arten anhand eines Vergleichs aus der Landwirtschaft. Der Bauer, der seine Felder von einem Reservoir aus bewässert, braucht kein Wasser zu holen. Das Wasser ist schon da. Der Bauer braucht nur ein Schleusentor zu öffnen oder einen Damm zu brechen, und das Wasser fließt durch die natürliche Schwerkraft auf die Felder hinab.

Das ›Wasser‹ ist die Evolutionskraft, die nach Patanjali jeder von uns in sich trägt und die nur darauf wartet, aus dem ›Reservoir‹ befreit zu werden. Durch unsere Handlungen öffnen wir das ›Schleusentor‹, das Wasser läuft auf die Felder hinab, das Feld erbringt die Ernte und wird dadurch verwandelt.

›... Aller Fortschritt und alle Macht liegen schon im einzelnen Menschen‹, sagt Vivekenanda. ›Das Vollkommene liegt in jedes Menschen Wesen, es wird nur daran gehindert, sich frei zu entfalten. Kann einer den Kerker durchstoßen, dann stürmt die wahre Natur herein.‹[2]

Natürlich kann der Therapeut die Kerkerwand nicht entfernen, das muß der Ratsuchende selbst tun: ›Man kann das Pferd zur Tränke führen, aber man kann es nicht zum Trinken zwingen.‹ Der Therapeut kann den Ratsuchenden lediglich auf das Vorhandensein der Kerkerwand aufmerksam machen.

Der Mensch ist also von Natur aus zukunftsorientiert und muß – und will – vorwärts schreiten. Gleichzeitig kann er diese Anstrengung nur unternehmen, wenn er genügend frei geworden ist, diese Anstrengung auch wirklich zu bejahen.

Das zweite Zitat stammt von Goethe. Sie wissen wahrscheinlich, daß Goethe ein universell veranlagter Mensch war, aber auch er ging durch große Krisen und Kämpfe hindurch und machte viele Krankheiten durch. Das Geheimnis des Überlebens war für ihn: ›tätig sein‹. Und so hat eine allgemeine Darstellung seiner Anschauung im Grunde autobiographischen Charakter; ich entnehme sie dem Roman *Wilhelm Meister*:

---

[1] Prabhavananda, bearbeitet von C. Isherwood. How to know God – The Yoga Aphorisms of Patanjali; Vedanta Press, Hollywood 1966, S. 204

[2] ebenda, S. 281

›Seelenleiden, in die wir durch Unglück oder eigne Fehler geraten, sie zu heilen vermag der Verstand nichts, die Vernunft wenig, die Zeit viel, entschlossene Tätigkeit hingegen alles.‹[1]

Ich bin hier zwar nicht in jeder Hinsicht mit Goethe einverstanden, denn ich glaube, daß Verstehen tatsächlich von Belang sein kann. Aber dieser Betonung der Tätigkeit kann ich mich völlig anschließen. Und damit sind wir wieder bei dem Gedanken angelangt, daß wir einen Menschen auf ein bestimmtes Ziel hin in Bewegung bringen und ihn dazu zu motivieren versuchen, wie Victor Frankl, der ›Logotherapeut‹ es nennt: ein ›Leben mit Sinn‹ zu führen.«

»Nun haben Sie schon eine ganze Menge gesagt, Hans, und besonders fasziniert hat mich die Art, wie Sie Ihrer Alltags-Erfahrung mit dem Fluß Almond eine fast archetypische Bedeutung verliehen haben, dadurch daß Sie sie mit Patanjalis natürlichem Lebensfluß in Zusammenhang gebracht haben. Damit sagen Sie also, daß die Hauptfunktion des Therapeuten darin bestehe, dafür zu sorgen, daß dieser Lebensstrom frei dahinfließen kann, indem das Schleusentor geöffnet wird oder die entgegenstehenden Hindernisse aus dem Wege geräumt werden. Gleichzeitig haben Sie aber auch darauf hingewiesen, daß diese Freisetzung des Lebensstromes erst die zweite Phase eines Prozesses ist, der mit einer ›ruhigeren und mehr introspektiven Phase‹ einsetzt, die nach Ihren Worten Freuds analytischer Arbeit entspricht. An diesem Punkte möchte ich nun gerne ansetzen, denn gerade die Gegenüberstellung Ihrer Betonung der Zukunft mit Freuds Auslotung der Vergangenheit läßt meine ursprüngliche Frage auch weiterhin unbeantwortet: Sollten sich der Therapeut und der Ratsuchende vorwärts oder rückwärts bewegen, und falls sie beides tun sollen, wie und in welchem Verhältnis? Verstehen Sie meine Probleme?«

»Ich sehe Sie, Marcus, aber ich bin nicht sicher, ob ich sie im Augenblick lösen kann. Doch könnte es uns vielleicht weiterhelfen, wenn ich das, was ich in ziemlich allgemeiner Form ausführte, an einigen konkreten Fällen illustrierte?«

»Das wäre sehr nützlich. Bitte tun Sie es.«

»Gut. Mein erstes Beispiel stammt aus Colin Wilsons Buch mit

[1] Goethes Werke, textkritisch durchgesehen und kommentiert von Erich Trunz, München 1982, Band VIII, S. 204

dem charakteristischen Titel *New Pathways in Psychology: Maslow and the Post-Freudian Revolution*. Wilson war persönlich mit Maslow bekannt und schrieb dieses Buch nach dessen Tod. Wie Sie vielleicht wissen, ist das Hauptthema des Buches, daß die erste und ganz sicher die zweite Generation nach Freud sich von der ausschließlichen Beschäftigung mit der Vergangenheit abwandte und die Aufmerksamkeit mehr auf die Zukunft richtete, was übrigens auch ein Hauptanliegen Jungs war.«

»Ich habe bisher angenommen, daß diese Revolution, wie Sie sagen, bereits mit Karen Horney in Amerika angefangen hat, Hans?«

»Das ist schon möglich, ich weiß es nicht. Ich weiß nur, daß alle früheren Tendenzen in diese Richtung durch Maslow klarer und deutlicher zur Sprache kamen. Und nun also zum ersten Fall, den Colin Wilson in einem Aufsatz mit dem Titel ›*The Need to Know and the Fear of Knowing*‹ zitiert: Maslow beschreibt einen seiner wichtigsten Fälle:

›Um das Jahr 1938 erschien eine Universitätsstudentin und klagte in unbestimmter Art über Schlaflosigkeit, Appetitmangel, Menstruationsstörungen, Frigidität und allgemeines Unwohlsein, woraus bald eine Klage wurde über Lebenslangeweile und über die Unfähigkeit, sich an *irgendetwas* zu erfreuen... Als sie weitersprach, schien sie in eine innere Bestürzung zu geraten. Sie hatte ihr Studium etwa ein Jahr zuvor abgeschlossen und infolge eines phantastischen Glücksfalles – es war, wie man sich erinnern wird, die Zeit der Wirtschaftsdepression – sofort einen Job erhalten – und was für einen Job! Fünfzig Dollar die Woche! Sie sorgte mit dem Geld für ihre ganze arbeitslose Familie und wurde von allen Freunden beneidet. Aber was war das für ein Job? Sie arbeitete als stellvertretende Personalchefin in einer Kaugummifabrik. Nachdem wir uns ein paar Stunden lang unterhalten hatten, wurde ihr immer deutlicher, daß sie im Grunde das Gefühl hatte, ihr Leben wegzuwerfen. Sie war eine brillante Psychologiestudentin und auf der Universität sehr glücklich und erfolgreich gewesen, aber die finanzielle Lage ihrer Familie erlaubte es ihr nicht, bis zur Promotion weiterzustudieren. Sie hatte eine starke Neigung zu geistiger Arbeit, was ihr aber zuerst nicht voll bewußt war, da sie das Gefühl hatte, sie *müsse* mit dem Job und dem Geld, das er ihr brachte, zufrieden sein. Halb bewußt sah sie ihr ganzes zukünftiges Leben sich grau vor ihr ausbreiten. Ich legte ihr nahe, daß sie sich vielleicht einfach deswegen tief frustriert und unmutig fühle, weil sie nicht ihr eigenes intellektuelles Selbst sei und weil sie ihre Intelligenz und ihr psychologisches Talent brach liegen lasse, und daß dies eben der Hauptgrund sein könnte, weswegen sie diese Lebenslangeweile empfinde und weswegen ihr Körper der ganz normalen Lebensfreuden überdrüssig sei. Jedes Talent, jede Fähigkeit, so dachte ich, war zugleich auch eine Motivation, ein Bedürfnis, ein Impuls. Damit stimmte sie überein, und so riet ich ihr, nachts nach der Arbeit an ihrer Dissertation zu arbeiten. Sie wurden in der folgenden Zeit lebhafter, zufriedener und zielstrebiger, und als ich sie zum letzten Male sah, waren die meisten physischen Symptome verschwunden.‹[1]

Es ist bedeutsam, daß Maslow, obwohl er eine freudianische Ausbildung hinter sich hatte, nicht den Versuch machte, in die Kindheit der Patientin zurückzukehren, um herauszufinden, ob sie vom Penis-Neid gegenüber den Brüdern oder vom Wunsch, die Mutter zu ermorden und den Vater zu heiraten, befallen war. Er folgte seinem Instinkt – seinem Gefühl, daß Kreativität und der Wunsch nach einem *sinnvollen Dasein* genauso wichtig sind wie irgendwelche unterbewußten sexuellen Antriebe.

Nun sprechen diese Tatsachen für mich eine so deutliche Sprache, daß man ein Narr sein müßte, würde man die untergeordneten Symptome – der Überdruß, die Schlaflosigkeit, die Sexualität – nicht beiseite lassen, um geradewegs auf die gegenwärtige Zentraltatsache loszusteuern. Der Fall weist ja selbst auf diesen wesentlichen Punkt hin.«

»Ist dies repräsentativ für Maslows Methode?« fragte P. Markus.

»Ja, er arbeitete, ganz ähnlich wie Victor Frankl, mit dem Begriff des *Sinns*, obwohl er selbst lieber von Selbst-Aktivierung spricht, und dieser Ausdruck beinhaltet seine Vorstellung, daß der Mensch ein sich in die Zukunft bewegendes, wachsendes, sich entwickelndes und in sich ganzes Wesen ist. Diese Charakteristika sind für ihn viel wichtiger als alles andere, denn sie machen für ihn – wie übrigens auch für mich – den Grundimpuls des Menschen aus, obwohl

---

[1] C. Wilson, New Pathways in Psychology: Maslow and the Post-Freudians. London 1973, S. 22f.

dieser Impuls, wie ja schon Patanjali bemerkt hat, natürlich auch zurückgestaut werden kann.

Und damit kommen wir nun zu den zwei Fällen aus meiner eigenen Erfahrung.

Den ersten nenne ich für mich selbst den Fall des ›Irischen Mädchens‹. Es wurde mir von den Samaritern geschickt, und es war in der Tat ein typisches irisches Mädchen mit blauen Augen und schwarzen Haaren. Diese junge Frau war mit einem ägyptischen Arzt verheiratet. Ihr Problem war, daß diese Ehe in jeder Hinsicht vollkommen gescheitert war. Als sie zu mir kam, bemerkte ich, wie unglücklich sie war. Und nun wollte ich als nächstes auch ihren Gatten kennenlernen – ich bin nämlich der Ansicht, ein Eheproblem läßt sich nie lösen, ohne daß man auch mit dem anderen Partner Kontakt aufnimmt, einfach weil man sich nicht auf die Schilderung eines Menschen verlasssen kann, der emotionell erregt ist. Der Gatte erwies sich als freundlicher, gutmütiger und talentierter Mann, der nicht verstehen konnte, was eigentlich los war. Als ich das irische Mädchen zum nächsten Mal sah, erfuhr ich, daß sie ausgebildete Krankenschwester war, nun aber zu Hause saß und eine ›gefangene Ehefrau‹ geworden war, wie ich das nenne. Nachdem wir uns eine Weile unterhalten hatten, wagte sie zu erwähnen, daß sie gerne Medizin studieren würde, aber sie meinte, das sei wohl an den Haaren herbeigezogen und zu riskant. Nun hatte ich wieder eine Sitzung mit dem Ehemann, und dieser sagte mir, damit sei er völlig einverstanden, vorausgesetzt, die Sache sei praktisch durchführbar. Nun, sie *war* durchführbar. Und von dem Moment an löste sich das ganze Problem wie durch einen Zauberspruch. Die beiden verließen das Land, und zu Weihnachten schrieben sie mir und teilten mir mit, daß sie inzwischen mit ihrer Medizinausbildung begonnen habe und sie beide sehr glücklich seien. – Nun, das ist ein einfacher Fall, wie ein Mensch aus seinem Gefängnis in die Freiheit aufbricht.

Der nächste Fall lag nicht so einfach. Es handelte sich um einen jungen homosexuellen Mann, der in einer Fabrik arbeitete. Was ihn zunächst belastete war seine sexuelle Isolierung, aber darüber hinaus wurde vor allem deutlich, daß er an völliger kultureller Unterernährung, Austrocknung und Sinnleere litt. Kurz gesagt, ich entdeckte, daß er Musik liebte und daß er sich für die Oper interessierte.

Er entwickelte nun eine solche Opernbegeisterung, daß er jedesmal, wenn eine Oper in der Stadt aufgeführt wurde, in der Schlange vor der Billetkasse der erste war. Und von nun an änderte sich sein ganzes Lebensgefühl. Sein ganzes Wesen bekam etwas Enthusiastisches und Strahlendes. Er war natürlich immer noch homosexuell, aber er hatte nun das Gefühl, daß es in seinem Leben noch etwas anderes gibt, etwas, auf das man sich freuen kann, etwas, das sich entfalten kann, und mit der Zeit lernte er auch, sich in schlichter, menschlicher Weise auch mit Frauen zu unterhalten. Die ausschließliche Konzentration auf seine Homosexualität war wie weggeblasen, einfach aufgrund der Tatsache, daß er die Oper entdeckte. Es kam immer mehr Schwung in seine Entwicklung, und er fing an, auch noch andere Interessen zu entwickeln.«

»Er hat ein Ziel gefunden?«

»Ja, und auch seine Selbstachtung.«

»Der Fall, den ich Ihnen jetzt zum Schluß schildern möchte, stammt nicht aus meiner eigenen, sondern aus Ursulas Erfahrung, mit der ich mich über ihn unterhalten habe. Auch hier befand sich wieder einmal eine Ehe in der Krise. Der Mann war hochintelligent und hatte eine gute Stellung; seine Frau war sehr schlicht, ja, geistig beinahe behindert; sie konnte kaum mit dem Haushalt fertig werden. Außerdem war ihr einziger Sohn taub. So war ihre ganze Situation ziemlich eingeschränkt. Sie konnte ihrem Mann sexuell, kulturell, menschlich nicht allzuviel bieten, aber er hing an ihr, und die beiden kamen auch überraschend gut miteinander aus, außer in einer Hinsicht. Er hatte einen großen Wunsch, nämlich daß sie erotische Tänze aufführte – was ja schließlich nichts Außergewöhnliches ist. Aber wie sollte eine Frau, die so behindert war, einem solchen Wunsch je Folge leisten können? Ein Elefant wäre leichter zu einem solchen Tanz zu bringen gewesen.«

»Eine völlig ausweglose Situation?«

»Eine ausweglose Situation. Was tun? Und so kam Ursula zu mir, um die Sache mit mir zu besprechen. Ich fragte sie, ob die Frau *irgend etwas* tun könne. Es schien, daß sie sich tatsächlich auf *eines* verstand und dies auch gerne tat: sie nähte gerne Kleider, aber auch das konnte sie nur ziemlich schlecht. Nun, vielleicht könnte sie lernen, sie etwas besser zu machen? Und so hielt Ursula für sie nach einem Schneider-Kurs Ausschau, und ich riet ihr, dafür zu sorgen, daß die Frau diesen Kurs wirklich zielbewußt besuchen und absolvieren solle, um zu lernen, wirklich schöne Kleider zu machen. Sie war ganz begeistert davon. Es machte ihr unendlich viel Freude, endlich selbst etwas Schönes machen zu können.«

»Aber hat sie auch gelernt, die erotischen Tänze aufzuführen?«

»Um es kurz zu machen: sie *war* schließlich dazu imstande, als ich Ursula das letzte Mal darüber befragte, sagte sie: ›Oh, sie hat sich inzwischen sehr entwickelt – sie entfaltet sich.‹«

»Diese Fälle illustrieren Ihre These in der Tat sehr gut, Hans, und sie hat wirklich viel für sich. Und doch bleiben mir, wie ich gestehen muß, immer noch gewisse Fragen. Erstens bezweifle ich, ob unsere Zeit von der Epoche Freuds wirklich so verschieden ist, wie Sie behaupten. Meine persönliche Erfahrung sowohl als Priester wie als Berater zeigt mir, daß doch viele Menschen vor allem in sexuellen Dingen immer noch unter Schuld, Angst und Verdrängung leiden und daß der Unterschied zwischen den in katholischen und den in protestantischen Traditionen Erzogenen lediglich darin besteht, daß sie es mit Varianten der im wesentlichen gleichen inneren Hindernisse zu tun haben.

In mehr theoretischer Hinsicht habe ich gerade von der psychoanalytischen Tradition und Therapie den Eindruck, daß die Psychoanalytiker im wesentlichen ebenso mit der Gegenwart und der Zukunft beschäftigt sind wie Sie und daß andererseits die Aufmerksamkeit, die sie den Ursprüngen und der ganzen Entwicklung schenken – dem, was Melanie Klein ›die Wurzeln des Erwachsenenlebens in der Kindheit‹ nannte –, durchaus berechtigt erscheint.

Ich selber bin durch meine eigene Analyse allmählich von der Beschäftigung mit der Vergangenheit zu der Vorstellung einer sehr subtilen Wechselwirkung zwischen Vergangenheit, Gegenwart und Zukunft gekommen. Danach müssen wir in der Therapie wie im Leben immer mit der Gegenwart zurechtkommen oder mit gegenwärtigen Hindernissen fertig werden. Deshalb nehmen wir nur insofern auf die Vergangenheit Rücksicht, als sich die Probleme der Gegenwart als Spielarten oder Reaktivierungen vergangener Fehleinstellungen, vergangener Traumata, Verdrängungen, Behinderungen, Kompensationen, Verzerrungen oder was auch immer erweisen, und insofern als allmählich auch das Gefühl entsteht, in dieser Vergangenheit könnte es auch ›richtig gelaufen‹ sein, könnte es auch anders gewesen sein, wie Winnicott so treffend bemerkt. Und dieses Gefühl entsteht gewiß, weil wir nichts vergessen; alles ist da, so daß das Zurückkommen auf das, was der Ursprung in der Vergangenheit zu sein scheint, in Wirklichkeit bedeutet, auf einen Punkt zurückzukommen, an dem wir uns neu entscheiden können und an dem aus unseren *gegenwärtigen* Kräften heraus ein neues Wachstum möglich ist. Die Geburt ist eine Metapher für den jetzigen Neubeginn.

Und deshalb bleibt mein ursprüngliches Problem bis jetzt bestehen. Nur würde ich jetzt entsprechend Ihren Ausführungen die Frage etwas anders stellen: Gesetzt, wir lassen einmal die Bedeutung der Befreiung der Menschen auf die Zukunft hin gelten; und ebenso gesetzt, wir lassen den therapeutischen Wert gelten, den die Bewußtwerdung der Ursprünge gegenwärtiger Schwierigkeiten hat, besonders im Hinblick darauf, daß Sie ja selbst zugestehen, daß der Phase der Zukunftsorientierung eine ›mehr ruhige und introspektive Phase‹ vorangeht – welches ist dann das relative Gewicht dieser beiden Phasen, wie hängen sie miteinander zusammen?«

»Sie treiben mich ja ganz schön in die Enge, Marcus. Aber das tut mir wahrscheinlich gut. Und da Sie mich nun schon derart bedrängen, muß ich nochmals feststellen, daß ich ein Feind jeglicher ›Methode‹ im Sinne eines vorgefaßten Schemas bin, mit dem man sich an die Interpretation der unendlich variierenden Erscheinungen des Lebens macht, wie ich ja, hoffe ich, bereits deutlich gemacht habe. Ich möchte aber, indem ich diese Feststellung mache, nicht mit einem Träumer verwechselt werden, der sich von den Wogen dessen, was man vielleicht wohlwollend als ›Phantasie‹ bezeichnet, davontragen läßt. Ich habe, wie Sie wissen, eine Abneigung gegen jede Methode. Ich versuche mich in disziplinierter Weise mit den Prozessen des wachsenden, sich entfaltenden und sich vorwärts bewegenden Lebens in Übereinstimmung zu bringen, wie es dem siebenstufigen Prozeß der Beratungstätigkeit entspricht. Natürlich darf kein einziges Element dieses Prozesses als etwas Unantastbares behandelt werden. Dies wäre ein Rückfall in den Dogmatismus. Falls ich also überhaupt eine Methode habe, so beruht sie auf dem Vertrauen, daß ich Zurückhaltung und Geduld üben und mich ganz dem Prozeß hingeben muß und daß das Leben mich dann selbst leiten wird, vielleicht vorwärts, vielleicht rückwärts, um Ihre Ausdrücke zu gebrauchen – und daß das Leben mir, wenn die Zeit reif ist, schließlich auch die Antworten geben wird. Wenn das in Ihren Ohren ziemlich poetisch klingt und wenn Sie dabei an einen Vorgang denken, der seiner Erfüllung harrt, etwa, wie man geduldig wartet, bis die Frucht reift oder wie an eine Schwangerschaft: ja, dann haben Sie recht, dann gilt die Analogie. Übrigens werde ich in meiner Abneigung gegen eine ›Methode‹ auch dadurch bestärkt, daß ich sie mit keinem geringeren als Jung teile. Er sagte:

›Der Arzt und Beobachter hingegen muß frei von jeder Formel die lebendige Wirklichkeit in ihrem ganzen gesetzlosen Reichtum auf sich wirken lassen... Nicht Theorien, sondern allein Ihre schöpferische Persönlichkeit ist das Entscheidende.‹[1]

Ich glaube an die Freisetzung des Lebensflusses in Richtung Zukunft, und doch erkenne ich auch an, daß es Zeiten gibt, wo man in die Vergangenheit zurückkehren muß. In solchen Phasen muß man ein Gefühl für das *ungelebte Leben* eines Ratsuchenden bekommen, das Gefühl für eine Lebensphase, die nicht durchlebt worden ist. Ich möchte Ihnen das an einem Beispiel zeigen. Eines Tages suchte mich eine hübsche, glücklich verheiratete Mutter von fünf Kindern auf. Bevor sie zu mir kam, hatte sie eine längere Phase extremer Angstzustände durchgemacht. Ich hörte mir ihre Lebensgeschichte an, wie ich das meistens tue. Sie war als Krankenschwester ausgebildet worden, hatte eine Weile in ihrem Beruf gearbeitet und dann mit 26 Jahren geheiratet. In kürzester Zeit folgte ein Ereignis dem andern. Ich versuchte innerlich mit der Lebensgeschichte zu leben, wie ich das immer tue, ohne eine konkrete Vorstellung irgendeines Ergebnisses, ohne irgendetwas auszubrüten; ich ließ innerlich einfach Ereignis um Ereignis vorüberziehen. Und dadurch erhielt ich allmählich den Eindruck, daß in ihrem Leben etwas fehlte, daß sie keine Gelegenheit gehabt hatte, sich frei zu bewegen und vielfältige Erfahrungen zu machen, was meiner Meinung nach junge Menschen einfach nötig haben, um das Leben und die Welt und damit auch sich selbst zu entdecken. Und so sagte ich ihr am Ende der nächsten Sitzung, daß ich den Eindruck hatte, ihr Leben sei ziemlich rasch verlaufen, und ich fragte sie, ob sie jemals

---

[1] C. G. Jung, Psychologische Betrachtungen, hg. v. Jolande Jacobi. Zürich 1945, S. 87f.

das Gefühl gehabt habe, etwas verpaßt zu haben. Sie sagte zuerst leichthin, daß das nicht der Fall sei, doch plötzlich wurde sie nachdenklich und sagte: ›Jetzt, wo Sie das erwähnen, fällt mir ein, daß ich unmittelbar vor meiner Heirat das starke Bedürfnis hatte, einmal für ein Jahr auszusetzen; ich habe es nicht getan, und doch hatte ich das Gefühl, ich hätte es tun sollen.‹ Das war's. Sie sehen, man kann erst zukunftsorientiert werden, wenn die Vergangenheit geklärt ist, wenn die Phasen, die zu durchleben sind, wirklich durchlebt sind – wobei sich diese Phasen von Mensch zu Mensch natürlich erheblich unterscheiden können.«

»Das genügt mir für den Augenblick, Hans. Nun haben Sie das wesentliche Zugeständnis, das ich für notwendig hielt, gemacht und dabei auch den wunderbar aufschlußreichen Ausdruck vom *›ungelebten Leben‹* benützt. In zwei Worten fassen Sie damit die Rechtfertigung für das, was Sie die ›ruhige und introspektive‹ Phase nennen, und für einen Hauptbestandteil der ganzen psychoanalytischen Arbeit zusammen. Offensichtlich haben wir alle mehr oder weniger solche Lebensphasen, die erst noch durchlebt werden wollen, die wir erst in Ordnung bringen müssen, wie Sie es ausdrücken, bevor wir in die Zukunft schreiten können. Es ist wie mit einer vorrückenden Armee, die da und dort Widerstandsnester zurück läßt, die noch geräumt werden müssen. Die Frage ist nur, wann und wie das geschieht.«

»Jawohl, die Frage ist, wie man eine solche Situation in Ordnung bringen soll. Bei der vorhin erwähnten Frau hätte die ideale Lösung darin bestanden, daß sie nach Paris gegangen wäre, um ganz in die Welt der Kunst, die sie so liebte und in der sie das Gefühl hatte: ›das bin ich‹, einzutauchen, und zwar während der sechs oder gar zwölf Monate, die sie fast zwanzig Jahre früher hätte haben sollen. Doch wie sollte sie das jetzt mit fünf Kindern realisieren können? Leichter realisierbar war, nur für einen Monat zu gehen. Das wäre ein Kompromiß. Sehen Sie, für mich gibt es ideale Lösungen, Kompromißlösungen und Scheinlösungen.«

»Sie wollen damit sagen, daß ein Mensch, der dieses ›ungelebte Leben‹ entdeckt, dieses Leben in irgendeiner Weise tatsächlich durchleben muß? Würde es nicht auch genügen, das unbefriedigte Bedürfnis zu erkennen und rein innerlich mit ihm fertig zu werden?«

»Wahrscheinlich läßt sich auch diese Frage nicht auf allgemeine Weise, sondern nur ganz individuell beantworten. Meine Erfahrung hat mich gelehrt, daß ein Mensch, der ein brennendes Verlangen nach etwas hat, sich mit diesem Verlangen schicksalsmäßig auseinanderzusetzen haben wird, und manchmal bewirkt vielleicht schon die Tatsache, daß er das Verlangen zum Ausdruck gebracht und sich das Problem klar gemacht hat, daß er es auch lösen kann. Ein solcher Mensch wird dann vielleicht wieder in seinen Alltag zurückkehren und sagen: ›Jetzt kann ich weitermachen‹. Es kommt aber auf jeden Fall unbedingt darauf an, ob sich die Akkumulation ungelebten Lebens geistig oder psychologisch entladen hat oder nicht.«

»Indem Sie nun diese ›Schuld‹ aus der Vergangenheit – vielleicht die ontologische Schuld Heideggers – so frei und frank in Rechnung gestellt haben, sind auch meine Zweifel an der von mir befürchteten Einseitigkeit einer ausschließlichen Zukunftsorientierung behoben.

Ich hoffe, Sie werden mir nicht Nörgelei vorwerfen, wenn ich Ihnen nun doch noch eine weitere Schwierigkeit auseinandersetze, die mir gekommen ist, während Sie sprachen. Ich will Sie ja nicht testen, sondern nur einige Konsequenzen aus Ihren Ausführungen ziehen. Meine Frage möchte ich nun folgendermaßen formulieren: Sie betonen immer wieder, daß der Berater zuhört, erschließt, versteht, Irrtümer und Fehlurteile richtigstellt, daß er *erkennt*, während ich selbst aufgrund eigener wie fremder Erfahrungen immer mehr zu der Überzeugung komme, daß Veränderungen, Befreiungen, Handlungen viel mehr Sache des *Fühlens* als des Erkennens sind. Immer wieder vernahm ich durch andere Menschen das Echo meiner eigenen Frage: ›Ja, ich verstehe, aber was soll ich *tun*?‹ Aber auch hier sind wir mit dem Problem nicht allein. Selbst Leute wie Sandler, Dare und Holder, gewöhnlich so klar denkende Systematiker des gesamten Erbes von Freud, beginnen in ihrem bewunderswert knappen und informativen Werk *The Patient and the Analyst* zu stolpern, sobald sie versuchen, den Begriff der ›Einsicht‹ klarzustellen: Ist das eine Frage der Erkenntnis oder des Gefühls oder vielleicht von beidem? ›Das Hauptproblem in der psychoanalytischen Literatur nach Freud scheint in dem Bedürfnis zu bestehen, die Kriterien zu bestimmen, welche eine ›wahre‹ oder gefühlsmäßige Einsicht auf der einen Seite von rein intellektueller Einsicht auf der anderen Seite unterscheiden.‹[1]«

»Ja, das ist eine gute Frage, Marcus. Dazu möchte ich zunächst einmal bemerken, daß die Wechselbeziehung zwischen dem Therapeuten und dem Ratsuchenden für den Therapeuten eine *Erkenntnis*-Angelegenheit ist, denn er muß ja ganz klar sehen, an welchem Punkt der Ratsuchende nicht weiterkommt und was ihn daran hindert, die Wirklichkeit zu sehen, wie sie tatsächlich ist. Und insofern das dem Therapeuten gelingt, wird auch der Ratsuchende allmählich anders *fühlen*.«

»Die Bemühungen des Beraters um ein Verständnis der Situation wird sich also gefühlsmäßig auf den Ratsuchenden übertragen? Wollen Sie das damit sagen?«

»Ja, diese Bemühung wird sich im Ratsuchenden in Form eines bestimmten Gefühles gleichsam ablagern. Er wird nicht so sehr glauben, daß er sich in dem oder jenem irrt, er wird vielmehr anders empfinden, was eine existenzielle Bedeutung hat. Das sind sehr subtile und schwer analysierbare Vorgänge. Ich wiederhole, was auch Jungs Ansicht war: Der ganze Prozeß ist ähnlich wie bei einem Kunstwerk: eine Symphonie kann auf unendlich viele Weisen komponiert, ein Bild auf unendlich viele Weisen gemalt werden. Für jeden Fall muß eben erst ein ganz bestimmter Weg gefunden werden. Ich habe zur Zeit zum Beispiel gerade mit einem jungen Mann zu tun, der glaubt, daß er ein Versager ist. Das ist höchstens eine Teilwahrheit. Ich für meinen Teil muß nun sehen, in erkenntnismäßigem Sinne, wo er sich selbst gegenüber versagt hat, aber ich muß mich sehr hüten, ihm zuviel davon zu erklären, besonders, da er ein ziemlich intelligenter Mensch ist. So muß ich vor allem an seine Empfindungen appellieren und ihm das Gefühl geben, daß er schon etwas oder jemand ist. Nun ist er sehr großgewachsen und hat wunderschönes blondes Haar. Und als wir uns ganz zwanglos unterhielten und alle möglichen Themen dabei berührten, sagte ich mitten im Gespräch, was für mich auch stimmt: ›Sie erinnern mich an einen der Wagner-Tenöre, den ich als junger Mann in der Wiener Oper kennen und bewundern lernte.‹ Sehen Sie, das sagt ihm etwas und

---

[1] J. Sandler, C. Dare, A. Holder, The Patient and the Analyst. London 1982, S. 115ff

gibt ihm das Gefühl, auf andere Menschen den Eindruck zu machen, etwas Anziehendes an sich zu haben. Obwohl also Erkennen und Fühlen theoretisch verschiedene Dinge sind, versuche ich also, das, was ich weiß, in etwas zu übersetzen, was ich fühlen kann. Ich versuche auf dieser Ebene nach Zukunftsmöglichkeiten zu tasten. In der Praxis werden sich diese beiden Aspekte im Hinblick darauf, daß der Ratsuchende etwas mit seinem Leben *tun* soll, fortwährend durchdringen müssen.

Sie werden sich in diesem Zusammenhang daran erinnern, daß ich meine ›Methode‹ bisher am ehesten im Sinne einer Gesprächstherapie aufgefaßt habe; aber mit dem Gespräch haben wir eigentlich erst die halbe Therapie, und im Grunde genommen hätte ich ebenso von der *Handlungs*-Therapie wie auch von gefühls-motivierten Handlungen sprechen sollen, die zukunftsorientiert sind. Wir müssen uns zunächst mit Wenigem zufrieden geben und nicht sogleich langfristige Ziele anpeilen. Dieser junge Mann erwähnte beispielsweise, daß er gerne singen würde, aber er fühlte sich seiner Stimme unsicher. Da sagte ich: ›Schauen Sie, ich bin zwar kein Konzertpianist, aber ich kann mich ans Klavier setzen und eine Melodie daherklimpern, nächstes Mal wollen wir also einmal Ihre Stimme testen.‹ Und so kommt etwas ins Rollen. Ganz allmählich kann sich durch unsere Hilfe vielleicht Selbstvertrauen und ein neues Selbstgefühl entwickeln, wenn wir stets improvisieren und den richtigen Ton treffen. Ist Ihre Frage damit beantwortet, Marcus?«

»Gewiß ahne ich, was Sie sagen wollen, Hans, und vielleicht sollte ich damit auch zufrieden sein. Aber wie Sie ja inzwischen wissen werden, bin ich ein unverbesserlicher Analytiker und möchte immer noch weitere ›Überfälle auf das Unausgesprochene‹ machen, wie T.S. Eliot es nennt, ich möchte den beinahe undefinierbaren Dingen des Lebens einen immer adäquateren und genaueren Ausdruck verleihen. Während Sie vorhin sprachen, kam ich darauf, daß man die sich durchdringenden Prozesse auch anders bezeichnen könnte. In Ihrem Ausdruck ›etwas kommt ins Rollen‹ liegt eigentlich schon das Wesentliche. Denn sind wir nicht gezwungen, die Analyse der Vorgänge zwischen Berater und Ratsuchendem bis auf die schlichte Tatsache zurückzuführen, daß sie überhaupt zusammen sind, insofern sich schon allein in dieser Tatsache das Bedürfnis ausdrückt, ins ›Rollen‹ zu kommen? Zeigt nicht schon, daß sie überhaupt zusammenkommen, daß sie bereits in Bewegung sind? Das ›Arbeitsbündnis‹, die Tatsache, daß beide etwas wollen – auch wenn sie vielleicht noch nicht genau wissen, was –, macht es möglich, daß schon das ›bloße‹ Verstehen zumindest die Entfernung eines den freien Fluß der Lebensenergie störenden Hindernisses bewirken kann, was sich natürlich auch auf die Gefühlssphäre auswirkt. Um Ihr ausgezeichnetes Bild aufzugreifen: das Problem ist nicht der Fluß, sondern die Blockade durch das Schleusentor. Das Problem ist nicht die Libido in ihrer etymologischen Bedeutung des Gernhabens, Liebens, des Geneigtseins und Angezogenwerdens, sondern was diesem allem entgegensteht. Sobald also die Blockade entfernt ist, kann das Potential wiederum in Fluß kommen. Deshalb müssen wir vielleicht das Bild des hinter dem Schleusentor aufgestauten Wassers durch das Bild zweier Reisender ergänzen, vielleicht zweier Bergsteiger, die Hindernisse überwinden, so daß sich ihnen nicht die Frage stellt – *vorausgesetzt sie sind in Bewegung* –, ob, sondern wie sie sich bewegen sollen. Oder, um zu einem vielleicht noch einfacheren Vergleich zu greifen: der Wunsch gutmeinender Eltern, dem Kind beim Gehen zu helfen, setzt voraus, daß das Kind die Fähigkeit und auch den Wunsch hat, selbst weitere Gehversuche zu machen. Ist nicht das fortwährende Vorhandensein gerade dieses Bemühens oder dieser Zuwendung, was den ›affektiven Rahmen‹ bildet, von dem Sandler, Dare und Holder sprechen und von dem sie behaupten, daß er in jeder Therapie gebildet werden müsse? Und innerhalb dieses Rahmens, so sagen sie, könne nun alles, was zwischen dem Berater und dem Ratsuchenden geschieht, zu Bewegung und damit zu Veränderung führen. Um es auf eine mehr philosophische Weise auszudrücken: wo bereits Bewegung ist, da wird aus einem ›ist‹ in Wirklichkeit ein ›sollte‹ – im strengen Sinne des sich einer Pflicht Verbunden-Fühlens.«

»Diese Sichtweise der Dinge stimmt mit meiner eigenen Auffassung vollkommen überein, Marcus. Aber einmal mehr haben Sie die Frage in einen weiteren, beinahe metaphysischen Zusammenhang gestellt, was, wie Sie ja gut wissen, nicht unbedingt meine Sache ist.«

»Durch Schmeicheleien erreichen Sie nichts, Hans! Doch Scherz beiseite: Ihre willige Hinnahme meiner Fragen ermutigt mich dazu, Ihnen noch eine weitere darzulegen! Bis jetzt sind wir darin übereingekommen, daß wir nicht nur den Zukunftsdrang, sondern auch jedes Hindernis aus der Vergangenheit berücksichtigen müssen; dann haben wir die Frage etwas näher beleuchtet, was es eigentlich bedeutet, das ›ungelebte Leben‹ in Angriff zu nehmen, um den stockenden Lebensfluß wieder zum Weiterfließen zu bringen. Nun würde ich gerne versuchen, eine einheitliche Darstellungsweise zu finden, die beiden Dimensionen gerecht würde und ganz besonders der Art und Weise, wie sie sich im lebendigen und sich fortwährend umgestaltenden Therapieprozeß gegenseitig durchdringen.«

»Nun, mein Beitrag dazu kann nur darin bestehen, daß ich Ihnen schildere, wie ich selbst mit diesen Dingen umgehe. Für meine Auffassung haben wir es hier eindeutig mit zwei Elementen zu tun: zum einen haben wir den fundamentalen Zukunftsdrang, andererseits haben wir es aber auch mit verschiedenen Hemmungen zu tun, die das, was ich ›ungelebtes Leben‹ nenne, bilden. Nun berücksichtige ich zwar beides, aber ich betrachte die Vergangenheit – die Hemmungen oder das ›ungelebte Leben‹ – *im Lichte der Zukunft.* Um nochmals auf die 42-jährige Frau zu sprechen zu kommen, von der ich erzählt habe: es handelte sich nicht einfach darum, daß sie tat, was sie früher hätte tun sollen; es handelte sich darum, daß sie sich des Unerfüllten bewußt wurde, das in solcher Art mit ihrem eigenen Wesen verknüpft war, so daß sich aus diesem Bewußtwerden ein Weg in die Zukunft ergeben würde. In einem anderen Fall wäre es vielleicht darum gegangen, eine Liebesaffaire nachzuholen. Das kann vielleicht einmal notwendig sein, aber es kann auch gefährlich, ja sogar fatal sein. Aber wenn bereits ein Zukunftsdrang vorhanden ist, werden die Ego-Kräfte mehr oder weniger unter Kontrolle sein. Es hängt alles davon ab, ob das entsprechende Erlebnis in positiver und aktiver Weise durchlebt wird. *Jedes Nachholen einer Erfahrung – sei es auf erzieherischem, kulturellem oder sexuellem Gebiet –, die sich als notwendig erweist, muß meiner Ansicht nach in vollem Bewußtsein des Lebens als einer Totalität erfolgen.*«

»Sie meinen, innerhalb einer Zukunftsperspektive?«

»Ja, Marcus, innerhalb einer Perspektive, die das gesamte Leben umfaßt.«

»Sie meinen also, daß es zwar nützlich und notwendig sein kann, intellektuell in einem Therapieprozeß zwischen einzelnen, aufeinanderfolgenden Phasen zu unterscheiden, daß aber in der Wirklichkeit das Potential einer Selbstorientierung auf die Zukunft hin von allem Anfang an vorhanden ist, obwohl dieses Potential während einer gewissen Zeitspanne vielleicht nur in fragmentarischer oder sporadischer Form zum Vorschein kommt. Die Antwort auf meine Frage lautet daher, daß die beiden Phasen eher verschiedene Grade des Hervortretens oder der Manifestation dieses Potentials darstellen, als daß sie vollkommen unabhängig voneinander bestehen. Deshalb muß sich der Berater dieser Tatsache von Anfang an bewußt sein. Und in dem Maße, in dem er sich dieses Potentials tatsächlich bewußt ist, auch während er sich mit vordergründigeren Konflikten, Hemmungen und Nöten befaßt, wird er mit diesen Dingen so umgehen, daß die zukunftsgerichteten Kräfte aufgerufen werden, und dadurch wird er jeder Regung auf die Zukunft hin seine Unterstützung geben.«

»Ich kann Ihre ganzheitliche Auffassung von der gegenseitigen Durchdringung der in die Zukunft und in die Vergangenheit gerichteten Bewegungen voll und ganz akzeptieren. Wir können uns ja mit der Vergangenheit und ihren Schmerzen nur konfrontieren, wenn wir auch auf etwas Zukünftiges hinblicken können. Dies möchte ich mit drei Lieblingszitaten von mir belegen.

Sie haben vielleicht schon von Dr. Friedrich Rittelmeyer gehört, der Mitbegründer der ›Christengemeinschaft‹ war? Wie dem auch sei, in seiner letzten Predigt machte er den Ausspruch:

›Ein Ich ist uns anvertraut, ein hoch herrliches Gut.‹

Ein Ich ist uns anvertraut worden, etwas, das wir hüten, pflegen, entwickeln müssen, ein Pfand einer großen Zukunft.

Das zweite Zitat stammt von dem bereits erwähnten Dichter Christian Morgenstern:

›Es soll des Menschen Bildnis wachsen,
Und alles andere gilt mir nichts...‹

Das letzte Zitat werden Sie kennen; es stammt aus dem Brief des Paulus an die Kolosser (I, 25-27):

›...sein Leib ist die große Gemeinde, deren Diener ich geworden bin. So entspricht es dem Heilsplane Gottes, in den ich einbezogen worden bin, damit ich das göttliche Weltenwort wesenhaft in eurer Mitte trüge; das Mysterium, das seit Äonen und Geschlechtern verborgen gewesen ist – jetzt ist es seinen Heiligen geoffenbart. Jetzt ist es der Wille Gottes, daß diese erkennen, welch unermeßliche Fülle von offenbarendem Licht für alle Völker in diesem Mysterium ruht: Das ist ‚der Christus in euch', das Hoffnungsunterpfand aller künftigen Offenbarung.‹

So lebt für mich in jedem Menschen eine Entwicklungserwartung, ein Instinkt und eine Hoffnung, ein zielgerichtetes Drängen, und das hält die Zerfallskräfte zusammen. Dadurch ist das menschliche Dasein auf die Verwirklichung seines Endzieles, die Vollkommenheit, ausgerichtet. Goethe nannte es ›Entelechie‹, vom griechischen Wort telos, Ziel: etwas, das sein Ziel in sich trägt. Das Wesentliche dabei ist, daß die innere Richtung dieser Dynamik über die Begrenzungen des eigenen Wesens hinausreicht. Das Wesen des Zukunftsdranges ist auf das höhere Selbst, den Christus in uns, gerichtet.

Ich glaube, der Mensch möchte in seinem höheren Selbst unbewußt oder überbewußt am fortschreitenden Evolutionsprozeß des ganzen Weltalls teilnehmen. Wenn also einmal der Prozeß der Befreiung von Konflikten, Irrtümern, Illusionen im Gange ist, dann wird sich ein Mensch in seinem höheren Selbst dessen bewußt, daß seine Person am Schicksal der ganzen Erde teilnimmt. Auch glaube ich, daß dies nicht bloß eine spekulative, sondern eine außerordentlich praktische Angelegenheit ist, insofern diese Dinge heute in den Anfängen liegen, in der Zukunft aber immer stärker in das Leben von mehr und mehr Menschen eingreifen werden.

Darin liegt also die wesentliche Substanz unserer Frage. Aber diese Substanz kann auf verschiedenste Art in Erscheinung treten. Darf ich auf ein paar Möglichkeiten hinweisen, wie diese dynamische Zukunftserwartung wirksam werden kann?«

»Unbedingt, Hans. Jetzt, wo ich Ihre Hauptidee begriffen habe, möchte ich sehr gerne erfahren, wie sie in Erscheinung tritt.«

»Gut. Auch diesmal möchte ich meine Darstellung damit beginnen, daß ich – was zunächst vielleicht weit hergeholt erscheinen mag – etwas aus dem Bereich meiner eigenen persönlichen Psychologie herausgreife.

Sie wissen, daß ich mich stark für Arthur Schnitzler interessiere. Immer wenn ich ›heimkehren‹ will, lese ich Schnitzler. Das wird Sie vielleicht überraschen, da er aufgrund seiner Autobiographie *Jugend in Wien* im allgemeinen im Rufe steht, ein alter Erotiker – die Engländer werden wohl sagen, ›a dirty old man‹ – zu sein. Nun hatte er ganz gewiß eine Schwäche für das andere Geschlecht – stets schien ein Mädchen im Bett zu warten wie die Suppe auf dem Herd –, aber als Denker und Schriftsteller ging er darüber hinaus. Die führende akademische Schnitzler-Autorität, Martin Swailes, behauptet in dem Buch *Arthur Schnitzler*, daß Schnitzler vor allen Dingen Moralist ist. Bezeichnenderweise kommt er gerade im Kapitel über die Beziehung zwischen Schnitzler und Freud zu dieser Behauptung. Er beginnt mit der Feststellung, daß Freud Schnitzler ziemlich spät in seinem Leben geschrieben habe, er sei der Begegnung mit ihm aus einer gewissen ›Doppelgängerscheu‹ aus dem Wege gegangen. Swailes zeigt dann im weiteren sehr deutlich, daß für Schnitzler einem Menschen in einer Beziehung, vielleicht paradoxerweise, nur Treue und die mit ihr verbundene unausweichliche Selbstbeschränkung volle Befriedigung bringen könne und daß dieses Bestreben durch die Beleuchtung jener dunkleren Zone im Menschen, mit denen das Freudsche Unterfangen verbunden zu sein schien, unterminiert oder gar zerstört werden könnte. So bringt die *Traumnovelle* eine vollkommen erotische Orgie zur Darstellung, endet aber aber gleichwohl damit, daß die Hauptperson schließlich nach Hause zu seiner Frau und einer zielgerichteten, friedlichen und sinnvollen Lebens- und Familienstruktur zurückkehrt. Und so konnte für Schnitzler letztlich die Freiheit, die das Leben eines Menschen sinnvoll macht, nur darin bestehen, die ungeheuer mächtigen unbewußten Sexualimpulse zu überwinden. Swailes bringt das folgendermaßen zu Ausdruck:

›In den Freud- und Breuer-Studien gibt es einen ganz besonders interessanten Punkt. Im Falle des Fräulein Elisabeth von R. teilt Freud der Patientin seine Ansicht mit, daß der Grund ihrer Schmerzen und hysterischen Symptome in ihrer unterdrückten Liebe zu ihrem Schwiegerbruder liege. Sie gerät darüber in großen Zorn, und Freud versucht sie nun mit zwei Argumenten zu besänftigen: ‚Daß wir nicht für unsere Gefühle verantwortlich sind, und daß ihr Verhalten, die Tatsache, daß sie unter diesen Umständen krank geworden ist, ihren moralischen Charakter zur Genüge offenbare.‘ Freud weist hier auf zwei Problemkreise – individuelle Verantwortlichkeit und Moral –, die für Schnitzler ein dauerndes Dilemma darstellten und Grund unendlicher Reflexionen und Fragen waren. Von Freuds Gesichtspunkt aus betrachtet sind diese beiden Dinge keineswegs problematisch. *Für Schnitzler dagegen muß der Mensch in seinem Dasein als moralische Instanz an seinen freien Willen und an seine Verantwortung glauben, wenn sein Lebensgeschäft irgendwelchen Sinn und Wert besitzen soll.*‹[1]

Sie sehen, selbst bei einem Menschen, der sein impulsives Wesen derart ausgelebt hat, finden wir die Bejahung der Möglichkeit und der Notwendigkeit, über unsere impulsiven Triebe hinauszukommen und nach etwas Höherem zu streben, indem wir den innersten Kern unserer Freiheit ergreifen.

Nun war es vielleicht Schnitzlers persönliche Tragödie, daß er die Erkenntnisse, die er als Dramatiker und Moralist hatte, nicht verwirklichen konnte, aber wir können sehen, wie seine intuitiven Einsichten von moralischen Prozessen in positiver Weise von anderen realisiert wurden. Es gibt zum Beispiel einige Bemerkungen von William James zu den Äußerungen des heiligen Johannes vom Kreuz und der Hl. Theresa, in seinem klassischen Werk *Varieties of Religious Experience*:

›Der hl. Johannes vom Kreuz, der von den *Intuitionen und Berührungen* schreibt, durch welche Gott die Substanz der Seele belehrte, sagt uns: ‚Sie bereichern die Seele unendlich. Eine einzige Berührung *kann genügen, um mit einem Schlage gewisse Unvollkommenheiten, die die Seele vergeblich ein Leben lang abzustreifen versuchte, zu entfernen, und um sie mit Tugenden zu begnaden und übernatürlichen Gaben zu beschenken ...*‘

Die hl. Theresa ist viel deutlicher und ausführlicher. Vielleicht erinnern Sie sich an die Stelle in ihren Schriften, die ich in meinem ersten Vortrag zitiert habe. In ihrer Autobiographie gibt es viele solcher Seiten. Wo findet man in der Literatur eine deutlichere und wahrhaftigere Darstellung der Bildung eines neuen spirituellen Energiezentrums als in ihrer Schilderung der Wirkungen bestimmter Ekstasen, welche nach ihrem Abklingen die Seele auf einer höheren Ebene emotionaler Gestimmtheit zurücklassen?

‚Während die Seele vor der Ekstase schwach und von schrecklichen Schmerzen geplagt ist, kann sie aus der Ekstase vollkommen gesund und mit bewunderswerter Disposition zum Handeln her-

[1] Martin Swailes, Arthur Schnitzler. London 1971, S. 125 f.

vorgehen... wie wenn Gott gewollt hätte, daß auch der Körper selbst, der schon den Wünschen der Seele gehorcht, am Glück der Seele teilhaben sollte... Ich selbst *habe das Gefühl, darin liege ein Heilmittel für alle unsere Krankheiten.*‘‹[1]

Dies steht meiner Auffassung nach auch mit *bestimmten biographischen Fragmenten* im Zusammenhang, die mich sehr beeindruckt haben.

Der Fall Goethe ist gut bekannt. Insgesamt arbeitete er etwa 60 Jahre an seinem *Faust*, doch die kreativste Phase hatte er am Ende seines Lebens, als er praktisch *nur* noch am *Faust* arbeitete, den Abschluß des zweiten Teiles sein *Hauptgeschäft* nannte, frühmorgens um fünf Uhr aufstand. Er vollendete das Werk, versiegelte das Manuskript, und einige Monate darauf starb er. Es ist in diesem Zusammenhang ganz besonders interessant, daß auch Thomas Mann, der ebenfalls in seinen 80er Jahren starb, in einem Zürcher Spital zu seiner Lieblingstochter sagte, als sie ihn besuchte: ›Hätte ich vor zehn Jahren nicht angefangen, den *Dr. Faustus* zu schreiben, so wäre ich damals gestorben.‹ Dann gibt es manche Fälle im Zusammenhang mit dem Krebs. Sie wissen wahrscheinlich, daß man Sir Laurence Olivier sagte, daß er Prostata-Krebs habe und nie mehr werde spielen können. Das machte ihn so zornig, daß er die Krankheit bekämpfte, indem er seine letzten Kräfte zusammenraffte, so daß er heute immer noch lebt. Einen solchen Lebenswillen hat die Krankheit bei ihm hervorbrechen lassen. Auch Sir Francis Chichester erfuhr, daß er Lungenkrebs habe und daß er mit seinem Tode rechnen müsse. Man sagt, er sei buchstäblich auf sein Schiff gekrochen. Aber das Unglaubliche geschah. Indem er sich ins Abenteuer stürzte und den Erdball in seinem Boot erfolgreich umschiffte, mit nur einer Hand, kehrte er nach wenigen Monaten mehr oder weniger wiederhergestellt zurück. Er machte die Reise noch ein zweites Mal, und als er zurückkehrte, lag er im Sterben und konnte die Fahrt nicht zuende führen. Dann erzählte kürzlich eine Frau vor dem Fernsehen, daß man ihr mitgeteilt habe, sie leide an Krebs und habe höchstens noch sechs Monate zu leben. Da begann sie 2 Millionen Pfund für einen Bildabtaster zur Entdeckung der frühen

---

[1] William James, Varieties of Religious Experience, New York 1953, S. 413ff.

Krebssymptome zu sammeln – und sie wurde gesund! Man fragte sie, wie sie das geschafft habe. Ihre Antwort war vorsichtig: ›Krebs ist nicht nur eine physische, sondern auch eine Gefühls-Angelegenheit, und vor allen Dingen ist es eine geistige Angelegenheit.‹

Verstehen Sie, was ich mit diesen Beispielen sagen will? Einfach gesagt: alle Orientierung auf die Zukunft, *die von einem Gefühl für die Zukunft und der Erfahrung der Freisetzung von heilenden Lebensenergien begleitet ist* – all das heißt, daß man etwas hat, weswegen man leben will.«

»Ich muß gestehen, daß ich diese ›autobiographischen Fragmente‹, wie Sie sie nennen, sehr beeindruckend finde, Hans; besonders aufschlußreich finde ich die kurzen Schilderungen aus dem Leben Krebskranker. Was mich beim Bristol-Experiment im Umgang mit Krebs, das über das Fernsehen ziemliches Aufsehen machte, am meisten beeindruckte, war die kleine Broschüre mit dem Titel: ›Eine Erziehung *zum Leben*‹. Die Menschen, von denen darin die Rede ist, kamen zur Einsicht: mit dieser, wenn nicht überhaupt mit allen Krankheiten fertig zu werden, ist eine Frage der Umwertung des ganzen Lebens. Aus diesem Grunde bin ich davon überzeugt, daß ein mir befreundeter Arzt ganz richtig handelt, wenn er in London ein Versuchsprojekt auf die Beine stellt, das mit drei verschiedenen Gruppen von Menschen arbeitet: einmal mit jenen, die sich nur einer konventionellen Krebstherapie unterziehen, dann mit Menschen, die sich außerdem noch beraten lassen, und schließlich mit Menschen, die auch noch die Gelegenheit haben, meditative und vorstellungsmäßige Übungen zu machen. Dieses Experiment ist Ausdruck der Erkenntnis, daß unser Dasein nicht nur eine physische, sondern auch eine emotionale sowie eine spirituelle Dimension einschließt. Und das wäre wiederum im Einklang mit Ihrer Aussage, daß der Zukunftsdrang im wesentlichen auf ein ›höheres Selbst‹ gerichtet sei?«

»Ganz genau, Marcus. Aber es ist hier noch mehr im Spiel. Der Schlüssel zu dem, was ich im folgenden sagen werde, ist in einem kleinen Pamphlet von einem gewissen Reverend Roy McVicar mit dem Titel *Healing trough Meditation* zu finden. Er sagt auf S. 4: ›Das Bedürfnis nach einem zweckgerichteten Leben, das einem ermöglicht, persönliche Erfüllung zu finden, ist von wesentlicher Bedeutung für die Gesundheit, denn der Mensch ist ein integrierender

Bestandteil des ganzen Evolutionsprozesses, der sich durch ihn auf seine Erfüllung zubewegt. Das bedeutet, daß der tiefe innere Zweck des Lebens diese Vorwärtsbewegung ist.‹ Sie sehen, bis jetzt haben wir die Sache so aufgefaßt, als ob dieser Zukunftsdrang nur eine Angelegenheit wäre, die sich innerhalb des Menschen selbst abspielt, während McVicar darauf hinweist, daß dieser Prozeß innerhalb des Menschen als Teil des kosmischen Prozesses aufgefaßt werden muß. Ich glaube, darin liegt auch die eigentliche Bedeutung sogenannter ›spontaner mystischer Erfahrungen‹ und der ›Bewußtseins-Explosion‹. Derartige Erfahrungen werden zum Beispiel in den Büchern *The Watcher on the Hill* und *Imprisoned Splendour* von Raynor C. Johnson beschrieben. In den ›spontanen mystischen Erfahrungen‹, wie sie Raynor C. Johnson beschreibt, erlebt ein Mensch für Augenblicke den Glanz seines höheren Wesens, wenn er aus dem Gefängnis seines irdischen Leibes befreit ist, und es wird ihm in überwältigender Weise die Größe des Kosmos bewußt. Was sich in mehr und mehr Menschen einen Durchbruch zu verschaffen scheint, ist also das Bewußtsein einer Verantwortlichkeit gegenüber der ganzen Erde. Es ist, als ob eine tiefe innere Verwandlung ihres Wesens in geheimnisvoller Weise dem gesamten materiellen Leben der Erde mitgeteilt werden müßte. Wieder möchte ich Ihnen einen ganz bestimmten Ausdruck dieses neuen Bewußtseins aus der Feder eines gewissen Hans-Jürgen Baden anführen; das Zitat findet sich in seinem Buch mit dem Titel *Wissende, Verschwiegene, Eingeweihte*:

›Die Verwandlung der Materie in edlere Stoffe, vor allem in Gold, gewinnt jetzt gleichnishafte Bedeutung.

Auch in der Erlösung handelt es sich ja darum, daß der Mensch erneuert, daß aus der alten die neue Kreatur hervorgehe, die das göttliche Siegel trägt. Liegt es nicht nahe, daß diese Umwandlung auch auf den Kosmos übergreift, der sich nunmehr durchlichtet und vergeistigt? Der Neue Himmel und die Neue Erde, in den Schriften des Neuen Testaments prophezeit, von den Gläubigern ersehnt; was besagt die Bilderrede anderes als dies, daß das Mysterium vom Menschen auf die Welt übergreift und das All einbezieht? Desgleichen macht das Geheimnis vor der Tiefe der Materie nicht halt; auch die Materie sehnt sich danach, ihren schweren stofflichen Charakter abzuwerfen und sich in ein leuchtendes, ätherisches Medium zu verwandeln. Der Alchemist betreibt im Experiment die Erhöhung der Materie; diese wird durchsichtig, luzid und gewinnt, als Gold, einen letzten Wert. Die Erlösung beschränkt sich also nicht nur auf den menschlichen Bereich. Auch in den Laboratorien der Alchemisten soll dem Stoff jene Leichtigkeit, Vergeistigung zuteil werden, auf die er ein Anrecht besitzt. Der Stoff drängt über sich hinaus, ins Nicht-mehr-Stoffliche, er gewinnt den Glanz des Lichts, die Gewichtslosigkeit der Winde.

Aus diesen Stoffen, goldenen, kristallenen, ätherischen, auferbaut sich die apokalyptische Stadt, die von den Visionären geschaut wird. Ihre Materialien sind von einer himmlischen Transparenz. Der Dualismus von Geist und Materie, in vielen theologisch-philosophischen Systemen fixiert, wird aufgehoben. Der Geist dringt immer weiter in die Materie, in die Stofflichkeit ein – und diese wartet im Grunde darauf, sich von ihm erobern, durchlichten zu lassen.‹[1]«

»Wenn ich Sie nochmals unterbrechen darf, Hans: ich finde diese Auffassung der Dinge ebenso aufregend wie Sie. Einerseits rufen mir Ihre Ausführungen eine antike Vorstellung ins Bewußtsein, die in der chinesischen Kultur unter dem Ausdruck Tao bekannt war, bei den Hindus Rta genannt wurde, in der abendländischen Kultur das Naturgesetz genannt wird und die in Wordsworth's Zeilen, die er über Tintern Abbey geschrieben hat, einen so wunderbaren Ausdruck gefunden hat:

›Und ich fühlte
eine Anwesenheit, die mich mit der Freude
gehobener Gedanken erregt; ein sublimes Gefühl
von etwas weit tiefer Durchdrungenem,
das im Licht der Abendsonnen seinen Wohnsitz hat
und im runden Meer und der lebendigen Luft
und im blauen Himmel und im menschlichen Geist:
eine Bewegung und ein geistiges Wesen, das alle
denkenden Dinge bewegt, alle Objekte der Gedanken,
und durch alle Dinge rollt.‹

---

[1] Hans-Jürgen Baden, Institution und Innerlichkeit in: ders., Wissende, Verschwiegene, Eingeweihhte. München 1981, S. 100f.

Gleichzeitig bekommen diese uralten Vorstellungen durch das, was Sie sagen, die zeitgenössische Färbung des Gefühls für Evolution, für Ökologie, für globale wechselseitige Abhängigkeit und Solidarität und für die Erfüllung des menschlichen Schicksals auf der Erde.«

»Ja, Marcus, und vielleicht können Sie nun besser verstehen, wie ich dazu gekommen bin – und ich hoffe, es ist keine zu großspurige Bezeichnung –, von der Eschatologie der Beratungstätigkeit zu sprechen – einem Bewußtsein davon, daß der Mensch zu einer Verantwortlichkeit für das ›Schicksal der Erde‹ erwachen kann und muß, wie der Titel des kürzlich erschienen Bestsellers von Jonathan Schell lautet.«

»Könnte man also sagen, die Beratungstätigkeit kann heutzutage gleichsam auch eine Initiation in die Vorwärtsbewegung und das Schicksal der ganzen Erde beinhalten, eine Initiation in den kreativen Prozeß des Kosmos – so wie wir das schon letztes Mal festzustellen begannen, heute aber noch deutlicher zum Ausdruck brachten?«

»Ja, so sehe ich das auch, Marcus.«

»Da wir uns nun über diesen Punkt geeinigt haben, könnten wir vielleicht noch einen weiteren Aspekt der Sache berühren?

Wie Sie, und zwar zu Recht, betont haben, verlangt all dies harte und unablässige Anstrengung, ja schon allein das Öffnen des Schleusentores, wie Sie das nennen, oder die Beseitigung von Hindernissen erfordert Anstrengung. Gleichzeitig führt diese Anstrengung zu einer Einordnung, Integration oder Unterordnung des individuellen Ego in etwas Größeres als das Ego, etwas, was Esther Harding als ›überpersönlichen Wert‹ bezeichnet, was die Menschen in traditioneller Weise ›Gott‹ genannt haben. Es ist, wie wenn die innerste Wahrheit des Menschen darin besteht, daß er sich öffnet für etwas, das umfassender ist als er selbst und von dem er abhängt; wie wenn das wirkliche Ziel seiner Selbstverwirklichung seine Selbst-Überwindung und Selbst-Verwandlung wäre, wie Victor Frankl in einem Essay mit dem Titel ›Beyond Self-actualisation and Self-expression‹ prägnant charakterisiert hat. Wir scheinen in dem, was Sie das höhere Selbst genannt haben, mit dem ›Anderen‹ verbunden zu sein. Wieder kommen wir zur Wahrheit auf dem Grunde der Quelle, zum eigentlichen Urquell des Individuums. Aber das bedeutet ganz gewiß auch, daß das, was bisher lediglich als harte Anstrengung, *Tapas*, Energie erlebt wurde, immer mehr als Hingabe an diese größere Kraft oder Macht oder Person erlebt wird – das Leben oder die Liebe oder die Wahrheit selbst. In dieser Hinsicht ist man deshalb auch passiv. Das wird von Thomas Merton einmal in wunderschöner Weise dargestellt:

›Im Kern unseres Wesens befindet sich ein Punkt des Nichts, der ganz unberührt ist von Sünde und Illusion, ein Punkt der reinen Wahrheit, ein Punkt oder ein Funke, der ganz Gott angehört, ein Punkt, über den wir keine Verfügungsmacht haben, von dem aus vielmehr Gott über unser Leben verfügt, ein Punkt, der für die Phantasien unseres eigenen Bewußtseins oder die Brutalität unseres Willens völlig unzugänglich ist. Dieser kleine Punkt des Nichts und der *absoluten Armut* ist die reine Herrlichkeit Gottes in uns. Es ist sozusagen sein uns eingeschriebener Name – als unsere Armut, als unsere Bedürftigkeit, als unsere Abhängigkeit, als unsere Sohnschaft. Er funkelt wie ein reiner Diamant im unsichtbaren himmlischen Licht. Dieser Punkt befindet sich in jedem Menschen.... Das Tor zum Himmel ist überall.‹[1]«

»Doch dieses Element der Selbst-Hingabe – welches man vermutlich als Empfang der Gnade bezeichnen würde – hat eine streng disziplinierte Anstrengung zur Voraussetzung, die Anstrengung, sich selbst zum Gefäß zu machen, das die Gnade empfangen kann; so daß die Anstrengung des Selbst also der erste Schritt ist. Können Sie dem zustimmen, Marcus?«

»Ich würde das etwas anders ausdrücken. Es ist schwierig, darüber zu sprechen. Ich würde nicht sagen, auf einer bestimmten Stufe hätten wir es auf seiten des Ich mit reiner, uneingeschränkter Anstrengung zu tun, auf welche dann erst die Gnade folgte. Ich glaube, die Gnade – Gott – ist im Leben des einzelnen und aller Menschen dauernd wirksam. Wir müssen also versuchen, in dem, was sich da eigentlich abspielt, beiden Elementen gerecht zu werden, der Anstrengung und der Gnade, der Aktivität und der Passivität, die beide fortwährend vorhanden sind. Ich würde deshalb eher von verschiedenen Phasen innerhalb der subjektiven Erfah-

---

[1] Thomas Merton, Conjectures of a Guilty Bystander. New York 1968, S. 158f

rung sprechen. Für mich ist Gott in uns wirksam, und in dieser Hinsicht befinden wir uns dauernd in einem passiven Zustand, obwohl wir in den Anfangsphasen mehr unseren aktiven Anteil erleben und erst in den späteren Phasen cin deutlicheres Gefühl für die Passivität erlangen, welche aber dennoch die ganze Zeit schon vorhanden gewesen ist. Jede Beschreibung, die in Form der Begriffe Anstrengung und Gnade, Aktivität und Passivität erfolgt, ist eine Beschreibung des Aufeinanderfolgens erst des einen, dann des anderen Elementes in uns selbst, von unserem eigenen persönlichen Gesichtspunkt aus betrachtet. So ungefähr sehe ich das. Können Sie dem zustimmen?«

»Das kann ich, und doch müssen wir auch die Tatsache berücksichtigen, daß wir uns zum Beispiel betrinken oder in eine Verblendung der Leidenschaft verwickeln können, welche uns schadet oder uns beinahe zerstört, so daß Gott es schwer haben wird, die ganze Zeit in uns wirksam zu sein. In dieser Hinsicht käme eben doch diese grundlegende Selbstdisziplin, die Beherrschung des Lebens, in Betracht.«

»Dem muß ich beipflichten. Und doch – mit den Tatsachen bin ich zwar völlig einverstanden, nicht aber mit der Beschreibung der Tatsachen. Ich versuche einfach, der Existenz und der Wirksamkeit Gottes wie auch unserer eigenen Anstrengung gerecht zu werden, um dadurch die Beziehung zwischen diesen beiden Elementen genau bestimmen zu können. Ich würde immer noch behaupten, unser Arbeiten sei, wenn es hinlänglich beschrieben werden soll, ein Mit-Arbeiten mit Gott; eine Disziplin, die wir entwickeln können, sei gerade die Disziplinierung des fortschreitenden Kongruent-Werdens mit Gott, so daß eigentlich jede Aktivität auf unserer Seite im Verhältnis zu seiner Initiative passiv ist. Aber ich möchte auch feststellen, daß der Grad der Wirksamkeit Gottes in uns davon abhängt, wie weit wir selbst diese Wirksamkeit zulassen, so daß unsere Anstrengung paradoxerweise das Maß unseres Passivwerdens gegenüber Gott ist.«

»Damit stimme ich völlig überein, Marcus.«

»Gut. Können wir nun vielleicht noch einen weiteren Schritt machen, Hans? Selbst wenn wir zugeben, daß die harte Anstrengung, uns auf die Zukunft zuzubewegen, nichts anderes ist als eine Angelegenheit der hingebungsvollen Selbstintegration in die im gegenwärtigen Moment aktualisierte Zukunftskraft, müssen wir erkennen, daß diese Integration immer nur stückweise erfolgen und unterbrochen werden kann, zumindest durch den Eintritt des individuellen Todes. Aber findet hier nicht, sagen wir, die Hindu-Vorstellung des *jivan-mukti*, der Emanzipation, die mitten im Leben erfolgt, wie es M. Hiriyanna ausdrückt, oder die christliche Vorstellung von der Gnade als dem Keim der göttlichen Herrlichkeit eine Ergänzung in der jüdisch-christlichen Erkenntnis von der Auferstehung des Leibes: das neue Leben der Zukunft wird jetzt inauguriert und vorweggenommen, aber in solcher Weise, daß es einst jenseits aller Unterbrechungen wieder aufgenommen und vollendet wird?«

»Damit bin ich völlig einverstanden, Marcus. Für mich kann sich seit dem Christus-Ereignis eine Durchchristung der Persönlichkeit vollziehen; sie besteht in dem Hereinfließen übersinnlichen Lebens, übersinnlichen Lichtes und übersinnlicher Liebe, und dadurch wird die Persönlichkeit über beinahe unbemerkbare Stufen allmählich verwandelt, und solche gelegentlich auftretende Phänomene wie Schwerelosigkeit, der Duft der Heiligkeit, die Unzerstörbarkeit des Leibes weisen auf die schließliche Auferstehung des Leibes hin. Und damit sind wir auf unserem Wege zur Vorstellung des Johannes vom ›Neuen Himmel und der Neuen Erde‹ zurückgekehrt.

Doch mit alldem haben wir uns in ziemlich erhabene Regionen hineinbewegt. Und vielleicht sind wir auch im Begriff, uns dabei zu übernehmen. Ich möchte nun deshalb wieder zur Erde zurückkehren. Eine Zusammenfassung von vielem, was ich heute ausgeführt habe, finden wir in etwas uns viel Näherliegendem und Vertrauterem, jedenfalls gilt das für mich, denn das Zitat, das ich Ihnen gerne anführen möchte, ist der Welt der Musik entnommen, die bei mir eine so große Rolle spielt. Es gibt ein kleines Buch über Mozarts *Zauberflöte* von Alfons Rosenberg, und in diesem Buch zitiert der Autor erst Ludwig Börnes Worte über Mozart, um dann seinen eigenen Kommentar anzufügen: ›... Mozarts Musik strahlt jedem, wie ein Spiegel, seine eigene und gegenwärtige Empfindung zurück, nur mit edleren Zügen; es erkennt jeder in ihr die Poesie seines Daseins.‹ Oder mit andern Worten: In Mozarts Musik erkannte sich damals, erkennt sich fortan allezeit der Mensch im Zustand seiner wahren, von äußeren Umständen nicht befleckten Bestimmung, erkennt sich der sinnliche Mensch als der ›göttliche Mensch‹, der zu werden er von seinem Schöpfer berufen ist.«[1]

Hier haben wir eine In-nuce-Darstellung der Freisetzung des Zukunftsdranges innerhalb der Beratungstätigkeit.«

---

[1] Alfons Rosenberg, Die Zauberflöte. München 1972, S. 8

Drittes Gespräch: Persönlichkeit und Macht

Geh, befrei sie.
Ich will den Zauber sprechen, ihre Sinne
Herstellen, und sie sollen nun sie selbst
sein...
Es löst sich die Bezaubrung unverweilt,
Und wie die Nacht der Morgen über-
schleicht,
Das Dunkel schmelzend, fangen ihre Sin-
nen,
Erwachend, an, den blöden Dunst zu
scheuchen,
Der noch die hellere Vernunft umhüllt...
Shakespeare, *Der Sturm*, Akt V, Szene 1

»Ich möchte eine Frage aufgreifen, Hans, die in manchen unserer früheren Gespräche berührt worden ist. Sie haben des öfteren gesagt, daß die Persönlichkeit des Beraters in der Entwicklung des Ratsuchenden eine sehr wichtige Rolle spielt. Es zeigt sich in der Therapie wie im Leben, daß ein Mensch auf einen anderen tatsächlich einen enormen Einfluß ausüben kann. Aber es stellt sich auch die Frage, ob der Berater auf den Ratsuchenden nicht auch einen unzulässigen Einfluß ausüben kann, ob er dem anderen seine Persönlichkeit in mehr oder weniger grober Weise aufdrängt, ihn manipuliert, ob er den anderen Menschen vergewaltigt – und das ist im Grunde eine ethische Frage. Deshalb haben wir es hier eigentlich mit zwei Fragen zu tun: Übt der Berater Macht aus? Und falls ja, wie soll er diese Macht im Interesse des Ratsuchenden und nicht dagegen ausüben?

Nun würde ich zunächst gerne die erste Frage besprechen: Übt der Ratgeber Macht aus?«

»Das tut er zweifellos, Marcus. Das liegt schon darin begründet, daß die ganze Persönlichkeit des Beraters, das, was er ist, ganz abgesehen von allem, was er sagt oder tut, bereits von entscheidender Bedeutung für den Ratsuchenden sein kann. Was wir und andere Leute bezüglich des Zuhörens, des Erschließens und Führens, des Wege-Ebnens, Ermutigens und Klärens miteinander besprechen, betrifft den Berater *in Aktion*; doch immer mehr ist mir im Laufe der Zeit bewußt geworden, daß sich zwischen Menschen etwas abspielen kann, noch bevor überhaupt eine Geste gemacht oder ein Wort ausgesprochen wird. Wir haben uns schon früher über das Geheimnis des Gesprächs unterhalten; ich denke, jetzt müssen wir auch noch etwas in Betracht ziehen, das wir bisher unberücksichtigt gelassen haben, nämlich das Geheimnis der *Begegnung* – das bloße Zusammentreffen, dasjenige, was sich zwischen zwei Wesen, zwei Entelechien abspielt, die miteinander in Kontakt treten und zu kommunizieren beginnen. Das ist ein geheimnisvolles Geschehen, in dessen Verlauf der Ratsuchende auf gewöhnliche Weise und auch auf beinahe übersinnliche Art gleichsam die eigentliche Persönlichkeit des Ratgebers wahrnimmt. Eine wunderbare und vielleicht archetypische Darstellung dieser Tatsache ist für mich in dem Buch von Anne Bancroft *Twentieth Century Mystics and Sages* gegeben; Anne Bancroft verbrachte ihre Kindheit im Quäkerdorf Jordans in Buckhinghamshire, bevor sie Mutter von fünf Kindern und schließlich Vortragende und Forscherin auf dem Gebiet der vergleichenden Religionswissenschaft wurde. Der Heilige oder Guru, der hier für uns in Betracht kommt, ist Ramani Maharshi, der 1950 gestorben ist. Das Buch enthält eine Fotografie von ihm, und es ist wichtig, daß man seine Augen sieht, denn im Geheimnis einer Begegnung vollzieht sich vieles durch das Sehen, durch Blicke, und nicht nur durch das, was geredet wird. Aus der ganzen Welt kamen die Menschen zu ihm, und er saß einfach da. Das folgende ist eine Beschreibung der typischen Szene des täglichen *Darshan* oder der Audienz. Sie stammt von einem buddhistischen Mönch, der den Ashram besuchte:

»Wenn wir ankamen, hatte der Maharshi im allgemeinen seinen Platz auf der Couch ganz hinten im Saal bereits eingenommen, und entweder pflegte er sich gegen ein Polster zu lehnen oder, was allerdings seltener war, er saß mit gekreuzten Beinen da. Manchmal kamen wir noch rechtzeitig genug an, um eine Gruppe von tamilischen Brahminen die Veden singen zu hören, womit der Morgen-Darshan jeweils begann... Nachdem der Gesang beendet war und die Brahminen den Saal der Reihe nach wieder verlassen hatten, schien nicht viel zu passieren. Der Maharshi saß auf seiner Couch. Von Zeit zu Zeit näherte sich ihm jemand mit einer Frage oder einer Bitte, erhielt eine kurze Antwort, manchmal nicht mehr als einen Blick oder eine Geste, und kehrte dann wieder zu seinem Platz zurück. Das war alles. Während der übrigen Zeit schauten die etwa sechzig oder siebzig Menschen im Saal einfach den Maharshi an – das ist ja die wörtliche Bedeutung von *darshan* – oder sie hielten die Augen geschlossen und meditierten. Sprechen war keineswegs untersagt, und gelegentlich wurden zwischen Neuankömmlingen und ihren Freunden in der Versammlung halblaute Grußworte gewechselt, aber während der meisten Zeit saßen die Verehrer ruhig und bewegungslos da, Stunde um Stunde, und es herrschte eine tiefe Stille im Saal. Man konnte nicht lange dasitzen, ohne zu merken, daß dieses Schweigen nicht einfach in der Abwesenheit von Lauten und Geräuschen bestand, sondern daß ein positiver spiritueller Einfluß von ihm ausging, ja sogar eine spirituelle Kraft. Es war, als ob dieses Schweigen von einem Fluß durchströmt würde, einem Strom der Reinheit, und dieses Strömen schien von der schweigend nikkenden Gestalt auf der Couch auszugehen, die nichts Besonderes tat, außer daß sie die ihr gebrachten Briefe las oder von Zeit zu Zeit mit wachen, aber freundlichen Augen ein Mitglied der Versammlung anblickte. Während ich so im Saal saß, fühlte ich, wie mich dieser Fluß überströmte, wie er meinen Leib und meinen Geist, meine Gedanken und meine Gefühle überströmte, bis Körper und Geist, Gedanken und Gefühle alle hinweggeschwemmt waren und nichts als ein großer strahlender Friede zurückblieb.‹[1]

Sie sehen: hier haben wir ein hervorragendes Beispiel dafür, was sich ohne alle Worte zwischen Menschen abspielen kann, und es illustriert, wie allein schon durch die Tatsache, daß man in die Nähe einer solchen Persönlichkeit und ihrer inneren Ruhe und Spontaneität kommt, heilende Wirkungen entstehen können. Ich muß in diesem Zusammenhang daran denken, wie Rudolf Steiner einmal

---

[1] Anne Bancroft, Twentieth Century Mystics and Sages, London 1976, S. 157

eine Frau mit einem behinderten Kind besuchte und ihr sagte: ›Es ist der Mensch, der heilt.‹ Diese heilende Kraft geht also nicht nur von dem aus, was der Berater sagt oder auch weiß, sondern in erster Linie von dem, was er *ist*, von der stillen Ausstrahlung seines Wesens und seiner Anwesenheit. Davon bin ich fest überzeugt, und natürlich erhöht das für mich auch die Bedeutung der ganzen Vorbereitungen. Ohne solche Vorbercitung läuft man Gefahr, in seinem gewöhnlichen Selbst zu bleiben; in der Vorbereitung versucht man nun, gerade über diesen Alltagszustand hinauszukommen, um offener und ruhiger zu werden.«

»Ich finde Ihre Unterscheidung zwischen dem Geheimnis des *Gesprächs* und dem Geheimnis der *Begegnung* sehr wichtig, Hans. Und das von Ihnen angeführte Beispiel ist sehr aufschlußreich. Ich bin genauso wie Sie davon überzeugt, daß das, was sich zwischen zwei Menschen abspielt, so subtil und reich sein kann, daß sich das gar nicht aussprechen oder analysieren läßt und wir es nur mit einem Ausdruck wie Geheimnis oder Alchemie benennen können. Gleichzeitig habe ich aber nun einmal die Neigung – mit der Sie bislang schon genügend bekannt sein werden, wenn sie Sie nicht bereits ärgert –, zu versuchen, was unaussprechbar ist, so genau wie möglich zum Ausdruck zu bringen; von dem, was Geheimnis bleibt, so viel wie möglich zur Sprache zu bringen. Während wir also die Grenzen des Sagbaren respektieren müssen, sollten wir uns doch immer bemühen, diese Grenzen weiter zurückzudrängen. Wir können und müssen von einem Geheimnis reden, und doch beharre ich auf meiner Frage, ob wir nicht etwas mehr über dieses Geheimnis sagen können.«

»Ich denke, das können wir schon. Ich möchte hier ein paar Dinge erzählen, die mir im Zusammenhang mit diesem Geheimnis der *Begegnung* ganz besonders charakteristisch erscheinen. Es handelt sich dabei um Tatsachen des ganz gewöhnlichen Alltagslebens, denn natürlich kann auch im Alltag eine Begegnung stattfinden, so daß die Form der Begegnung innerhalb einer Beratungs-Situation nur ein besonderes Beispiel eines sich im wesentlichen immer gleichbleibenden Geschehens ist. Es kommt vor, daß sich im Leben Menschen erblicken und plötzlich das Gefühl haben – zu Recht oder zu Unrecht, aber ziemlich oft eben zu Recht –, sich *gefunden* zu haben. Im Sich-Begegnen und im Sich-Anblicken liegt also das Geheimnis des Sich-Findens. Das möchte ich mit einigen Beispielen illustrieren.

Vielleicht wissen Sie, daß der Komponist Sir William Walton in seinen jüngeren Jahren viele Liebesaffairen hatte. Später ging er nach Ischia, um einen Vortrag zu halten. Der Saal war voll, und ganz am äußersten Rande des überfüllten Saales stand eine junge Frau, eine Argentinierin. Nach dem Vortrag wurde Sir William Walton gefragt, wie ihm denn die jungen Damen unter den Zuhörern gefallen hätten. Er sagte: ›Sehen Sie die junge Frau dort?‹ – er zeigte auf die Argentinierin – ›Ich werde sie heiraten.‹ Sie war ganz überrumpelt und dachte, er sei verrückt. Nach einigen wenigen Tagen hatte er sie davon überzeugt, daß es allen Grund zum Heiraten gebe. Die beiden heirateten tatsächlich und führten während dreißig Jahren eine sehr glückliche Ehe: das Mysterium des Sich-Anschauens und Sich-Findens.

Ein anderes, ganz ähnliches Beispiel: Der Dirigent Bruno Walter befand sich auf einem Schiff, erblickte ein Mädchen, das gar nicht besonders attraktiv war, und machte die Bemerkung: ›Das ist das Mädchen, das ich heiraten werde.‹

Und sehen Sie, auch der alte Hans Schauder stand, als er noch jung war, an einem gewissen Ort, an den er sich bis auf den heutigen Tag erinnert, und ein Mädchen, mit dem er zur Schule ging, erzählte ihm von einem anderen Mädchen namens Liesl. Er fühlte sich beim Nennen dieses Namens wie von etwas längst Bekanntem berührt und hatte das Gefühl, dies sei das Mädchen, auf das er gewartet hatte. Und so war es auch.«

»Sie hatten sie noch nie gesehen?«

»Nein. Ich sah sie erst später. Aber wie dem auch sei, eines der schönsten Beispiele einer solchen Begegnung, welche sich tief im Innern zweier Menschen vollzieht, während sie sich anschauen, ist für mich im Leben Alban Bergs zu finden – Sie wissen, ich meine den Berg der Wiener Schule, den Schüler von Schönberg, den Komponisten des *Wozzeck* und moderner atonaler Musik. Ich möchte Ihnen zwei Fotografien von Alban und Helene Berg zeigen, aber vorher will ich Ihnen erzählen, wie sie sich kennengelernt haben. Alban ist selbst im Deutschen ein ungewöhnlicher Name, aber das Schicksal wollte es, daß Helene als kleines Mädchen Märchen liebte, wie andere Kinder auch, und daß ihr ganz besonderes Lieblingsmärchen von einem Prinzen handelte, derAlban hieß. Später traf sie Alban Berg, die beiden sahen einander, blickten sich in die Augen – und heirateten bald. Und das sind die beiden Fotos, auf denen sie einander anblicken, nach ihrer Heirat. Ich denke, Sie werden zugeben, daß diese Bilder Hugo von Hofmannsthals Aussage bestätigen, die intimste Begegnung zweier Menschen sei nicht die sexuelle, sondern das Begegnen der beiden Blicke.

Meiner Auffassung nach haben wir es nun in solchen Fällen nicht einfach mit einem Sich-Anschauen, sondern auch mit einem Element des vorherbestimmten Sich-Findens zu tun, mit einer Art *karmischen* Gesetzmäßigkeit. Mit andern Worten, aus einem bestimmten Grunde, den man vielleicht analysieren könnte, ist eine Erwartung oder ein Vorherwissen vorhanden, das sich auf einen Menschen bezieht, nach dem man sich sehnt und den man zu finden hofft. Das kann eine Braut, ein Liebhaber oder auch ein Arzt sein. Die Leute sagen oft zu einem Arzt: ›Sie sind der Mensch, den ich schon lange gesucht habe.‹ Manchmal sagt jemand sogar: ›Ich habe das Gefühl, ich würde Sie schon lange kennen.‹ Wie ich schon sagte, das könnte man auf verschiedenste Art erklären, zum Beispiel vom Gesichtspunkt der Reinkarnation aus. Ich selbst kann nur feststellen, daß ich, nachdem ich Liesl kennengelernt hatte, einen der drei großen Träume meines Lebens hatte. Ich träumte, ich hätte 540 Jahre lang gewartet, um dann auf die Erde niederzusteigen, ihr zu begegnen und zur gleichen Zeit wie sie zu leben – und wir wuchsen nach unserer Geburt in der Tat in einem Umkreis von einer Meile diesseits beziehungsweise jenseits des Donau-Kanales auf. So liegt für mich ein Teil des Geheimnisses des Sich-Begegnens und Sich-Anschauens in einer tiefen Unterströmung des persönlichen Schicksals; im Gefühl, einen Menschen zu finden oder wiederzuerkennen, der zu einem gehört, der einem gesandt worden ist. Wenn ich ein Bild wie das von Alban Berg betrachte, bekomme ich das Gefühl, daß die beiden, natürlich ganz unbewußt, etwas erleben, das über die alltägliche Erfahrung, einem anderen Menschen zu begegnen, weit hinausgeht, und daß sie etwas wiedererkennen, was im Abgrund der Zeit geschlummert hat oder begraben lag und was sie nun entdecken – oder wiederentdecken.«

»Das sind wirklich bemerkenswerte Erzählungen, Hans. Sie haben sehr deutlich zum Ausdruck gebracht, was Sie unter der Macht und unter dem Einfluß verstehen, der innerhalb dessen, was Sie das Geheimnis der *Begegnung* nennen, ganz still von einem Menschen ausgehen kann. Ich nehme an, daß diese Tatsache für Sie nicht bloß das Ergebnis der unmittelbaren Vorbereitung auf eine bestimmte Beratungs-Sitzung ist, sondern der Vorbereitung und Disziplin innerhalb des ganzen Lebens zuzuschreiben ist. Aber gerade das konfrontiert uns auch wieder mit dem zweiten Problem, auf das ich zu Beginn hingewiesen habe, nämlich mit der Frage: Wie kann diese Macht ausgeübt werden, so daß dies zum Vorteil und nicht zum Nachteil des Ratsuchenden geschieht? Wie kann diese Macht nicht manipulierend, sondern befreiend wirken? Wie kann der Ratsuchende verhindern, einfach in den Kreis der Bewunderer und Anhänger des Beraters hineinzugeraten – beinahe in einen Zauberkreis –, denn ein Mensch mit einer starken Persönlichkeit kann einen anderen Menschen wie durch einen Zauberbann von sich hörig machen? Würden Sie sagen, ein Berater kann den Ratsuchenden wieder zu sich selbst führen, indem er sich in erster Linie der ›Übertragung‹ bedient, um einen Ausdruck aus der psychoanalytischen Praxis und Theorie zu verwenden?«

»Ja und nein, aber vielleicht könnten Sie erst noch etwas deutlich machen, was Sie unter ›Übertragung‹ eigentlich genau verstehen?«

»Nun, dieser Ausdruck wird im gleichnamigen Kapitel jener glänzenden Darstellung der Freudschen Tradition – im Buch *The Patient and the Analyst* von J. Sandler, C. Dare und A. Holder – sehr gut erklärt. Ich werde versuchen, in eigenen Worten zu erklären, was ich unter diesem Begriff verstehe. Ich verstehe unter ›Übertragung‹ die Verwirklichung der Tendenz, die in uns allen liegt, alles Neue im Lichte des Alten, die Gegenwart im Lichte der Vergangenheit zu sehen und zu erleben, also die Tendenz, das, was wir ganz frisch erfahren, an dasjenige anzugliedern, was wir schon erfahren haben, und infolgedessen auch die Menschen in der Gegenwart so zu betrachten, als wären sie Gestalten aus der Vergangenheit, ganz besonders sehr bedeutsame Gestalten, und so leben sich im Hier und Jetzt Liebe und Haß, Reaktionen, Überreaktionen und Abhängigkeiten aus. Nun ist das zwar eine allgemein-menschliche Neigung, aber besonders intensiv und systematisch kommt sie in intimen menschlichen Beziehungen zur Erscheinung, und damit auch in der Therapie-Beziehung. Wie intensiv diese allgemeine Neigung in der Liebe und in der Therapie wirksam ist, wird von Monica Furlong in ihrem Buch *Travelling In* ausgezeichnet dargestellt:

›Ein Mensch wird alle seine Beziehungen in eine Übertragung bringen.‹

Dies hat ein Analytiker über die analytische Situation geschrieben, aber es gilt ebenso auch für die Übertragung eines Menschen, der verliebt ist... Die Jahre, die von der Heuschrecke gefressen worden waren, sind wieder erstanden. Der Schmerz der alten Beziehung zu Vater und Mutter wird neu belebt, und wir werden wieder geboren, dank der Liebe und Weisheit der Liebenden. Eine zweifache Aufgabe muß der Liebende erfüllen, und sie wird manchmal kaschiert, manchmal bewußt durchgeführt; das Kleinkind kehrt wieder in den Mutterschoß zurück, in die Arme, an die Brust der Mutter, und wird geheilt. Um die ganze Reise noch einmal von vorne zu beginnen.‹

Ich hoffe, damit ist genügend deutlich geworden, was ich unter ›Übertragung‹ verstehe. Wenn ja, so möchte ich fragen, ob *Sie* an Übertragung glauben und ob Sie mit ihr arbeiten?«

»Ihre Auffassung ist in der Tat genügend deutlich geworden, und ich gebe hundertprozentig zu, daß dasjenige, worauf Sie hingewiesen haben, im Leben wie in der Therapie tatsächlich eine Rolle spielt. Selbst wenn Sie kein Analytiker sind, wird ein Patient dazu neigen, Sie in einer bestimmten Rolle zu *›übernehmen‹*. Nun hat meine Erfahrung gezeigt, daß ein Ratsuchender im großen und ganzen darauf angewiesen ist, dies zu tun. Das tut er nicht, weil er boshaft oder besitzergreifend ist – das kann auch der Fall sein –, sondern weil ihm zum Beispiel der Vater gefehlt hat oder, im Falle einer Frau, weil sie vielleicht einen nur sehr handlungslahmen Ehemann oder keinen Liebhaber hat und weil sie sich an niemanden um Führung und Zuwendung wenden kann. Deshalb betrachte ich es schon lange als etwas Unvermeidliches, daß mich ein Ratsuchender zu Beginn in gewisse Rollen hineinmanövriert. Die Frage ist: Wie soll man sich da verhalten? Das ist eine sehr subtile Sache, und sie kann auch sehr heikel sein, zum Beispiel, wenn eine Frau Sie in der Rolle des Liebhabers sehen will. Es gibt eine kleine Geschichte,

---

[1] Monica Furlong, Travelling In, London 1971, S. 32

welche meine Antwort *in nuce* enthält. Ich weiß nicht, ob Sie den Film *Funny Face* mit Audrey Hepburn gesehen haben?«

»Nein.«

»Nun, Audrey Hepburn spielt in diesem Film die Rolle einer Frau, der gegenüber ein Philosoph erotische Annäherungsversuche macht, und sie sagt: ›Ich dachte, sie wären ein Philosoph, Sie sind ja bloß ein Mann.‹ Mit anderen Worten: in dem Augenblick, wo der Therapeut der Versuchung nachgibt, die Rolle zu spielen, die der Ratsuchende wünscht, sei es eine Vater-, sei es eine Liebhaber-Rolle...«

»Vermittels einer ›Gegen-Übertragung‹?«

»Jawohl, das ist Gegen-Übertragung – dann ist er verloren. Doch mein Standpunkt ist: Wenn ich zunächst die Handlungsweise des Ratsuchenden einfach als Ausdruck eines realen Bedürfnisses hinnehme, dann wird meine Reaktion sein, daß ich das einfach durchstehe. Ich warte ab. Ich lasse die Attacke einfach über mich ergehen, falls nötig, für längere Zeit. Ich versuche nicht, das Bedürfnis und das reale Verhalten des Ratsuchenden abzuwehren. Ich glaube, dies wäre ein Fehler. Ich versuche, das Ganze innerlich zu akzeptieren, aber ich verwandle es, ich bilde es um. Wenn ich also dazu aufgefordert werde, beispielsweise ein Vater zu sein, dann lasse ich mich zunächst zwar nicht in diese Rolle drängen, aber aus meinem ganzen Menschsein heraus suche ich diese potentielle Vaterschaft in mir zu akzeptieren.

Dies ist jedoch nur ein Anfang, und was nun im Prinzip folgen müßte, kann ich nun in Form einer Erfahrung des ganzen Prozesses zum Ausdruck bringen, die ich machte, als ich diesen Prozeß noch nicht verstand. Ich wurde von einer Frau aufgesucht, die noch von früher mit meiner Familie befreundet war. Sie hatte ihre Eltern verloren, führte eine völlig unbefriedigende Ehe und hatte keinen Freund. Sie ›adoptierte‹ mich als Vater-Figur und war verzweifelt bestrebt, mich auch zu ihrem Liebhaber zu machen. Sie war gelegentlich derart aufgewühlt, daß sie den Mund nicht aufbrachte – denn sie war eine außerordentlich leidenschaftliche Person. Sie schrieb die ausschweifendsten erotischen Gedichte. Aber indem ich das alles über mich ergehen ließ, begann sie mich als Mensch zu respektieren, der sich um sie kümmerte und ihr den Weg weisen konnte. Das Wesentliche ist, daß die durch die Übertragung freigesetzten Energien – und wo

Lieben und Geliebtwerden in Betracht kommen, sind das enorme Energien – umgewandelt, umgelenkt, umkanalisiert wurden, in diesem Falle auf ein Studium hin. Sie besuchte eine Lehrerbildungsanstalt und begann eine glänzende Lehrerlaufbahn, mit anderen Worten, sie *gestaltete* ihr Leben. Hätte sie ihre Energien nicht durch diese emotionellen Stürme freigesetzt und hätte ich versucht, diesen Prozeß zu ersticken, was ich nicht getan habe, so wäre sie nicht weitergekommen. Die Übertragung, wie Sie es nennen, ist also etwas, was man durchaus positiv aufnehmen und dann umkanalisieren und verwandeln muß.«

»Das leuchtet sehr ein, Hans. Damit sagen Sie also, zumindest jetzt, daß Sie das Phänomen der Übertragung anerkennen?«

»Ja.«

»Und auch die Möglichkeit einer Gegen-Übertragung als eine Falle?«

»Sicherlich eine Falle.«

»Doch die Art und Weise, wie Sie mit der Übertragung umgehen, ist von der psychoanalytischen Methode leicht verschieden. Denn während der Psychoanalytiker die Übertragung so behandelt, daß er sie ›interpretiert‹ (wenn auch ›auf der Basis‹ seiner ›Weigerung, die Rolle zu spielen, in die er gedrängt wird‹, wie Sandler, Dare und Holder in einer Fußnote auf S. 42 sagen), so nehmen Sie die Übertragung sehr ernst und treten ihr zunächst sympathisch entgegen, aber um sie von innen heraus eine Umwandlung erfahren zu lassen und auf der Grundlage einer bewußten Wahrnehmung der allgemein-menschlichen Eigenschaften und Stärken des Ratsuchenden.«

»Ja, in der Tat, ich kommentiere die eine oder andere Rolle, die der Ratsuchende mir gegenüber spielen mag, keineswegs. Wenn ich zum Beispiel im Falle der Frau, von der ich erzählt habe, einen Kommentar abgegeben hätte, so hätte es eine Explosion gegeben. Vielmehr versuche ich den eigentlichen , einem notwendigen Bedürfnis entsprechenden Charakter dessen, was sich abspielt, zu verstehen, um diese Vorgänge dann nach Möglichkeit zu integrieren und zu vermenschlichen.«

»In dieser Hinsicht werden Sie, glaube ich, wohl Jung näher stehen. Denn obwohl die Freudianer inzwischen in ausdrücklicherer Form theoretisch und offiziell von der ›menschlichen Dimension in der psychoanalytischen Praxis‹ Kenntnis nehmen, um den Titel eines kürzlich erschienenen Buches zu nennen, hat Jung, so weit mir bekannt ist, der Übertragung von vornherein niemals eine solche Bedeutung zugemessen. Er hat es vorgezogen, die angeborenen und allgemein-menschlichen Fähigkeiten des Menschen aufzurufen, ganz ähnlich, wie Sie das in Ihrer Art zu tun scheinen.«

»Ja. Für mich muß sich der gegenseitige Austausch im Grunde immer auf einer rein menschlichen Erfahrungsebene vollziehen. Ich muß diese Erfahrung durchleben und durch die Beziehung und das Vertrauen arbeiten. Das passiert nicht einfach automatisch. Ich sage oft: wenn mich jemand aufsucht, kann ich gleichsam riechen, ob der oder die Betreffende eine Beziehung zu mir finden wird. Doch wenn Sie versuchen, dem anderen in freundlicher Weise einfach als Mensch zu begegnen, ohne Vorurteile, Hemmungen oder Antipathien – was zu erreichen viel innere Arbeit erfordert –, dann besteht die Chance, daß die Übertragung und Umkanalisierung der Energien stattfinden kann.«

»Ich denke, Sie haben damit eine sehr umfassende Darstellung davon gegeben, wie Sie mit der Wirklichkeit, die hinter dem Ausdruck Übertragung steckt, umgehen. Die Übertragung ist für Sie also eine Gelegenheit für den Ratsuchenden, seine immanenten Energien freizusetzen und zu verwirklichen, und da wir im Augenblick gerade die Frage besprechen, wie die unbestrittene Macht des Therapeuten nicht ihm selbst dienen, sondern dem Ratsuchenden zugute kommen kann, ist dies ein wertvoller Beitrag zum Verständnis der realen Wirksamkeit der Übertragung.

Ich habe bezeichnenderweise aber immer noch das Gefühl, wir hätten unsere Untersuchung der Frage, wie der Therapeut Macht übermittelt und wie er seine Macht im Ratsuchenden als dessen eigene Macht ablagert, noch nicht weit genug geführt. Sie haben davon gesprochen, wie bestimmte Energien gleichsam hochsteigen und wie ihr Verlauf dann in eine neue Richtung orientiert wird, wie wenn es zuerst ein nach außen entladender Prozeß wäre, der dann zum Ratsuchenden zurückfließt, so daß ihm die Energien nun für seine eigenen Intentionen zur Verfügung stehen. Aber was sind diese Intentionen? Und hat das Eingreifen des Beraters, seiner Persönlichkeit und seiner Macht irgend etwas mit diesem weiteren Prozeß zu tun? Mit anderen Worten: Ihre Methode scheint darin zu bestehen, daß Sie das Bedürfnis des andern nach einer Vater-Figur oder Liebhaber-Figur oder welcher Figur auch immer akzeptieren und in Ihrem Innern sich die Resonanz bilden lassen zu den entsprechenden in Ihnen selbst veranlagten Möglichkeiten, aber so, daß Sie doch Ihre eigene Persönlichkeit wahren, sich Ihrer Absicht voll bewußt bleiben und die Energie sanft zum Ratsuchenden zurückleiten, wodurch sie aufgrund ihrer Eigendynamik vielleicht über das bisherige Niveau hinauskommt. Meine Frage ist nun: Glauben Sie, daß die in der inneren Übertragung erlebten Energien eine eigene innere Dynamik besitzen und falls ja, welche? Es scheint, daß Sie eine ganz ähnliche Auffassung vertreten, wie sie Winnicott in seinem Buch *Playing and Reality* vertritt, wenn er von der ›natürlichen Evolution der Übertragung‹ (S. 101) spricht, und so lautet meine Frage auch: Glauben Sie, daß es eine innere Richtung für eine derartige ›natürliche Evolution‹ gibt, und wenn ja, worin besteht sie? Spielt sich zwischen dem Berater und dem Ratsuchenden noch mehr ab, als wir bisher betrachtet haben?«

»Ich glaube in der Tat, daß es eine solche Dynamik, wie Sie es nennen, wirklich gibt und daß sie auch eine innere Richtung besitzt, und ebenso bin ich der Auffassung, daß sich zwischen Berater und Ratsuchendem noch viel mehr abspielt, um diesen Prozeß voranzutreiben. Und hier muß ich zunächst einmal wiederholen, daß es auch im gewöhnlichen Leben vorkommt, daß ein Mensch einen anderen in die Rolle des Vaters, Liebhabers, oder was auch immer es sei, hineindrängt; wir haben es also mit dem Ausdruck eines im Wesen des Menschen tief verwurzelten allgemeinen Bedürfnisses zu tun, das in die therapeutische Situation hineingetragen wird. Aber wir haben es nicht allein mit diesem menschlichen Bedürfnis zu tun, einen Vater oder Liebhaber usw. zu finden. Was tatsächlich darüber *hinausgeht*, ist, um es in extremer Weise darzustellen, das bewußte oder halbbewußte Bedürfnis, *das wahre Bild des Menschen* zu finden, ein Bild, das den gewöhnlichen Schwächen des menschlichen Wesens überlegen ist, ein Bild, das etwas Dauerndes und Unvergängliches hat. Ich möchte Ihnen in diesem Zusammenhang die zwei wunderbaren Zeilen aus einem weniger bekannten Gedicht Rilkes zitieren:

›Los ohne gleichen: im Vergehn zu sein:
Zu schweben unter lauten Stellen Schwindens‹ (*Winterliche Stanzen*). Sie sehen, für Rilke ist die Bestimmung und das Schicksal des

Menschen unvergleichlich – es ist ein Überwinden, ein Hinausgehen über das Altern, über die Sterblichkeit, ›im Vergehen zu sein‹, ein Schweben in einer Sphäre, welche dauerhaft ist. Dies ist, was der Philosoph, der Priester, der Heilige, der Weise repräsentiert: die Menschen spüren, daß sie es mit einem Wesen zu tun haben, das von den unvermeidlichen Verwüstungen der Sterblichkeit nicht getrübt und korrumpiert worden ist; und obwohl auch ein solcher Mensch kränklich, alternd und gebrechlich ist, erfüllt er immer noch ein unvergleichliches Geschick. Wenn wir also nun die weitere Frage stellen, wozu denn die Menschen ihre Energien eigentlich verwenden wollen, dann müssen wir wohl sagen: zur Suche nach dem wahren Menschenbild. Und das heißt gewiß nichts anderes, als daß sie nach dem Wesen der religiösen Substanz suchen.«

»Weil das wahre Bild des Menschen die Tatsache einschließt, daß er sein Dasein von Gott erhält? Weil Höhen und Tiefen des menschlichen Schicksals letzten Endes von der Abhängigkeit des Menschen von Gott herrühren?«

»Genau, Marcus, und ich bin in diesem Zusammenhang auch davon überzeugt, daß Prabhavananda und Isherwood recht haben, wenn sie in ihrem Kommentar zur Gita sagen: ›Wahre Religion wird nicht gelehrt, sondern wie Licht übertragen.‹ Die Menschen suchen also dieses Licht, und wenn sie es einmal sehen, dann haben sie das Gefühl, sie haben gefunden, wonach sie gesucht haben.«

»Ich sehe, worauf Sie hinaus wollen, Hans. Aber ist in der Art, wie Sie Ihre Auffassung deutlich machen, nicht eine gewisse Zweideutigkeit enthalten, die geklärt werden sollte? Sie sagen, was die Menschen im Grunde suchen – ganz jenseits der Vater- oder Liebhaber-Gestalten, die ihnen fehlen –, ist das wahre Bild des Menschen; und dieses Bild, wenn es einmal gefunden ist, sei wie ein Licht aus einer überirdischen Sphäre und habe deshalb auch einen religiösen Charakter, insofern es eine Teilnahme am Göttlichen zu bedeuten scheint. Ferner behaupten Sie, der Berater könne dieses wahre Bild des Menschen – als eines Ebenbildes Gottes – insofern auch vermitteln, als ihm etwas von der religiösen Qualität des Philosophen, des Weisen, des Priesters oder des Heiligen zu eigen ist. Aber wollen Sie damit sagen, daß die Ratsuchenden das wahre Ebenbild Gottes als etwas suchen, was in den Mitmenschen und damit auch im Berater lokalisiert ist, oder suchen sie es für und in sich selber? Mit anderen Worten: ist der andere, also auch der Berater, das Objekt der Suche nach dem Ebenbild Gottes oder nur der Anlaß zu dieser Suche? Muß der andere Mensch und damit auch der Berater das Bild Gottes tatsächlich selbst darstellen oder kann er irgendwie auf es hindeuten und es hervorrufen, trotz jeglicher persönlicher Unzulänglichkeit, da er selbst vielleicht ein nur zu irdisches Gefäß ist, das aber trotzdem einen Schatz birgt, der nicht von ihm selbst stammt?«

»Das ist eine sehr wichtige Unterscheidung, Marcus, und sie hat einen unmittelbaren Bezug zur Tätigkeit des Beraters und zum Fundament seiner Beziehung zum Ratsuchenden. Denn genau in dem Maße, in dem sich das Bedürfnis des Ratsuchenden als Bedürfnis nach dem wahren Menschenbild manifestiert in dem Maße läuft er Gefahr, dieses Bild im Berater zu lokalisieren, und nicht sein eigenes zu finden; und der Berater seinerseits steht vor einer der heimtückischsten Fallen. Denn je spiritualisierter ein Mensch wird, um so attraktiver, aber auch um so mächtiger wird er in seiner Beziehung zum Ratsuchenden. Auch diesen Sachverhalt bringen Prabhavananda und Isherwood in ihrem Kommentar zur Gita ›Wie kann man Gott erkennen‹ klar zum Ausdruck:

›Bis zu einem bestimmten Punkt wird die Versuchung während des spirituellen Wachstums größer. Wenn der spirituelle Aspirant nicht mehr ein bloßer Anfänger ist und bereits einige mystische Erfahrungen gemacht hat, dann bekommt seine Persönlichkeit eine magnetische Ausstrahlung. Er bemerkt, daß er über andere psychische Macht ausüben kann und daß er auch sexuelle Anziehung auszustrahlen beginnt. Gleichzeitig werden auch seine Sinne wacher und genußfähiger. Er kann sich deshalb leicht in Macht- und Sex-Beziehungen verwickeln, die ihn sein ursprüngliches Ziel vergessen lassen. Gerade die Menschen, die von seinen gottähnlichen Eigenschaften, die sie an ihm wahrnehmen, angezogen werden, können dieselben sein, die für seine allmähliche Entfremdung von Gott verantwortlich sind.‹[1]«

»Sie sagen also letztendlich, daß der Berater tatsächlich eine große Macht haben kann, daß er proportional zu seiner zunehmen-

---

[1] Prabhavananda u. C. Isherwood, How to know God – The Yoga Aphorisms of Patanjali, Hollywood 1966, S. 198

den Spiritualisierung an Macht gewinnt und daß er eine bewußte Anstrengung machen muß, sich dafür zu entscheiden, diese Macht sozusagen auf den Ratsuchenden zurückzulenken, statt sie für sich selbst gebrauchen zu wollen.«

»Ja, das meine ich.«

»Nun, wenn das so ist, so beginne ich die Lösung des Problems zu sehen, das ich am Anfang aufgeworfen habe, der Frage nämlich, wie dafür gesorgt werden kann, daß die fraglose Macht des Therapeuten nicht mißbraucht werde. Die Antwort scheint mir darin zu liegen, daß Macht immer mehr *geteilt* werden muß.

Dieser Schluß ist leicht gezogen. Nicht so leicht ist es, darzulegen, wie ich zu ihm gekommen bin. Ich bitte Sie, mit mir Nachsicht zu üben, wenn ich meine Ansicht nun auseinanderzusetzen versuche.

Der Keim der Idee, wie im Gespräch zwischen dem Berater und dem Ratsuchenden Macht immer mehr geteilt werden kann, ist mir bei der Lektüre des Buches *Introduction to Psychotherapy* von D. Brown und J. Pedder aufgegangen, wie mir erst jetzt klar wird. Denn es ist mir aufgefallen, in welcher Art die Autoren an verschiedenen Stellen ihres Buches auf einen wachsenden Prozeß des gegenseitigen Austausches zwischen dem Therapeuten und dem Patienten hinweisen, und zwar eines Austauschs im Sinne einer ›Kultur‹ oder Sprache. Die Autoren scheinen dabei ausgegangen zu sein von einer gewöhnlichen Vorstellung dessen, was sich zwischen einem gewöhnlichen Arzt und seinem Patienten abspielt, wie dies von Balint dargestellt wurde. Unter ›Kultiviertheit‹ verstehen sie nun eine bestimmte Sprechweise, eine bestimmte Weise, die Dinge zu betrachten oder zu lösen – eine Sprache und eine ›Lebensform‹, die sich zwischen dem Therapeuten und dem Ratsuchenden ganz allmählich entwickelt und aufbaut, zuerst weitgehend unter der Führung des Arztes oder Therapeuten, später aber immer mehr auf einer Basis des Gleichgestelltseins.

Nun ist diese Vorstellung von dem, was sich zwischen dem Therapeuten und dem Ratsuchenden abspielt, schon für sich allein betrachtet, sehr interessant. Sie wird außerdem noch vertieft, wenn wir den Hinweis aufgreifen, der hier mit dem Ausdruck ›Kultiviertheit‹ verbunden ist, und wenn wir diesen Hinweis auf das Wirken des späten Donald Winnicott zurückführen, ganz besonders auf die

Art, in der er das Wesen des Entstehungsprozesses der Kultivierung beleuchtet hat. Denn eine Entdeckung des späten Winnicott besagt, daß die Entstehung von Kultur, sogar im weiteren sozialen Sinne des Wortes und daher auch im näheren Sinn hinsichtlich von Zweier-Beziehungen, im ersten menschlichen Austausch zwischen Mutter und Kind ihren Ursprung nimmt und sich ankündigt. Winnicotts Erkenntnisse, die in seinem letzten Buch ›Playing and Reality‹ niedergelegt sind, wurden ihm durch die Begegnung mit seinen Patienten aufgedrängt und bedeuten einen Durchbruch auf dem Gebiet seiner Vorstellungen über die Mutter-Kind-Beziehung. Die Begriffe ›Übergangsobjekte‹, ›Zwischengebiete‹ zwischen Mutter und Kind und zwischen ›Subjektivität und objektiver Beobachtung‹; ›Überlappung‹ des persönlichen Raumes zwischen den beiden und die Entwicklung der immer stärker werdenden Fähigkeit zu gemeinsamem Spiel sind beinahe Fachausdrücke geworden. Aber die wesentlichste Entdeckung betrifft, wie mir scheint, den Übergang vom *bloßen Vergnügen* auf seiten des Kleinkindes zu den ersten Möglichkeiten in Richtung einer Art Kooperation, die er *Spiel* nannte – und zu Recht Spiel nannte, denke ich, denn eine ausschließliche Sorge um das Vergnügen ist eine Art Zwang, so daß das Kind, wenn es über dieses Stadium hinausrückt, eine Freiheit zu entfalten beginnt, in der es den anderen Menschen in einer mehr desinteressierten Art zu betrachten beginnt, und gerade eine solche Freiheit wird ja auch mit dem Ausdruck ›Spiel‹ verbunden. In dieser Form der Kooperation begann er also allmählich die Genese und die Vorläuferin dessen zu erblicken, was im weiteren Sinne des Wortes zur Bildung aller Kultur führt.

All das scheint mir nun für uns in folgender Hinsicht von Belang zu sein: Die sich entwickelnde Beziehung zwischen dem Therapeuten und dem Ratsuchenden kann als eine sich im Erwachsenenalter abspielende Rekapitulation des sich zwischen Mutter und Kind abspielenden Prozesses betrachtet werden. Oder wie Brown und Pedder es sehr prägnant ausdrückten: ›Das Übergangsobjekt ist eine gemeinsame Handlung von Kind und Mutter; erfolgreiche Therapie ist eine gemeinsame Schöpfung von Patient und Therapeut.‹[1]

---

[1] D. Brown, J. Pedder, Introduction to Psychotherapy, London 1979, S. 112

Aber die Bildung der Kultur in diesem Sinne ist *auch* ein Prozeß *des allmählichen Verlassens und Ablegens der Macht auf seiten des Mächtigen* – im einen Fall ist es die Mutter, im andern der Therapeut – und ein Prozeß des Aufgebens in Richtung auf ein noch stärkeres gemeinsames Teilen, bis der Ratsuchende frei ist von zwingenden Bindungen, kindischen Abhängigkeiten und ähnlichen Zwängen, so daß er nun in die Lage kommt, zu anderen Erwachsenen wahrhaft ebenbürtige Beziehungen aufzubauen.

Meine wichtigste Einsicht ist also, daß die spätere Arbeit von Winnicott uns ermöglichen kann, zu sehen, wie die ursprüngliche Ungleichheit der Macht die Tendenz hat, sich auf eine gegenseitige Freiheit und damit auch auf eine Ausgleichung der Machtverhältnisse hinzuentwickeln.

Die Tatsache, daß Winnicott glaubte, nicht so sehr den Ursprung des Prozesses zu erklären, der sich zwischen dem Berater und dem Ratsuchenden abspielt, als vielmehr jenen der Kultur in ihrem gewöhnlichen und deshalb viel weiteren Sinne, ist für unser weiteres Thema nicht von unmittelbarer Bedeutung. Denn wenn wir Kultur nun, in ihrem weiteren Sinne, als die makro-soziale Entsprechung zu dem auffassen können, was sich in Winnicotts Sicht schon auf mikro-sozialer Ebene in der Beziehung zwischen Mutter und Kind abgespielt hat, dann können wir vom *Gespräch* zwischen zwei erwachsenen Menschen sagen, daß es etwa in der Mitte steht zwischen der genetischen Form der kooperativen Herausbildung einer gemeinsamen Sprache und Kultur, wie sie zuerst zwischen Mutter und Kind gebildet wird, und der größeren sozialen Form der Kulturbildung, wie sie etwa Raymond Williams, 1780–1950, in seinem Werk *Culture and Society* beschreibt und analysiert. Damit sind wir aber wieder bei einer Ihrer Zentral-Einsichten angelangt, nämlich bei der Erkenntnis, daß die Beziehung zwischen Berater und Ratsuchendem nur eine Kristallisation oder ein Paradigma eines umfassenderen Geschehens ist – in diesem Fall des Prozesses des Diskutierens, des Ausspielens und des Neuverteilens der Macht, welchen wir Kultur nennen.«

»Einmal mehr, Marcus, haben Sie mich in Ihrer weiteren Ausführung meiner mehr hausbackenen Erkenntnisse sozusagen an die Wand gespielt, aber ich verstehe Sie und bin hocherfreut über die Art, wie Sie zu meiner Intuition – meiner ›Zentral-Einsicht‹, wie Sie es liebenswürdigerweise nennen – zurückkehren, daß das Gespräch Ausdruck eines Archetyps ist und deshalb auch als ›Paradigma‹ bezeichnet werden kann.«

»Jawohl, Hans, ich gebe zu, daß ich einfach immer wieder zu solchen Analysen neige. Ich möchte diese Analyse aber dem gewöhnlichen Verständnis wenigstens etwas näherbringen, indem ich nun noch auf folgendes aufmerksam machen will: Was ich als einen Prozeß der Kulturbildung zu analysieren suchte, ist in einer Anzahl von gängigen Redensarten, welche wir in der Umgangssprache vorfinden, schon angedeutet. Ich weise zum Beispiel auf den Ausdruck ›Welt‹ hin, den wir zum Beispiel auch in dem Wort ›Weltanschauung‹ benützen; oder wir sprechen davon, daß der Soundso ›in seiner eigenen Welt‹ lebt oder daß zwei Menschen nicht ›in derselben Welt‹ leben. Könnten wir nicht sagen, daß die Beratungstätigkeit, ebenso wie jedes wahre menschliche Gespräch darin besteht, daß der Berater allmählich lernt, in der Welt des Ratsuchenden zu leben? Der Berater muß in diese Welt völlig eintreten, mit seinen Gefühlen ebenso wie mit seinen Gedanken: das wäre dann das berühmte ›mit den Augen des andern sehen‹. – In seine Haut schlüpfen, *aber ohne die eigene Welt zu verlassen.* Doch dies muß so geschehen, daß auch der Ratsuchende dahin gelangen kann, an der Welt des Beraters teilzunehmen, so daß zwischen beiden allmählich wenigstens eine sich überschneidende und sich durchdringende, wenn nicht gar eine ganz und gar gemeinsame Welt entstehen kann. Können wir von diesem Gesichtspunkt aus nicht jene eindringlichen Worte Heraklits anpacken und verstehen, die T. S. Eliot als Motto der *Vier Quartette* gewählt hat:

> τοῦ λόγου δ᾽ ἐόντος ξυνοῦ ζώουσιν οἱ πολλοί
> ὡς ἰδίαν ἔχοντες φρόνησιν.

Ich möchte diese Worte folgendermaßen übersetzen: ›Es gibt eine gemeinsame Welt, und sie ist in sich selbst sinnreich, aber die meisten Menschen leben, als hätten sie nur ein Privatverständnis.‹

Anders ausgedrückt, poetischer und daher auch einfacher und zugleich allgemeiner: Hat dies alles nicht auch mit St. Exupérys Aussage zu tun, die Liebe bestehe nicht so sehr darin, einander anzuschauen, sondern zusammen in die gleiche Richtung zu schauen?«

»Damit, Marcus, kann ich von ganzem Herzen übereinstimmen. Gerne lasse ich Sie unsere Untersuchung des Themas ›Macht des Therapeuten‹ mit dem Zitat eines Dichters beenden, ließen Sie mich doch letztes Mal mit der Erinnerung an einen Musiker schließen!«

Viertes Gespräch: Wachstum und Moralität

> Ein guter Mensch in seinem dunklen
> Drange
> Ist sich des rechten Weges wohl bewußt.
> Goethe, *Faust*

> Es ist ein Geist des Guten in dem Übel,
> Zög' ihn der Mensch nur achtsam da heraus.
> Shakespeare, *Heinrich V.*, IV, I

»Auch heute, Hans, möchte ich ein Thema mit Ihnen diskutieren, das wir schon früher berührt haben: das Verhältnis von innerem Wachstum und Moralität. Ich meine damit den Konflikt, der entstehen kann zwischen den Forderungen persönlichen Wachstums und den Forderungen, die der soziale Moralkodex stellt. Der Kern der Frage läßt sich für mein Gefühl in sehr einfacher Art durch eine Anekdote illustrieren, die ich, wenn ich mich recht erinnere, einmal von Ihnen gehört habe. Sie betraf einen Mann, der seit jeher eine äußerst unbefriedigende Beziehung zu seiner Frau gehabt hatte, der sich aber trotzdem dazu entschlossen hatte, bei ihr zu bleiben; und diesen Entschluß konnte er nur durchführen, weil er einmal in jedem Jahr erneut mit einer Frau Verbindung aufnahm, mit welcher er auf jeder Ebene, einschließlich der sexuellen, eine sehr tiefe Beziehung hatte. Wir haben es also mit einem Mann zu tun, der nur dadurch überleben, seine Vitalität bewahren, ja in gewissem Sinne auch seiner Frau nur dadurch treu bleiben konnte, daß er gegen die allgemeinen Moralvorstellungen verstieß. Hier zeigt sich das Spannungspotential, das in der aufgeworfenen Frage enthalten ist.

Andererseits muß es ein wesentliches Prinzip aller Beratungstätigkeit sein, daß wir mit den Menschen da beginnen, wo sie sich zu einem gegebenen Zeitpunkt tatsächlich befinden, das heißt, wir haben es zunächst mit Menschen mit verschiedenen Mängeln und Wunden zu tun, mit Menschen, die an einem ›ungelebten Leben‹ leiden und die Unabgeschlossenes mit sich herumtragen. Wir wollen diesen Menschen weiterhelfen, aber wir müssen da ansetzen, wo sie wirklich weiterkommen können; wir müssen ihr Wachstum fördern, aber wir müssen dabei von ihren realen Wachstumsmöglichkeiten ausgehen. Dies wird uns nicht gelingen, wenn wir erwarten, daß ein bestimmter Mensch mit dem Moralkodex sofort und vollständig in Übereinstimmung komme, denn dies geht oft über die Kraft, die er, zumindest zu einem bestimmten Zeitpunkt, aufbringen kann. Außerdem betrachten wir ja den Menschen als in Entwicklung begriffenes Wesen, und deshalb müssen wir in Betracht ziehen, daß wir unser volles Format und unsere Selbstverwirklichung nur *durch eine Reihe von Stufen* erreichen, und wenn eine dieser Stufen übersprungen oder nur teilweise durchgemacht wird, so bleiben Aufgaben zurück, die irgendwann in Angriff zu nehmen sind, wenn nicht der gesamte Wachstumsprozeß gefährdet werden soll. Von diesem Gesichtspunkt aus gesehen kann das Konformgehen mit einem bestimmten Moralkodex wie etwas von außen Aufgedrängtes erscheinen, das ein wahres Wachstum von innen heraus behindert. Ein Moralkodex ist sozusagen etwas für reife Erwachsene, während der Ratsuchende in mancher Hinsicht im tiefsten Innern noch ein Kind oder gar ein Säugling sein kann.

Andererseits hat jeder Gesetzes- und Moralkodex – ganz gewiß in der jüdisch-christlichen Auffassung, wie sie zum Beispiel von Thomas von Aquino neu formuliert wurde – im Grunde erzieherischen Charakter. Der Code regt das Ungeformte zur Formung an, er fordert das Wachstum dadurch heraus, daß er ganz den Gegebenheiten des menschlichen Lebens entspricht und dem einzelnen Individuum so gut paßt wie der Handschuh der Hand. Deshalb kann das Gesetz innerhalb der jüdisch-christlichen Tradition, so wie ich sie verstehe, auch zum Objekt des Lobes und der feierlichen Verehrung werden, wie es in Psalm 119 geschieht; es ist *cantabile*, etwas, von dem man singen kann. Das ist auch der Grund, weshalb eines der Zentralbilder des wachsenden Glaubens für Thomas dasjenige des Lernens von einem weisen und freundlichen ›Arzt‹ ist, von einem Lehrer, der uns besser zu kennen scheint, als wir uns selber kennen. Diese Zentralidee tritt in einem unerwarteten Zusammenhang in Erscheinung: R. D. Laing erzählt in seinem Werk *Das geteilte Selbst* von einem schizophrenen Mädchen, welches ›unfähig war, wirkliche Autonomie aufrechtzuerhalten, denn gegenüber ihren Eltern konnte sie nichts anderes sein als ein willfähriges Ding... Auch dann, als sie anfing ‚sie selbst zu sein', konnte sie das zuerst nur wagen, indem sie die Realität des Arztes total widerspiegelte. Sie konnte das tun, weil seine Realität (seine Wünsche für sie), obwohl immer noch die eines anderen, ihr nicht fremd waren: sie entsprachen ihrem eigenen authentischen Wunsch, sie selbst zu sein.‹[1]

Sehen Sie, dieser schöne Ausdruck ›kongruent zu ihrem eigenen echten Wunsch, sie selbst zu sein‹, trifft genau die Funktion eines jeden Moralkodex in bezug zur individuellen Wachstumsdynamik. Ein System von Gesetzen hat den Zweck, ein solches Wachstum zu ergänzen, zu erziehen und anzuregen, und *nicht* den Zweck, sich diesem Wachstum entgegenzusetzen und es zu vereiteln.

Und darin liegt nun die Spannung. Diese Spannung drückt sich sogar in Ihrem und meinem Beruf aus – ich bin Priester, Sie sind Berater, ich stehe für Gesetz und Moralität, Sie dagegen für Wachstum und subjektives Bedürfnis. Die von mir beschriebene Spannung ist also auch in uns beiden verkörpert, um nicht zu sagen polarisiert. Allerdings muß ich hinzufügen, daß ich diese Spannung auch innerhalb meiner eigenen Person erlebe, insofern ich, auch wenn ich meinen Priesterhut aufhabe, in dem Dilemma stehe, entweder auf Kosten des Moralkodex Wachstum zu fördern oder aber einen Moralkodex zu empfehlen, der das Wachstum bedroht. Ich hoffe, Sie sind mir soweit gefolgt.«

»Ich kann sehr gut folgen, Marcus, und auch dieses Mal haben Sie in sehr klarer Art auf den Nerv eines wirklichen Lebens- und Beratungsproblems gewiesen. Ich kann auch Ihre Darstellung des Problemes in ihrer anekdotenhaften wie auch in ihrer prinzipielleren Form gut verstehen. Es wird Sie aber nicht überraschen, wenn ich gestehe, daß ich die Anekdoten-Form vorziehe, da mein ganzes Denken, wie Sie ja mittlerweile sehr gut wissen werden, immer von

---

[1] R. D. Laing, Das geteilte Selbst, Köln 1972, S. 214

konkreten Beispielen und Fällen ausgegangen ist und auch immer die Tendenz hat, wieder zum Konkreten zurückzukehren – mein Denken ist eben ›Fall-orientiert‹. Aber ich kann mich nun in der Tat nicht mehr an die spezielle Erzählung erinnern, die Sie mir zuschreiben, und schon deswegen möchte ich mit einer anderen Erzählung beginnen, mit einer wahren Erzählung, die noch mehr Aspekte des ganzen Problemes illustrieren kann. Sie wirft ein Licht auf die Gefahren des Dilemmas, mit dem jeder Mensch konfrontiert ist, in einer Zeit, in der sich der einzelne aus den kollektiven Banden befreien muß, um seinen eigenen Weg zu finden.

Ich kenne einen Mann, der heute ein prominenter Geschäftsmann ist. Er war auf der Schule ein kluger Junge, aber äußerst unattraktiv – kein Mädchen gönnte ihm je einen Blick. Die Wertschätzung durch die Mädchen fehlte in seiner Jugend vollkommen, so daß er in dieser Hinsicht unbefriedigt war. Es war deshalb beinahe voraussagbar, daß er bei seiner stürmischen Veranlagung früher oder später auf eine Lösung dieses Problems zusteuern würde. Nun, er wurde ein Industriekapitän und heiratete eine Frau, die älter war als er. Die Ehe war nie sehr aufregend, und so hatte er viele sexuelle Beziehungen zu Frauen aus seinem Geschäftsbereich. Diese Beziehungen waren natürlich meistens nur episodisch, doch außerhalb der Geschäftssphäre ging er einige Beziehungen von längerer Dauer ein. Trotzdem blieb er unbefriedigt. Ich hatte lange Zeit nichts mehr von ihm gehört, dann erhielt ich einen Brief, der mir eine persönliche Situation zeigte, die für mich ziemlich erstaunlich war. Er hatte eine zwanzig Jahre jüngere Frau kennengelernt – eine Frau von fünfzig Jahren kann immer noch sehr attraktiv sein! Er lebte seit kurzem von Montag bis Freitag, sozusagen während der Arbeitstage, mit ihr in der Stadt, und das Wochenende verbrachte er dann mit seiner Ehefrau im gemeinsamen Landhaus. Seine Gattin war ihm treu geblieben, sie unterstützte ihn und hatte ihm vier oder fünf Kinder geschenkt. Nun hatte er also zwei Frauen.«

»Eine Ehefrau zu Hause und eine Geliebte in der Stadt. Ein klassischer Fall. Wußte seine Frau von seinem anderen Leben?«

»Er war sehr bemüht, nicht allzu viele Details zu enthüllen, doch es war klar, daß sie die Situation im Prinzip kannte, und ich bin auch überzeugt davon, daß sie die Situation akzeptierte. Nun ist das Bemerkenswerte an der Sache, daß er nicht nur mit seiner Geliebten in der Stadt lebt, sondern sie jedes Jahr auf Weltreisen mitnimmt und seine Frau zu Hause läßt. Er sagte, daß er, sogar schon vor der Anknüpfung dieser Beziehung, ziemlich starke Schuldgefühle hatte, und es steht außer Zweifel, daß seine Frau, gelinde gesagt, leidet. Hier haben wir also einen Menschen, der sich sein eigenes Gesetz gegeben hat, seine unerfüllten erotischen Bedürfnisse und sein inneres Wachstumsbedürfnis verwirklicht; aber dadurch bricht er mit einem Moralkodex, der ihm in diesem Falle in keiner Weise von außen aufgedrängt worden wäre, denn kein Mensch redet ihm in sein Privatleben hinein, nein, die moralische Empfindung ist hier einfach mit dem Gefühl gewöhnlicher menschlicher Rücksichtnahme verbunden.«

»Ja, diese Geschichte ist tatsächlich eine gute Illustration des Konfliktes, und zwar um so mehr, als Sie sagen, daß dieser Mann Schuldgefühle hat und daß seine Frau unter der Situation leidet. Ich habe das Gefühl, das Bestehen des Schuldfaktors bei einem scheinbar so freien Menschen sagt uns etwas Wichtiges. Auf jeden Fall spricht das Leid und der Kummer auf seiten der Ehefrau eine deutliche Sprache – zumindest für mich. Was hat ein sogenanntes Gesetz des inneren Wachstums für einen Wert, wenn es dazu führt, daß einer oder mehrere Mitmenschen derartiges Leid erleben?«

»Diese Frage geht natürlich auch mich etwas an, Marcus. Doch zuerst möchte ich bemerken, daß man zwar andern, aber auch sich selbst und auch dem Leben gegenüber Pflichten hat und daß man deshalb auch die Verantwortung auf sich nehmen muß, sein eigener Gesetzgeber zu sein, selbst wenn es unvermeidlich ist, daß andere verletzt werden. Nehmen Sie den Fall von Gauguin. Gauguin war ein normaler Pariser Bankier; eines Tages packte er seine Sachen, verließ seine Frau und begann auf den Südseeinseln ein neues Leben. Wer könnte nun sagen, daß ein Mensch, der eine so große künstlerische Mission zu erfüllen hatte, unmoralisch handelte, auch wenn er durch sein Handeln zweifellos andere Menschen verletzen mußte? Damit meine ich aber nicht, daß man einfach alles tun könne – das gliche der ›permissive society‹, die ich verabscheue. Nein, die Frage ist, ob man in einer überlegten und zurückhaltenden Weise lediglich tut, was für das eigene innere Wachstum notwendig ist, ob man einfach für das sorgt, was man braucht, oder ob man übers Ziel hinausschießt. Mein Wirtschaftskapitän beispielsweise hätte die alljährlichen Weltreisen mit seiner Geliebten ohne weiteres aufgeben können, aus Rücksicht auf seine Frau. Zwar gibt es Fälle, wo ein derartiges Verhalten, jedenfalls wenn es in überlegter Weise realisiert wird, tatsächlich die Unabhängigkeit und das innere Wachstum einer Frau, die in einer solchen Situation ist, befördern könnte. Aber das Wesentliche ist, daß jede solche Situation etwas sehr Heikles und Individuelles ist und daß sie eine kreative Lösung erfordert, eine Lösung, die nicht von vornherein vorgeschrieben sein kann; es sind hier Takt und Einsicht von einer intuitiven Art vonnöten.«

»Ich muß Ihnen darin recht geben, daß es sich hier um heikle Fragen handelt, sonst hätte ich dieses Problem ja auch gar nicht aufgeworfen. Während mir nun aber voll und ganz einleuchtet, was Sie über das echte Gesetz des inneren Wachstums sagen, so stelle ich die Dringlichkeit dieses Gesetzes dennoch in Frage. Ich möchte nun auf die Tatsache der Schuldgefühle dieses Mannes zurückkommen, denn ich habe das Gefühl, hier ist mehr im Spiel als ein nur persönliches und sozial bedingtes Schuldgefühl. Ich möchte das Ganze in die Form einer Frage kleiden, die Ihnen zunächst sehr abstrakt erscheinen wird: Angenommen, es gibt das Gesetz persönlicher Erfüllung – kann man nun seine Erfüllung allein finden, ohne andere Menschen miteinzubeziehen? Ist in ihre Formulierung nicht ein gewisser Individualismus eingebaut? Anders gesagt, schließt das Glück nicht unweigerlich auch die anderen mit ein, und, wenn das so ist, kann es dann überhaupt Erfüllung geben ohne Rücksichtnahme auf andere?

Ich habe das Problem damit in seiner allgemeinsten Form aufgeworfen, denn ich möchte dem Schuldgefühl Ihres Freundes auf den Grund gehen. Und so möchte ich die Frage auf derselben Ebene noch ein Stück weiterverfolgen. Wir können in relativ einfacher Art beginnen, nämlich mit einem Artikel, auf den ich als Herausgeber der englischen Fassung einer internationalen theologischen Zeitschrift gestoßen bin. Der betreffende Artikel behandelt die chinesische Ethik im Vergleich zur christlichen Ethik. Julia Ching, die Autorin, spricht über die zentrale Bedeutung der Lehre von *ren* (Jen), der ›menschlichen Herzlichkeit‹, der moralischen Tugend, die einen Menschen wahrhaft zum Menschen macht. Dann fährt sie folgendermaßen fort:

›Dieses Wort *ren*, das gleichlautend ist mit dem Wort ›menschlich‹, enthält in seiner geschriebenen Form die Wurzel ›menschlich‹ und ein anderes Wort, das die Zahl ›zwei‹ bedeutet. Es weist auf die soziale Seite der menschlichen Natur hin, auf sein Verhältnis zum Mitmenschen.‹[1]

Dieser kurze Hinweis auf die chinesische Denkweise machte mir plötzlich klar, was es eigentlich heißt, Mensch zu sein: *Im Menschsein ist an sich schon der Hinweis auf den anderen enthalten; menschliche Herzlichkeit ist ein Bewußtsein, eine von zwei Hälften zu sein.* Diese beiden Sätze ermöglichten mir, obwohl sie sich traditionell chinesischer Ausdrücke bedienen, einen Einblick in das eigentliche menschliche Wesen. Wir können deshalb beinahe erwarten, daß eine solche Beobachtung im Laufe der Zeiten an verschiedenen Orten immer wieder auftritt. Mir fallen hier noch zwei weitere ähnliche Äußerungen ein. Der erste Ausspruch stammt aus der Feder des englischen Idealisten T. H. Green, der im 19. Jahrhundert lebte. Green schrieb:

›Die Idee des Zieles oder des unbedingten Guten ist die Idee des Selbst, das sich realisiert hat. Und dieses Selbst ist *sozial*; das Gute schließt auch das Gute der anderen ein, die ebenfalls als Ziele in sich selber aufgefaßt werden... Es [dieses soziale Interesse] schließt das Bewußtsein einer dauernden Wohlfahrt ein, in der die dauernde Wohlfahrt anderer eingeschlossen ist.‹[2]

Der zeitgenössische englische Rechtsphilosoph John Finnis bringt im wesentlichen dieselbe Idee zum Ausdruck, und zwar in einer sehr eindringlichen und persönlichen Weise. Finnis hat ja das Verdienst, für die Wiederentdeckung und die erneute Diskussion von Aristoteles' und Thomas von Aquinos Erkenntnis des Naturgesetzes viel geleistet zu haben, und er hat im Laufe seiner Arbeit auch dem Begriff der ›Freundschaft‹ einen zentralen Platz eingeräumt. Er betrachtet Freundschaft als das Bestreben, in einer Beziehung allmählich einen neuen Ausgangspunkt zu finden und aufrechtzuerhalten.

›In einer Freundschaft denkt und entscheidet man nicht von ›seinem eigenen Standpunkt aus‹, aber auch nicht vom Standpunkt des Freundes aus. Vielmehr handelt man von einem dritten Gesichts-

---

[1] *Coucilium* 150, 1981, S. 32
[2] T. H. Green, Prolegomena to Ethics, Oxford 1899, S. 26

punkt aus, von der einzigartigen Perspektive, in der das eigene Gute und das Gute des Freundes gleichermaßen ‚in Sicht' und ‚ins Spiel' kommen.‹[1]

Sehen Sie, wie all das uns hilft, die Schuldgefühle unseres Freundes zu verstehen? Diese scheinbar hochfliegenden Abstraktionen können uns zur Einsicht führen, daß das, wogegen er anzukämpfen hatte, nicht bloß seine sozial bedingten Gefühle waren; nein, insofern er seine Frau nicht gleich bewertet wie sich selbst – die Dinge vom dritten Gesichtspunkt zwischen ihnen aus beurteilend –, kämpfte er gegen sein eigenes Wesen an. Das könnten wir in gewissem Sinne als eine Art Ontologie der Schuld bezeichnen. Und in diesem Zusammenhang würde ich gerne noch einmal auf Schnitzler zurückkommen. Denn bestand nicht gerade seine Leistung als Künstler darin, daß er imstande war, in überzeugender dramatischer Form aufzuzeigen, daß Treue für Männer wie Frauen notwendig ist, gerade wenn sie ihre individuelle Erfüllung anstreben; und er zeigte dies gerade angesichts des Dranges, auch die dunkleren Seiten seiner Gestalten auszuloten – obwohl es andererseits auch seine Tragödie war, daß er als Mensch nicht in der Lage war, seine Einsicht zu realisieren, denn er zersplitterte sich selbstzerstörerisch in einer Unmenge von Beziehungen.«

»Ich gebe Ihnen vollkommen recht, wenn Sie von einer Ontologie der Schuld sprechen, Marcus, wenn Sie vom Ankämpfen gegen die Ordnung und Struktur der Natur reden. Gleichzeitig möchte ich aber nochmals betonen, daß wir alle Lehrbücher der Moral-Theologie und -Philosophie hinter uns lassen müssen, wenn wir es mit der unendlichen Komplexität des wirklichen Lebens zu tun haben. Und diese Komplexität erfordert unbedingt einen Akt der kreativen Unterscheidung, einen Akt, der sich einfach nicht vorausprogrammieren läßt. Die kreative Entscheidung, von der ich rede, ist auf jeder Altersstufe wieder eine andere und ist auch innerhalb derselben Altersstufe trotzdem unvoraussagbar. Die Frage von Wachstum und Moralität ist im Alter nicht dieselbe wie in der Jugend oder in den mittleren Jahren. Denn im Alter müssen wir unsere physischen Aktivitäten abbauen und uns nach ihnen wenden,

---

[1] J. Finnis, Natural law and Natural Rights, Oxford 1980, S. 143

und das moralische Problem besteht nun in der Frage, was wir unserem inneren Leben und dem Leben überhaupt schuldig sind. Und doch diktiert andererseits kein Alter ganz bestimmte Antworten. Ich habe in meiner Praxis im Laufe der Jahre eine ganze Anzahl von Frauen kennengelernt, die in einem verhältnismäßig vorgeschrittenen Alter immer noch Jungfrauen waren. Bei vielen von ihnen hatte ich allen Grund, den großen Mut zu bewundern, mit welchem sie sich dann dazu entschieden, oftmals nach langen inneren Kämpfen, eine Beziehung zu einem Mann aufzubauen. Das Risiko ist groß, daß dadurch im Leben einer Frau eine solche Umwälzung eintritt, daß manches Unglück die Folge sein kann. Doch die härtesten Entscheidungen mußten in den Fällen getroffen werden, in denen zwischen einer solchen Frau und einem verheirateten Mann eine tiefe und aufrichtige Liebe existierte. Mit besonderer Bewunderung denke ich hier an einige Frauen, die, ohne jede Rücksicht auf die Konventionen, schließlich solche Beziehungen eingingen, welche für mein Gefühl auf einer wahrhaftigen moralischen Grundlage beruhten.

Damit sage ich, daß es eben Fälle gibt, wo sich der einzelne entgegen der traditionellen Moral im Interesse seines eigenen Wachstums verhalten muß und wo er sich am besten mit dem Konflikt abfindet, bis er tief im Innern aus der Weisheit des höheren Selbst heraus einen Sinn für moralische Intuition zu entwickeln beginnt. In solchen Fällen hat der Berater die Aufgabe, den Menschen zu helfen, innerlich allmählich zu der Reife zu kommen, aus der ein kreatives moralisches Urteil entspringen kann.

Im wesentlichen sage ich damit also, daß es keine fertigen Antworten gibt, daß ein solcher Entscheidungsakt immer kreativ und intuitiv sein muß – das Ergebnis subtilsten moralischen Taktes und moralischer Weisheit, die allem bloß Subjektiven, Selbstsüchtigen und Stürmischen entgegenwirken und deshalb allen Menschen offenstehen. So kann eine menschliche Antwort auf ein menschliches Problem gefunden werden. Ich bin jedoch schon seit langem der Überzeugung, *daß dieses allgemein-menschliche Phänomen in den Biographien vieler großer Künstler seinen Ausdruck findet*. Der moralische Konflikt bleibt zwar im wesentlichen derselbe, doch bei solchen Menschen tritt er in intensiverer Form in Erscheinung. Dazu möchte ich Ihnen ein paar Beispiele geben.

Richard Wagner gilt allgemein als genialer Komponist. Aber in seinem Privatleben war er ein Lügner, ein Betrüger, ein Egozentriker und ein Ehebrecher. Er belog König Ludwig und hat Cosima Bülow von seinem besten Freund gestohlen. Er war von dieser Frau in seinem Leben äußerst abhängig, er gestand, daß er nicht arbeiten könne, wenn sie weg sei. So war er als Mensch bemitleidenswert, ja sogar abstoßend, und doch tat er all diese Dinge um der Vollendung seiner Kunstwerke willen, die doch gewiß als Meisterwerke gelten müssen.

Noch interessanter ist vielleicht der Fall von Toscanini. Er war ein sehr intensiver und emotioneller Mensch, eine wahre Naturgewalt, ein genialer Dirigent von strahlender Energie. Seine Aufführungen waren derart anspruchsvoll und krafterfüllt, daß er immer wieder Entspannung brauchte. Es ist eine bekannte Tatsache, daß er zahlreiche und oft stürmische Liebesaffären hatte; einige gingen so nebenher, andere nicht so ganz. In seinem Fall war es unmöglich, daß ihm seine Verstöße gegen die traditionelle Moral nicht bewußt wurden. Es gab den bekannten Zwischenfall, daß die führende Sopranistin, eine Italienerin, die von ihm schwanger war, auf der Bühne ausgeschrien wurde. Eine andere Geliebte bat ihn, seine Frau zu verlassen. Er hat sich glatt geweigert, und die Affäre war aus. Er erlaubte sich diese Freiheit. Bei all seiner Kraft und Intensität konnte er im konventionellen Sinne kein treuer Ehemann sein. Und doch hielt er an der Idee der Unauflöslichkeit der Ehe äußerst hartnäckig fest. So blieb er bis zum Ende mit seiner Frau Carla zusammen. Und nicht nur das: einer der merkwürdigsten Züge seines Charakters war, daß er die Scheidung so stark verwarf, daß er, wenn sich einer seiner Freunde scheiden ließ, nie mehr mit ihm sprach!«

»Und wie erlebte seine Frau all dies, Hans?«

»Ich glaube, im Grunde hat sie die Situation akzeptiert. Sie war eine sehr ruhige, loyale und mütterliche Frau, bestimmt keine aufregende Frau. In solchen Umständen fühlen sich viele Frauen entweder erleichtert, weil nicht mehr so viele Anforderungen an sie gestellt werden, oder aber sie akzeptieren die Situation einfach. Doch ich muß zugeben, daß immer eine Spannung bleiben wird; stets wird auf beiden Seiten Schmerzliches zu erleiden sein, und mindestens auf einer Seite wird es Schuldgefühle geben, nicht zuletzt auch Schuldgefühle auf seiten der Frau, weil sie sich dem Partner nicht gewachsen fühlt. Andererseits müssen wir uns fragen: Was wäre denn zum Beispiel in Toscaninis Fall die Alternative gewesen? Hätte er seine Bedürfnisse unterdrückt, so hätte das für seine künstlerischen Aktivitäten katastrophale Folgen gehabt, ganz abgesehen davon, was das für ihn als Mensch für Folgen gehabt hätte. Wer hätte etwas davon gehabt? Eine Frau muß in einem solchen Fall auch realistisch sein und sollte unter allen Umständen den bestmöglichen Kompromiß akzeptieren. Die beiden müssen einen Kompromiß anstreben, der wenigstens für beide schmerzlich ist.

Doch lassen Sie mich Ihnen als nächstes den Fall von Georges Simenon schildern. Ich muß gestehen, daß ich ganz süchtig bin nach seinen Romanen, aber ich hoffe, daß ich ihn nicht deswegen für einen bedeutenden Schriftsteller halte. Simenon ist ja berühmt für seine Erfindung der Gestalt des Maigret, aber er hat außerdem eine ganze Menge von anderen Romanen geschrieben, die in überzeugender Weise an das wirkliche Leben rühren, nicht nur wegen seiner angeborenen Gabe eindringlicher Gründlichkeit, sondern weil er fast wie besessen Unmengen von psychologischer Literatur verschlungen hat. Seine Romane besitzen eine Spontaneität und etwas zwingend Notwendiges, wie das nur bei wenigen anderen Schriftstellern zu finden ist. Wissen Sie, wie er arbeitet? Er ist ein sehr sinnlich veranlagter Mensch und kann nur anfangen zu arbeiten, wenn er von einer unmittelbaren Sinneswahrnehmung angeregt wird: von einem Ton, einem Geruch, einer Berührung, einem Lichteindruck. Dieses Bedürfnis, dieses beinahe zu einer Besessenheit durch die Sinnlichkeit sich steigernde künstlerische Bedürfnis prägt seine ganze Lebens- und künstlerische Schaffensweise. Man sagt, wenn sich ein Roman in ihm zu regen beginnt, habe er das Gefühl, krank zu werden, Fieber zu bekommen, wie wenn er Grippe hätte. Möglicherweise ruft man den Arzt, und dann sagt er: ›Es ist keine Grippe, es ist ein Roman.‹ Simenon pflegt sich dann zurückzuziehen und schreibt während etwa acht bis zehn Tagen, ununterbrochen. Doch um sich, sobald die Arbeit fertig ist, zu entspannen und auch, um sich wieder mit dem niederen, grob-sinnlichen Element zu verbinden, das er im schöpferischen Prozeß verbraucht hat, stürzt er sich nach den Worten eines Künstlerkollegen ›ins nächste Bordell‹. Man sagt, er habe Tausende von Frauen ›gehabt‹, abgesehen davon, daß er drei Ehen hinter sich hat. Man könnte natürlich sagen, er habe es zu weit getrieben, denn nach den Worten eines anderen Berichterstatters hat er die sexuellen Gewohnheiten eines Handlungsreisenden. Aber das Wesentliche ist, daß der sinnliche Reiz, selbst auf Kosten der konventionellen Moral, für sein künstlerisches Wesen unabdingbar ist.

In dieser Hinsicht ist er mit Mozart vergleichbar, dessen Name ja geradezu für das Sublime steht und der doch in seinem Verhalten und in seiner Sprache sehr grob, ja sogar abszön sein konnte; aber er brauchte das, um mit dem Leben, selbst in seinen gröbsten Erscheinungsformen, in Verbindung zu bleiben, damit er kreativ bleiben konnte. Sie sehen also wiederum die moralische Problemlage, denn gewiß hatte Mozart der Kunst gegenüber eine Verpflichtung, und so zeigt sich das Problem des Wachstums hier als Problem des künstlerischen Wachstums einer Persönlichkeit.«

»Ich kann Ihre Auffassung teilen, Hans, daß der Fall des Künstlers eine vitalere Version des Konfliktes darstellt, den viele Menschen zwischen äußeren und inneren Anforderungen erleben, und ich teile auch Ihre Ansicht, daß wir es hier im Vergleich mit anderen Fällen vielleicht mit einem noch echteren moralischen Konflikt zu tun haben, insofern ein großes Kunstwerk als eine Art Lebenssteigerung in sich selbst schon einen moralischen Wert besitzt. Ich muß aber gestehen, daß ich doch auch gewisse Vorbehalte habe. Zunächst einmal in bezug auf die Tatsache, daß Ihre Denk- und Darstellungsweise etwas Romantisches hat. Hat nicht sogar Ihr geliebter Goethe aus seiner Erfahrung der romantischen *Sturm und Drang-Phase* heraus, als er dann zur klassischen Stimmung gefunden hatte, die Worte geschrieben:

›Wer Großes will, muß sich zusammenraffen.
In der Beschränkung zeigt sich erst der Meister,
Und das Gesetz nur kann uns Freiheit geben.‹

Obwohl er selbst vielleicht nicht imstande war, diesem von ihm erschauten Ideal ganz nachzuleben: gab es denn nicht auch klassische Künstler, die das konnten, zum Beispiel Milton, Bach, Jane Austin, Gerard Manly Hopkins?

Doch meinen Vorbehalten liegt auch noch etwas Tieferes zugrunde. Es ist die schlichte Frage, ob Sie nicht auch einem Ideal der völligen Treue in einer Beziehung Raum geben, koste es, was es wolle? Ist das Leben für ein Ideal nicht auch ein Grundbedürfnis?«

»Ich gewähre einem solchen Bedürfnis nicht nur Raum, Marcus, ich räume ihm sogar einen ganz *zentralen Platz* ein. Das Streben nach dem Ideal ist das höchste Bedürfnis, und alles andere ist für mich nur eine Annäherung zu ihm hin. Die höchste innere Notwendigkeit des Menschen besteht in der Treue zu seinem höheren Selbst, und dies erfordert notgedrungen Zurückhaltung und Opfer. Selbst Schnitzler konnte diese Tugenden in seinem künstlerischen Leben praktizieren, allerdings nicht in seinem praktischen Leben. Aber auch dieser Konflikt weist auf die Tatsache hin, daß wir eigentlich über einen *Prozeß* reden – und zwar einen Prozeß *der allmählichen Erlösung*. Die Menschen müssen vielleicht die Finsternis und den Schrecken mehr oder weniger orgiastischer Ausbrüche durchleben, bevor sie befreit werden können. Deswegen ist das, was ich früher *schöpferischen Verzicht* genannt habe, das Urphänomen menschlicher Erfahrung – der Erfahrung nämlich, daß ein Mensch mit einer Versuchung konfrontiert werden, sie aber zurückweisen kann. Ein einfaches Beispiel davon ist der Fall von Galsworthy. Wie Sie vielleicht wissen, verliebte sich Galsworthy im gefährlichen Alter von vierzig Jahren in eine achtzehnjährige Frau. Aber er sagte ›Nein‹, denn er wollte seiner Frau treu bleiben. Als Berater muß man nun in einer solchen Situation herauszufinden suchen, ob eine derartige Verzichtmöglichkeit existiert, ob genügend substantielle Kraft vorhanden ist, um das zu versuchen; und wenn die geringste Aussicht besteht, diese Kraft zu mobilisieren, dann sollte der betreffende Mensch dazu herausgefordert werden, sich seinem höheren Selbst zu nähern. Doch in vielen Fällen ist diese Kraft nicht da, während das ungelebte Leben sehr präsent ist und den Menschen quälen kann. In einem solchen Fall muß man einfach das Bestmögliche tun, das am wenigsten Verletzende, am wenigsten Selbstsüchtige, den Kompromiß wählen, der am wenigsten subjektiv ist. Aber darf ich wiederholen: Das zentrale menschliche Bestreben ist das Verfolgen des Ideals. Jede Abweichung ist nur ein Stein auf dem Weg zum höchsten Ideal.«

»Nun, Hans, indem Sie dies sagen, haben Sie meine ursprüngliche Frage völlig beantwortet, insofern ich von der Spannung gesprochen habe und insofern Sie nun in so lebendiger Art von beiden

Seiten dieser Spannung sprachen. Zuerst legten Sie die Notwendigkeit dar, dem Gesetz seines inneren Wesens, wie Sie es nannten, zu folgen, dann betonten Sie die Zentralbedeutung des Strebens nach dem Ideal, und damit haben Sie eine prinzipielle Versöhnung festgestellt, wenn sie sich auch in Form eines schmerzhaften und kampfreichen Prozesses vollzieht.«

»Ja, und in diesen Zusammenhang gehört ein kurzer Ausspruch von Christian Morgenstern, dem poetischen Philosophen oder philosophischen Poeten, ein Ausspruch, der vollkommen zusammenfaßt, was Sie in den letzten Worten vom ›schmerzhaften und kampfreichen Prozeß‹ zum Ausdruck gebracht haben. Morgenstern schrieb einmal ein Gedicht an die Schuld und nannte es ›Schuld, du dunkle Huld‹. Sie sehen, er erlebte, daß selbst die Schuld – die Schuld an dem, was Sie den ontologischen Sinn in der Verletzung des eigenen höheren Selbst wie des Lebens nennen –, die Schuld, die schon allein dadurch entstehen kann, daß man einfach tut, was man tun muß: Morgenstern erlebte, daß selbst diese Schuld eine Stufe auf dem Wege zur Erlösung sein kann, auf dem Wege zu einer größeren Freiheit, zur Erlangung des Ideals.«

»Wissen Sie, Hans, ich halte diese Formulierung Ihrer eigenen Ansicht für vollkommen berechtigt, und vielleicht überrascht es Sie, wenn ich Ihnen sage, daß der Ausspruch Morgensterns in meinen Augen eine spontane Wiederentdeckung und persönliche Formulierung der Lehre von Thomas von Aquino darstellt. Denn er sagt in zwei wesentlichen aufeinanderfolgenden Artikeln seiner *Summa Theologica* (q. 19, art. 5 u. 6) über das Gewissen, daß man, während man dem Gewissen gehorchen muß, selbst wenn es irrt, daß man dadurch nicht unbedingt von einem Fehler entschuldigt ist. Sie sehen, in dieser trockenen scholastischen Art hält auch er das Gleichgewicht zwischen der inneren Überzeugung und dem, was ich ontologische Realität, Natur, die objektive Ordnung der Dinge nenne und was Sie wohl lieber als grundlegende, unveränderliche Gesetze bezeichnen würden.«

»Ich habe das natürlich nicht gewußt, Marcus, aber selbstverständlich freut es mich sehr, auf der Seite des *doctor angelicus* zu stehen.«

»Nicht nur dieses Mal, Hans. Darf ich die Frage aber noch etwas weiter führen, und zwar in eine mehr philosophische Richtung?

Sie wissen nur zu gut, daß heute viel von einer neuen Moralität die Rede ist. Auf einer mehr populären Ebene spricht man diesbezüglich von der ›permissive society‹, auf einer mehr esoterischen Ebene spricht man vom Wassermann-Zeitalter. Aus dem, was Sie sagen, entnehme ich aber, daß Sie ebenso wie ich selbst eher zu einer neuen Moralität tendieren, die darin besteht, dem traditionellen Moralkodex eine tiefere und persönlichere Bedeutung zu verleihen und ihn als Ausdruck dessen aufzufassen, was Sie als Gesetz des inneren Wachstums bezeichnen. Und so nehme ich an, daß auch Sie nicht mit einer neuen Moralauffassung sympathisieren, die darin besteht, das Ausleben mehr oder weniger unkontrollierter Einfälle und Wünsche zu sanktionieren. Ich befrage Sie deswegen über Ihre Meinung zu diesem Thema, weil ich glaube, daß in dieser Spaltung der Auffassungen einer der großen Konflikte der verschiedenen Werturteile in unserer Zeit liegt.

So wie ich die Dinge sehe, stützt sich ein Wert-System hauptsächlich auf die *Erfahrung*. Mehr und mehr Menschen, vor allem unter den jungen Leuten, sagen, daß sie sich lieber auf die Erfahrung verlassen und sich von ihr durch das Leben leiten lassen, als sich auf irgendeinen Code oder eine Tradition oder den Rat anderer zu stützen. Dies zeigt zugleich eine Enttäuschung über die tradierten Systeme und Vertrauen in die eigene Kreativität. ›Erfahrung‹ ist damit zu einem der großen Worte unserer Zeit geworden; es ist beinahe schon ein Schlagwort geworden, ein Shibboleth der Moderne. Ich machte kürzlich diesbezüglich zwei Erfahrungen. Vor ein paar Tagen sagte mir eine Frau, unser erstes Buch habe ihr deswegen so gefallen, weil es auf Erfahrung beruhe; zwei Tage danach gab ich einer Studentin die hl. Kommunion, als ich bemerkte, daß sie über der Tasche ihrer Baumwolljacke das Wort ›Erfahrung‹ eingenäht hatte.

Und schauen wir in Erich Fromms berühmtes Buch ›Die Kunst des Liebens‹, das 1957 in England erschienen ist, seither aber viele Male neu aufgelegt worden ist, so finden wir einen für uns aufschlußreichen Abschnitt:

›Während der irrationale Glaube in der Unterwerfung unter eine Macht wurzelt, die als überwältigend stark, allwissend und allmächtig empfunden wird sowie in der Abdankung der eigenen Kraft und Stärke, beruht der rationale Glaube auf dem gegenteiligen

Erlebnis. Wir haben Glauben in einen Gedanken, weil er das Ergebnis unserer *eigenen* Beobachtungen und unseres *eigenen* Denkens ist. Wir haben Glauben in die eigenen Möglichkeiten wie auch in die Möglichkeiten anderer und der Menschheit in dem Grade, in dem wir die Realität unseres eigenen Wachseins und Reifens erlebt haben.‹[1]

Carl Rogers schlägt in seinem Buch ›Die Entwicklung der Persönlichkeit‹ einen ähnlichen Ton an: ›*Erfahrung ist für mich die höchste Autorität.* Der Prüfstein für Gültigkeit ist meine eigene Erfahrung. Keine Idee eines anderen und keine meiner eigenen Ideen ist so maßgeblich wie meine Erfahrung. Ich muß immer wieder zur Erfahrung zurückkehren, um der Wahrheit, wie sie sich in mir als Prozeß des Werdens darstellt, ein Stück näherzukommen.

Weder die Bibel noch die Propheten, weder Freud noch die Forschung, weder die Offenbarungen Gottes noch des Menschen können Vorrang vor meiner direkten Erfahrung haben.‹[2]

Nun ist ›Erfahrung‹ ein Begriff, der uns nicht nur sehr vertraut ist, sondern der auch sehr reich und komplex ist. Erst in unserer Zeit beginnt man, diesen Begriff in einer mehr systematischen Weise zu analysieren. Es verhält sich hier ähnlich wie mit dem, was der hl. Augustinus über die Zeit gesagt hatte: Wir wissen, was sie ist, bis wir von jemandem gebeten werden, sie zu analysieren ... Ich kann also nicht hoffen, ihr gerecht zu werden. Zumindest aber kann man feststellen, daß im gewöhnlichen Begriff der Erfahrung zwei Elemente enthalten sind: der Begriff umspannt zugleich das, was man *schon* gelernt hat, eine Art Ablagerung aus der Vergangenheit (›meiner Erfahrung nach‹) wie auch etwas Neues, dem man begegnet, etwas, was man *noch* zu lernen hat (›alles ist Erfahrung‹). In einer tonangebenden Untersuchung zu diesem und verwandten Begriffen kommt ein Ausdruck vor, der die Anwesenheit dieser beiden Elemente und die geheimnisvolle Spannung zwischen ihnen genau trifft: es ist die Rede von einer seltsamen Verschmelzung von Erinnerung und Erwartung zu einem Ganzen, das wir Erfahrung nennen und das wir aus der Erfahrung gewinnen.

Wenn wir also auf die Erfahrung verweisen, so können wir etwas

---

[1] Erich Fromm, Die Kunst des Liebens, Frankfurt 1979, S. 161 f.
[2] G. C. Rogers, Die Entwicklung der Persönlichkeit, Stuttgart 1982, S. 39

meinen, das wir wirklich erfahren haben, und dann tun wir das eben im Hinblick auf das Vergangenheitselement der Erfahrung; wir können aber auch etwas meinen, das wir erst noch erwarten, und dann tun wir dies im Hinblick auf das andere Element im Erfahrungsbegriff, im Hinblick auf das Neue; schließlich können wir aber etwas Neues meinen, das das Vergangene ergänzt, und dann tun wir dies im Hinblick darauf, daß dieses Neue irgendwie mit der Vergangenheit zusammenhängt. Gerade daß es beim Erfahrungsbegriff anscheinend erlaubt ist, unvermerkt vom einen Element zum andern zu gleiten, macht seine Kraft aus. Doch wenn man sich ganz auf die Vergangenheit stützt, kann man auch ein Gefangener dieser Vergangenheit werden, so daß sie einen nur begrenzt leiten kann; verläßt man sich auf das Neue, so stützt man sich per definitionem auf etwas Unbekanntes, und deswegen kann man sich auch vom Neuen nicht leiten lassen, jedenfalls nicht im selben Sinne; ein Sich-Stützen auf das Neue auf Grundlage dessen, was vergangen ist, wirft die Frage auf, wie das Neue mit dem Vergangenen zusammenhängt. Gerade die Vermischung von Vergangenem und Neuem, von Erinnerung und Erwartung verschleiert damit die Tatsache, daß die beiden Hauptelemente miteinander unvereinbar sind, und daher ist auch der rasche Übergang vom einen zum anderen Element, um den Einschränkungen beider zu entfliehen, ein logisch unberechtigter Sprung, und das Einleuchtende des Begriffs ist daher nur scheinbarer Natur. Aus diesem Grunde ist das vorzugsweise Sich-Abstützen auf die Vergangenheit im Sinne von Erich Fromm und Carl Rogers zumindest logisch widerspruchsvoll.

Zweifellos gerade wegen dieses logischen Mangels des Erfahrungsbegriffes, der es nicht zuläßt, daß er ein Führer, eine ›Autorität‹ und ein ›Prüfstein‹ des Lebens sei, gerade deswegen sprach sich Kardinal Newman dafür aus, eine Führung durch die Vergangenheit als unvermeidlich und erstrebenswert zu akzeptieren, und das heißt für ihn, sich auf eine bestimmte Tradition, einen bestimmten Glaubens- und Verhaltenskodex abzustützen, obwohl er gleichzeitig auch der Erfahrung ihren Platz einräumen will. In seinem *Essay on the Development of Christian Doctrine* und in seinen *University Sermons* machte er beispielsweise darauf aufmerksam, wieviel Mutmaßliches in unserem gegenwärtigen Leben eigentlich eine Rolle spielt – und wies er auf die Tatsache hin, daß wir aus der Vergangenheit heraus, aus einer Vor-Gestaltung des Neuen heraus leben, aus Vorerwartungen, Billigungen und daher auch aus dem *Vertrauen* heraus: ›Wir müssen mit dem Glauben beginnen... die Überzeugung wird folgen.‹. Ein alternatives Wertsystem besteht daher dem Wesen nach in der freien und willigen Annahme einer Art Vor-Führung, einer Art Aufsicht und Lenkung unserer Projekte, einer Art Vor-Urteil im eigentlichen Sinne des Wortes oder eines gewissen *Vorverständnisses.* In diesem Sinne können wir den Komplex von übernommenen und kultivierten Haltungen und Kenntnissen übernehmen, der uns unweigerlich auch zu Neuem führt, allerdings nur an den Anfang dieses Neuen, das dann tatsächlich durch die Erfahrung geprüft und durch das Individuum Überzeugung werden muß. Da ein solches Leben aus anfänglichem Vertrauen heraus nichts Irrationales ist, gilt das auch für die höchste Art von Vertrauen, nämlich für das Vertrauen in das, was wir als Offenbarung Gottes ansprechen. Dann glauben wir, um zu verstehen, wir vertrauen, um überzeugt zu werden, wir setzen voraus, um zu erfahren.

Soweit habe ich versucht, den Konflikt der Wertsysteme in eigenen Worten sowie auch im Sinne von Repräsentanten der angloamerikanischen Tradition darzustellen. Es handelt sich in der Tat um einen sehr tiefen Konflikt, wie der deutsche Philosoph Hans Georg Gadamer, ein Schüler Heideggers, unwiderleglich nachgewiesen hat. In seinem Buch *Wahrheit und Methode* beschreibt er den Konflikt, den ich meine, im Sinne eines dauernden und fortgesetzten Kampfes zwischen den Werten einerseits der Vernunft, der Erfahrung und des Individualismus und andererseits den Werten der Tradition, des Vorverständnisses, des Glaubens an die Offenbarung, der für uns mit der Aufklärung des 18. Jahrhunderts begonnen hat. Nicht daß dies ein ausschließlich modernes oder westliches Problem wäre. Ich war sehr fasziniert, als ich kürzlich entdeckte, daß kein Geringerer als Gandhi diesen Konflikt zwischen Gewissen und Glauben auch erlebt hat, das heißt den Konflikt zwischen dem, was wir hier als soziale Moralität und inneres Wachstum bezeichnen, und zwar in seinem eigenen Leben und an seiner eigenen Person; Gandhi hat diesen Konflikt allerdings auf dem Hintergrund eines tradierten Codes erlebt, in seinem Falle auf dem Hintergrund des ewigen Gesetzes, wie es in den Veden Indiens seinen Ausdruck findet. So drückt das R. C. Zähner in seinem Buch *Der Hinduismus* aus:

›In seiner zerbrechlichen Gestalt vereinigten sich die altehrwürdigen Ideale der Entsagung, des ‚Nicht-Verletzens' (*ahiṁsā*, von ihm mit ‚Gewaltlosigkeit' übersetzt) und der Wahrheit. Er bezeichnete sich selbst als *sanātanī* Hindu, als einen, der dem sanātana dharma folgt, dem ‚ewigen Gesetz', wie es sich einst im *dharmarāja* Yudhishthira verkörperte. Gandhis Zwiespalt war derselbe wie der Yudhishthiras: Was und wo *war* der *sanātana dharma*, dem er, nach seinen eigenen Worten, folgte? War er in seinem Herzen oder lag er in dem, was die Brāhmanen verkündeten?

Daher erschien es ganz selbstverständlich, wenn er von der Schrift sagen konnte: ‚Mein Glaube an die hinduistischen Schriften zwingt mich nicht, jedes Wort und jeden Vers als Ausfluß göttlicher Eingebung anzuerkennen. Auch behaupte ich nicht, irgendwelche unmittelbare Kenntnis dieser herrlichen Bücher zu besitzen. Wohl aber behaupte ich, den Wahrheitsgehalt der wesentlichen Lehren jener Schriften zu kennen und zu empfinden. Ich lehne es ab, mich durch irgendeine Auslegung binden zu lassen, so gründlich sie auch sein mag, wenn sie mit der Vernunft und dem moralischen Bewußtsein unvereinbar ist.' Das gepeinigte Gewissen Yudhishthiras spricht aus dem Munde des Mahātma Gandhi.‹[1]

Diese Art der Darstellung erinnert an die jüdisch-christliche Tradition jener außerordentlich revolutionären und doch traditionellen Worte von Jesus (Markus, 7,7): ›Die Zielsetzung Gottes laßt ihr fahren, um nur ja die menschliche Überlieferung festzuhalten.‹ Das ist, wie wenn Jesus sagen würde: Gottes eigene Botschaft kann nur durch das Vehikel einer menschlichen Lehre zu uns kommen, und doch kann gerade diese Vermittlung die göttliche Botschaft verzerren und verraten. Die archetypische Botschaft muß deshalb von Zeit zu Zeit befreit und neu entdeckt werden, in einem forschenden Wechselspiel von Glauben und Erfahrung, von Kodex und Gewissen – ich nehme an, Sie stimmen mit mir überein, wenn ich von einem anfänglichen und Anfänge setzenden Hinnehmen der Tradition und des Moralkodex rede.«

---

[1] R. C. Zaehner, Der Hinduismus, München 1964, S. 179f.

»Ja, Marcus, darin stimme ich in der Tat mit Ihnen überein. Für mich *gibt es* bestimmte grundlegende und unveränderliche Gesetze. Diese Gesetze gehören der vollendeten menschlichen Natur, dem höheren Selbst des Menschen an. Ehebruch bleibt zum Beispiel Ehebruch; das höhere Selbst begeht keinen Ehebruch. Ich möchte keine Abweichung von diesen Grundgesetzen sanktionieren und zum Dauerzustand erklären. Was ein Berater tut, ist, den Ratsuchenden Schritt für Schritt allmählich auf dieses Ideal hinzuführen, und er muß dabei Kompromißlösungen und Probeantworten akzeptieren, die mit dem niederen Selbst, mit Entwicklungshindernissen und so weiter zu tun haben, die aber trotzdem das Wachstum anregen und fördern können. Doch das sind nur Stufen auf dem Weg zum Ideal.«

»Sie geben damit dem Begriff des Sich-auf-ein-Ideal-Zubewegens eine neue Nuance, insofern Sie sagen, der Berater müsse bestimmte Kompromißlösungen, wie Sie es nennen, nicht nur tolerieren, sondern in gewissem Sinne geradezu zu ihnen ermuntern, Kompromißlösungen, die nicht an das Ideal heranreichen, *vorausgesetzt* allerdings, sie können zu Bemühungen anregen, über sie hinauszuwachsen...«

»Um sie schließlich ganz hinter sich zu lassen. Dann ist die Spannung am Ende ganz aufgehoben.«

»Ich verstehe, Hans. Wissen Sie, was Sie jetzt sagen, erinnert mich an eine Unterscheidung, welche in der römisch-katholischen Tradition schon seit langem gemacht wird und welche Kardinal Hume unter anderem wieder aufgegriffen hat, nachdem er Erzbischof von Westminster geworden war. Es ist die Unterscheidung zwischen dem Prinzip und der pastoralen Anwendung. Hume sagte, wir müssen in prinzipiellen Angelegenheiten kompromißlos sein, unendlich beweglich jedoch in Fragen der Anwendung. Das ist das wirkliche pastorale Geschick. Und in diesem Sinne sprechen Sie sozusagen vom säkularen Äquivalent zum pastoralen Geschick.«

»Das ist außerordentlich interessant für mich, Marcus, und zwar nicht nur wegen des unmittelbaren Inhaltes. Denn indem Sie den Berater mit dem Priester vergleichen, erinnern Sie mich auch an den Unterschied zwischen ihren beiden Rollen, welchen Sie am Beginn der heutigen Morgendiskussion auseinandersetzten, und das ist etwas, worüber auch ich selbst lange nachgedacht habe. Sehen Sie, für mich haben der Berater und der Priester verschiedene Aufgaben und verschiedene Kraftquellen. Der Priester hat die Möglichkeit, dieses höhere Selbst, das inaktiv oder nur zum Teil erwacht ist, anzusprechen und herauszufordern, und zwar kann er dies in unmittelbarer Weise, und als Kraftquellen hat er die heiligen Schriften, die Sakramente, die Gebete, seine ganze Präsenz, ja sogar seine Erscheinung in einem Gewand, das über das individuelle und begrenzte Selbst hinausweist. Der Berater andererseits hat den entgegengesetzten Ausgangspunkt. Seine Aufgabe ist es, die Probleme des niederen Selbst zu klären, auf die Weise, wie wir heute morgen gesehen haben. Er hat nicht das Amt, die Rolle oder den Anspruch übernommen, das höhere Selbst in direkter Form wie der Priester herauszufordern. Er kann dem anderen Menschen nur den Weg ebnen und ihm helfen, für die Gegenwart und die Stimme des höheren Selbst immer offener zu werden. Priester und Berater arbeiten deshalb zusammen, aber sie gehen von verschiedenen Ausgangspunkten aus – und natürlich hat der Priester-Berater, wie Sie selbst einer sind, beide Quellen zur Verfügung.«

»Es freut mich, daß Sie das sagen, Hans. Aber ich muß doch feststellen, daß es für mich, wenn ich in der täglichen Praxis in meiner Priesterrolle von den Beratungsfähigkeiten Gebrauch mache, etwas sehr Heikles ist, genau abzuschätzen, wie in einem bestimmten Fall der Akzent gesetzt werden soll. Ich finde es schwierig, herauszufinden, von welchem Ausgangspunkt ich beginnen soll, wann ich die ›Herausforderung‹, von der Sie so richtig sprechen, machen soll. Man kann meiner Erfahrung nach in beiden Richtungen Fehler begehen: man kann entweder den andern zu früh mit der spirituellen Herausforderung konfrontieren oder man kann ihn seine Experimente zu lange fortsetzen lassen. Auch hier ist mit der Möglichkeit des Fehlermachens zu rechnen. Vielleicht kommt es vor allem darauf an, daß man die unendliche Komplexität menschlicher Situationen und menschlicher Kämpfe von dem Licht beleuchten läßt, das aus dem Paulus-Ausspruch (Philipper 3,12f.), den Sie vorher zitierten, strahlt: ›Nicht als ob ich das Ziel schon erreicht oder die letzte Weihe bereits empfangen hätte. Aber ich strebe vorwärts auf dem Pfade, um das zu ergreifen, um dessentwillen ich von dem Christus Jesus ergriffen worden bin.‹ Das Schlüsselwort ist das

›Vorwärtsstreben‹. Es ist bemerkenswert, daß es gerade diese Passage und ganz besonders *dieser Ausdruck* ist, von dem der hl. Gregor von Nyssa ausgeht, um in seinem *Leben des Moses* seine neue Idee der Vervollkommnung eines kontinuierlichen Prozesses zu entwickeln. Wenn wir ein Wort erfinden wollten, dann könnten wir es aus dem griechischen Wort für ›Vorwärtsstreben‹ herausbilden: *epekteinomai*, und wir könnten sagen, wir müssen uns einen Sinn dafür bewahren, daß das Leben eines Menschen ›epekteinisch‹, das heißt ein Prozeß des fortwährenden Vorwärtsstrebens bleibt.«

»Ganz einverstanden. Ich würde das so ausdrücken: Die Konflikte, die Krisen, die entscheidenden Augenblicke, die Finsternis und die Furcht und sogar die Schuld, all dies kann zur Stufe auf dem Weg zum Ideal des höheren Selbst werden, wenn ein Mensch darauf aufmerksam geworden ist, wenn er zukunftsorientiert ist; sonst wird er sich einfach einrichten und sich wohl fühlen. Die Kehrseite der Medaille aber ist, daß man sich auch überanstrengen kann. Ich erinnere mich an eine Frau aus meinem Bekanntenkreis, die so oft sagte: ›Warum kann ich nicht perfekt sein? Warum kann ich nicht perfekt sein?‹ Ich akzeptiere die menschliche Natur, ich akzeptiere, was ich bin. Ich frage mich einfach, was der nächste Schritt ist, und ich akzeptiere auch den Kampf.«

»Das erinnert mich an eine prägnante Aussage von Carl Rogers, und da ich ihn bereits früher zitiert habe, um ihm zu widersprechen, möchte ich ihn jetzt noch einmal zitieren, und jetzt kann ich mich ihm anschließen. Er sagt: ›Ich glaube, dies sowohl von meinen Klienten wie auch aus eigener Erfahrung heraus gelernt zu haben – daß wir uns nicht ändern können, uns nicht von dem, was wir sind, entfernen können, bis wir völlig *akzeptieren*, was wir sind. Dann ereignet sich fast unmerklich die Veränderung.‹[1]

Und das wiederum erinnert mich an ein anderes Zitat, das ziemlich den gleichen Sinn hat, wenn es auch in einer dramatischeren und religiöseren Weise formuliert ist. Es stammt aus Harry Williams schönem kleinen Buch *The True Wilderness*:

›Das menschliche Leben ist weitgehend eine Wildnis, ein Wüstengebiet ohne Wasser… Sobald wir unsere Wildheit einmal aner-

[1] C. Rogers, a.a.O., S. 33

kennen und sie nicht mehr vor uns selbst zu verbergen suchen, tritt das Wunder der Auferstehung ein. Die Wüste beginnt zu grünen. Der steinige Grund bringt selbst reiche Weiden hervor. Zum Beispiel entdeckt der Mensch, der sich seine Unfähigkeit zu lieben voll und ganz eingesteht, eine Liebesfähigkeit in sich selbst, die durch nichts Äußeres zerstört oder beeinträchtigt werden könnte. Dies ist Leben durch den Tod.‹[1]«

»Dem kann ich nur meine volle Zustimmung geben, Marcus. Vielen Dank.«

---

[1] Harry Williams, True Wilderness, Glasgow 1965, S. 12

Fünftes Gespräch: Sexualität und Meditation

Liebe ist ein elementares Mittel der Selbst-Erfüllung und ein physischer Weg, neben der mystischen Vertiefung, der zur Transzendenz führen kann.
Siegfried Mandel, *Rainer Maria Rilke.*

Wie im *Śaiva Siddhānta* schließt Gott auch in der Gītā und bei Rāmānuja die Seelen nur in den Kerker der Materie ein, um sie zu erlösen und sie mit sich selbst zu vereinen. Darin besteht sein verehrungswürdiges ›Spiel‹ (*krīdā, līlā*).
R. C. Zaehner, *Hinduismus.*

»Ich möchte heute ein Thema mit Ihnen diskutieren, Hans, das wir öfter schon berührt haben, und dies wohl deswegen, weil es seinem Wesen nach alle übrigen Themen durchdringt, über die wir bisher gesprochen haben. Unser Grundthema, das wir uns einfach als Menschen und nicht so sehr in unserer Rolle als Berater beziehungsweise als Priester stellen, dreht sich ja um *Beziehung und Spiritualität* in ihren verschiedenen Aspekten, und Sexualität und Meditation sind die bedeutendsten Elemente dieser beiden Themenkreise. In unserem Grundthema ist auch die ›Widersprüchlichkeit‹ dieser beiden Elemente enthalten, denn während Sexualität und Meditation miteinander im Streit zu liegen scheinen, gibt es eine sich durch alle Zeiten hindurchziehende Erkenntnis, daß sie doch wiederum auch eng zusammengehören. Was ist nun wahr?

Wenn ich nach der Wahrheit in dieser Sache frage, dann meine ich natürlich eine praktische und nicht eine akademische Wahrheit. Denn nichts könnte uns persönlicher angehen als unsere Sexualität einerseits und andererseits unsere mögliche Offenheit für das, was der hl. Augustinus in unvergeßlicher Weise Gott nannte, ›der uns näher steht als wir uns selbst stehen‹. Und auf dieser Ebene möchte ich heute morgen diese Frage mit Ihnen besprechen.

Denn das Thema ist ganz offensichtlich in erster Linie von persönlichem Interesse, nicht nur für mich als Mann, sondern auch als Zölibatsmitglied eines kontemplativen Ordens, und so erlebe ich die ganze Frage als einen Kampf innerhalb meines eigenen Körpers und meiner eigenen Persönlichkeit. Und doch versuche ich mit dem Gebet fortzufahren und ich empfinde das Bedürfnis nach einer kontemplativen Lebensweise, ohne die das Leben keinen Sinn hätte und durch die selbst Frustration, Schmerz, Tragödie und Sünde notwendig und sinnvoll erscheinen. Ich bin froh um die Gelegenheit, diese Frage mit Ihnen besprechen zu können, ganz besonders, da ich annehme, daß Sie in sich selbst ähnliche Spannungen erleben, wenn auch in einer etwas anderen Weise, da Sie nun beinahe schon fünfzig Jahre einer glücklichen Ehe hinter sich haben und sich auch in leidenschaftlicher Weise der Meditation hingeben.

Das Verhältnis von Sexualität und Meditation enthält sehr viele Spannungen. So brauchen wir uns zunächst nur von Freud daran erinnern lassen – das muß er uns nicht erst sagen –, daß die sexuelle Anziehung eine der starken Kräfte ist, die die Welt vorwärtstreiben, was uns ja die eigene Erfahrung wie auch vieles aus der Welt der Kunst bezeugen kann, und daß wir dies nur zu unserem eigenen Schaden nicht zur Kenntnis nehmen. Andererseits wissen wir auch intuitiv – und das war gewiß auch ein Teil von Freuds Botschaft –, daß ein zügelloses Ausleben der Sexualität mit unserem Menschsein nicht vereinbar ist, ganz zu schweigen davon, daß es nicht mit dem Auffinden der kontemplativen Möglichkeiten in uns zu vereinen ist. Und wenn wir nun die Sache wiederum von einem anderen Gesichtspunkt aus betrachten, können wir feststellen, daß der Mensch zur Meditation fähig ist, daß er sogar das tiefe Bedürfnis nach Meditation hat, um zur unversieglichen Quelle seines Wesens zu kommen und die wahre Liebe seines Herzens zu finden; und doch haben wir beide immer wieder die Erfahrung gemacht, daß Menschen, die nach Spiritualität streben, auf ihrem Wege mit einer der hinterhältigsten Fallen konfrontiert werden, nämlich mit der Versuchung, ihre Geschlechtlichkeit und Körperlichkeit zu verneinen und dadurch einer vorzeitigen Spiritualität und einer falschen Sublimierung zu erliegen. Was haben wir in dieser Frage also für gesunde Unterscheidungskriterien? Doch vielleicht genügt dies zur Einführung des Themas, das mir vorschwebt?«

»Gewiß genügt das, Marcus, und ich möchte Sie hier auch gerne unterbrechen, um auf Ihre Ausführungen einzugehen. Und da Sie zunächst einen so persönlichen Ton angeschlagen haben, möchte auch ich von einer ähnlichen Spannung in meinem eigenen Leben berichten. Nun haben Sie in Ihren einführenden Bemerkungen Ihre Position als Zölibatspriester in den Vordergrund gestellt, und damit haben Sie natürlich nur einen Aspekt des von Ihnen heute morgen aufgegriffenen Themas berührt. Aber da Sie diesen Aspekt nun erwähnt haben, will ich Ihnen, vielleicht zu Ihrer Überraschung, erzählen, daß die kontemplative Seite meines Wesens bereits in meinen jüngeren Jahren so bestimmend wurde, daß ich von meinen Jünglingsjahren an den Wunsch hegte, ein Zölibatleben zu führen. Sie wissen, ich pflegte während der Schulzeit nachts mehrmals aufzustehen, als wäre ich ein Mönch. Rückblickend glaube ich heute, daß dies wahrscheinlich mindestens teilweise eine Reaktion war auf das, was ich in frühester Kindheit im Zusammenhang mit der Sexualität erlebte. Natürlich ist ein Erleben der Sexualität als etwas Häßliches und Abstoßendes keineswegs etwas Einzigartiges. Viele Menschen haben solche ›Verschattungen‹ ihrer Sexualität.

Ein Beispiel, das mir hier einfällt, ist der Fall Gustav Mahlers. Als junger Mann bewohnte er eine armselige Bude in Wien. Eines Tages überraschte er einen Mitmieter, Alfred Grünfeld – einen später berühmten Pianisten –, beim Geschlechtsverkehr mit dem Zimmermädchen. Mahler war über das ihm abstoßend und tierisch erscheinende Verhalten derart entsetzt, daß er den Kollegen von dem Mädchen wegzerren wollte. Darauf wurde er sehr unfreundlich behandelt und zum Teufel geschickt. Ob das die einzige Ursache oder lediglich ein Faktor unter anderen war: jedenfalls hatte Mahler sexuelle Hemmungen, welche sich später auch in seiner Beziehung zu seiner Gattin Alma bemerkbar machten, die ja zwanzig Jahre jünger als er und eine der größten Schönheiten Wiens war, als er sie heiratete. Es war eine schwierige Ehe, und es ist interessant, daß Mahler Freud konsultierte. Nun war Freud, wie Sie wissen, ein Mensch mit sehr festen Gewohnheiten, und so bestand er auch auf seinen regelmäßigen Ferien, die er sehr genoß. Und als Mahler mit Freud Kontakt aufnahm, nahm dieser seine Anmeldung nur unter der Bedingung an, daß ihn Mahler auf einen seiner Urlaubsspaziergänge begleitete. Mahler war einverstanden und machte sich auf den Weg. Sie machten einen stundenlangen Spaziergang, und Mahler fühlte sich im Hinblick auf seine Beziehung zu Alma bereits viel besser – ob als Ergebnis dessen, was Freud sagte, oder einfach aufgrund seiner Persönlichkeit, das wird man nie erfahren.

Wie dem auch sei: Das Wesentliche ist, daß viele Menschen solche dunklen sexuellen Erlebnisse gehabt haben. Auch für mich trifft dies zu; abgesehen davon, daß es diesen Zölibatswunsch in mir hervorgerufen hat, hat mein Kindheitserlebnis auch mein sexuelles Bewußtsein sehr früh geweckt. Ich habe lange gehofft, ich könne die Sexualität ›überwinden‹, aber eine der Lektionen meines Lebens war die Einsicht, daß das nur wenige können, wenn es überhaupt möglich ist; ich konnte es ganz bestimmt nicht, und das mußte ich einfach akzeptieren. Sexualität ist natürlich etwas Komplexes, und sie wird leicht mit Begierde verwechselt, woraus Schuldgefühle entstehen können. Aber zwischen Sexualität und Begierde besteht ein Unterschied. Sexualität kann sich als Begierde manifestieren, aber zunächst manifestiert sie sich als die niederste Stufe eines Hungers, als Bedürfnis, das die gleiche physiologische Notwendigkeit hat wie der gewöhnliche Hunger, und in diesem Sinne hat auch Buddha von der Sexualität gesprochen.

Für mich heißt die Frage deshalb: Wie können wir erkennen, wie wir mit diesem doppelten Bedürfnis umgehen sollen – wie wir das lebenslange Bedürfnis nach Meditation mit dem Bedürfnis nach sexueller Entspannung versöhnen sollen? Und hier wird meine persönliche Frage zu einer allgemeinen. Wie können wir der menschlichen Natur gerecht werden, statt sie zu ersticken, und zwar auf eine Weise, daß das Gleichgewicht mit einem sozial geordneten und moralischen Leben gewahrt bleibt, so daß man weder andere noch sich selbst verletzt und die geistige und spirituelle Integrität gewahrt bleibt? Vor allen Dingen: wie soll man sein Leben einrichten, so daß das meditative Leben nicht unerträglichen Attacken ausgesetzt ist?

Ich habe darüber sehr viel nachgedacht und dieses Problem in meinem Leben durchlebt; ich habe meine eigenen Erfahrungen mit der anderer verglichen, und ich bin zu bestimmten Schlußfolgerungen gelangt. Zunächst glaube ich, daß jeder Mensch, will er ein ganzer Mensch sein, für die Sexualität erwachen und in seiner Jugend grundlegende sexuelle Erfahrungen durchmachen muß, wie das z. B. bei Buddha und Augustinus der Fall war. Durch diese Erfahrung, die einen grundlegenden Lernprozeß darstellt, wird ganz von selbst menschliches Potential freigesetzt. In bezug auf die nächste Lebensphase muß man, glaube ich, nun einen bestimmten Partner haben, aber wenn man auch noch ein ernsthaftes spirituelles Leben führen will, dann ist die Wahl dieses Partners etwas Entscheidendes. Ich habe im Laufe meiner beruflichen Betätigung mehr mit Eheproblemen als mit irgendwelchen anderen Problemen zu tun gehabt. Und so sind mir auch Paare begegnet, die alle gerühmten Freuden und Ekstasen der Sexualität erlebt haben, die aber, zu meinem vollkommenen Erstaunen, in den meisten Fällen im Liebesakt kaum einen menschlichen Kontakt erlebt haben, und zwar um so mehr, wenn sie auch kein Bedürfnis nach Kontemplation hatten. Es ist, wie wenn wir nicht alles an der menschlichen Natur ausleben könnten. Ganz bestimmt scheinen mir häufige und leidenschaftliche Aufregungen und das Erlebnis deliröser Ekstase völlig unvereinbar mit einem ernsthaften und regelmäßigen kontemplativen Leben, während das Ausleben eines sexuellen Grundbedürfnisses, der Wunsch nach mitmenschlichem Kontakt, gegenseitigem Helfen, nach Kameradschaft und gemeinsamen Interessen mit einem kontemplativen Leben durchaus vereinbar sind.«

»Es scheint also, daß wir verschiedene Kombinationsmöglichkeiten der sexuellen und meditativen Tätigkeiten haben, welche eine Art kontinuierliche Stufenfolge bilden – sexuelle Ekstase, ruhiges häusliches Leben, eheliches Meditieren, zölibatsmäßiges Meditieren?«

»Genau, Marcus, wir müssen Prioritäten setzen, und wenn wir sowohl ein kontemplatives als auch ein sexuelles Leben führen wollen, müssen wir einen entsprechenden Partner wählen.

Das alles reicht aber noch nicht. Eine sexuelle Kameradschaft muß auch im Zusammenhang mit dem erlebt werden, was ich früher einmal eine *gelassene Lebensart* genannt habe – eine Lebensart, die allem Gerede und Geschwätz aus dem Wege geht und während des Tagesablaufs für ruhige Pausen sorgt, besonders bevor man von Berufs wegen jemandem gegenübertritt; die körperliche Anstrengung auf ein Minimum reduziert; die die Sinne reinigt und sich von der Reizüberflutung und dem Nervenkitzel der Medien so gut wie möglich fernhält und die für eine passende Ernährung sorgt. Das führt zu einem zwar ›asketischen‹, meiner Ansicht nach aber keineswegs unnatürlichen Lebensstil. Das ist etwa die Lebensweise, die meiner Ansicht nach zu einer Beruhigung der Leidenschaften im Interesse des meditativen Lebens führen kann – es ist das bescheidene Gegenstück zu der Lebensweise des heiligen Hieronymus, der in seiner Zelle ruhig studieren konnte, weil sich ihm der Löwe seiner Gefühle zu Füßen gelegt hatte, unmittelbar neben seinem Hund, wie es Albrecht Dürer auf seinem Stich dargestellt hat, der an der Innenseite der Tür dieses Zimmers hängt, wie Sie vielleicht bemerkt haben.«

»In der Tat habe ich Ihre anderen Bilder sowie auch die Bücher schon oft betrachtet, aber den Stich habe ich noch nie bemerkt, Hans. Ich will diese Unterlassung gutmachen, wenn ich heute morgen wieder aufbreche. Ich bin sehr fasziniert von der Art, wie Sie Ihre Auffassung einer gelassenen Lebensart, wie Sie es nennen, entwickelten, die Ihrer Ansicht nach ein notwendiges Fundament und eine notwendige Voraussetzung zu einem meditativen Leben darstellt. Denn während Sie redeten, erinnerte ich mich daran, wie der hl. Thomas die Wechselbeziehung zwischen dem aktiven und dem kontemplativen Leben im allgemeinen und zwischen dem Meditationsakt im engeren Sinne analysierte – dem *simplex intuitus veritatis* (siehe *Summa Theologica*, questiones 180 u. 183 des 2. art.) –, und der Art, wie die Emotionen und die Lebensweise und ganz speziell auch das Phantasieleben für die Meditation geregelt werden müssen im besonderen. Doch seine ganze Lehre ist durch den Bruder Victor White zugänglicher und verbindlicher geworden, und zwar durch den bemerkenswerten kleinen Kommentar zum Lehrbrief des hl. Thomas über die Kunst des Studiums, den er an Bruder Johannes, einen jungen Dominikaner, gerichtet hat. Victor White faßt die Lehre des Thomas in folgender Art zusammen:

›Die natürliche Erkenntnisbegierde des Bruder Johannes darf nicht geschwächt und noch weniger abgetötet werden; denn gerade sie wird allen seinen Studien die nötige Motivation verleihen. Doch muß sie – aber nicht in unserem Sinne von Verdünnung, sondern in des Thomas' Sinne, daß sie ‚Art', Ordnung und Richtung erhält – gemäßigt werden. Wenn Bruder Johannes Weisheit erlangen will, dann darf er nicht ungeduldig und eilig sein. Es ist eine langsame Arbeit, und sie kann weder durch ein Sich-Vollstopfen noch durch eine raffinierte Technik geleistet werden. Das ist vielleicht ein enttäuschender Dämpfer; aber wenn Bruder Johannes solches meinen sollte, so wird noch Schlimmeres resultieren.

Zwei Drittel des restlichen Briefes scheinen mit der intellektuellen wissenschaftlichen Methode überhaupt nichts zu tun zu haben. Bruder Johannes fragte ja, wie man *studieren* soll; der hl. Thomas antwortet ihm, indem er ihm sagt, wie man *leben* muß. Er fährt fort: ‚Haec est ergo monitio mea de *vita tua*' – Dies ist also mein Rat, wie du *leben* sollst. Dieses ‚also' muß uns ziemlich inkonsequent vorkommen, bis wir uns daran erinnern, was Thomas, indem er einige Ideen aus der Ethik des Aristoteles weiterentwickelt, über die Beziehung zwischen dem Leben der Tugend und dem Leben der Kontemplation zu sagen hat. *Essentialiter* (im wesentlichen) hat moralische Tugend nichts mit Wahrheitssuche zu tun; aber *dispositive, removens, prohibiens* (als Vorbereitung und als Entfernung von Hindernissen) ist sie unabdingbar: ‚Denn der Meditationsakt wird sowohl von der Heftigkeit der Emotionen, durch welche die Aufmerksamkeit der Seele von den Dingen des Geistes auf die Dinge der Sinne abgezogen wird, wie auch von äußeren Störungen behindert. Aber es ist gerade die Aufgabe der moralischen Tugenden, die ungemäßigte Heftigkeit der Emotionen zu vermeiden und die Störungen, die sich aus der äußerlichen Beschäftigung ergeben, zu beruhigen.' (Questro 180, 2. art.)

So erhält Bruder Johannes statt des Hinweises auf eine detaillierte methodisch-pädagogische Technik vom großen Meister Thomas zuallererst eine Liste von praktischen Alltagsübungen, auf die ihn auch sein Novizen-Meister jederzeit hätte hinweisen können. Er muß Schweigen zu wahren versuchen, er muß langsam sprechen; er muß die Reinheit des Gewissens lieben; er darf nicht aufhören, viel Zeit im Gebet zu verbringen. Auch muß er in seiner Zelle bleiben, seine Zelle lieben... Er muß sich alles zweimal überlegt haben, bevor er sich zum Gemeinschaftsraum aufmacht; er muß mit seinen Mitmönchen auf freundschaftlichem Fuße stehen, keinem zu ferne, aber auch keinem zu nahe; und er darf sich nicht in die Umtriebe Außenstehender verwickeln lassen. Vor allem muß er allen ‚discursus' – wir können es am besten mit ‚Umhereilen' im gewöhnlichen

Sinne wiedergeben – meiden und die Beispiele der Heiligen und anderer vernünftiger Menschen nachahmen...

Ich gestehe, als ich diesen Brief zum erstenmal las, war ich darüber überrascht, daß Thomas im Zusammenhang mit dem Studium einen solchen Wert auf die *Nächstenliebe* und Bruder Johannes' Einstellung zu seinen Mitbrüdern legte. Aber man kann nicht zwanzig Jahre in Studienhäusern verbringen, ohne zu bemerken, wie sehr das Studium von zufriedenstellenden persönlichen Beziehungen gefördert und von verworrenen Beziehungen behindert wird... Ein kräftiges Leben in der Sinneswelt ist für den Studierenden nicht bloß eine erniedrigende Konzession an sein ‚niederes Selbst', es ist für die Studien selbst von Notwendigkeit...‹[1]

Sehen Sie? Es scheint mir, daß Sie aufgrund Ihrer Erfahrung mit sich selbst und mit anderen, ohne Rücksicht auf die Zölibatsfrage, die ja eine Sonderfrage ist, zu einer spontanen Darstellung einer weltlichen Version der klösterlichen Lebensweise gekommen sind...!

In Ihrer Darstellung der für meditative Aktivitäten nötigen Lebensweise steckt für mich allerdings auch ein Problem. Während Sie sprachen, dachte ich an verschiedene Menschen, die mir begegnet sind und die so unruhig und geschäftig waren, daß Sie eine Lebensform, wie Sie und der hl. Thomas sie beschreiben, einfach nicht aushielten. Dies ist aber nicht eine Frage, die nur ich persönlich mir stelle. Ich werde zu dieser Frage auch von Papst Gregor dem Großen angeregt, den Thomas, in derselben Reihe von Reflexionen über das meditative Leben, als Zeugen anführt:

›Es geschieht oft, daß solche, die in ganz ehrenwerter Weise beschäftigt waren, indem sie ein normales menschliches Leben führten, vom Schwert der Stille erschlagen wurden... Es gibt manche Menschen, die so unruhig sind, daß sie sich zermalmt fühlen, sobald sie zu arbeiten aufhören, denn je mehr Muße sie haben, um so verzweifelter werden sie inmitten des Gelärms ihrer Herzen.‹

Der hl. Thomas akzeptiert das und sagt anschließend, daß ›jene, die zu einem intensiven Erleben der Dinge neigen, weil sie ein aktives Temperament besitzen, manchmal besser für das aktive als für

[1] Victor White, How to Study, London 1966, S. 18ff.

das kontemplative Leben geeignet sind‹, während jene, die ›zur Ruhe veranlagt sind, besser geeignet sind zur Meditation‹, in einem solchen Grade sogar, daß sie degenerieren, wenn man von ihnen nichts als Arbeit verlangt! (Questio 183, art. 4)

Sie sehen, ich glaube, wir brauchen das Unterscheidungsvermögen eines Gregor und eines Thomas, wenn wir nicht Gefahr laufen wollen, eine Lebensform, die für Sie und für mich die richtige ist, auch auf Menschen zu übertragen, die nicht für sie geeignet sind und für die sie nur eine Belastung wäre.«

»Ganz Ihrer Meinung, Marcus. Ich habe schon gesagt, daß jeder Mensch einmalig ist und daß es für verschiedene Menschen verschiedene Lösungen braucht. Die Menschen müssen sich mit ihrer eigenen Veranlagung versöhnen. Ich möchte aber in erster Linie betonen, daß jedermann, auch der alleraktivste Mensch, zumindest das Potential zur Meditation in sich trägt und deshalb auch, wenn nicht gerade unbedingt im engeren Sinne einen Meditationsraum, so doch eine ›Ruhezeit‹ benötigt, wie ich das nenne. Lotz bringt das wunderbare Bild eines Rades, das sich an der Peripherie dreht, im Zentrum der Achse aber ruht. Wenn wir das ruhende Zentrum nicht finden, drehen wir uns nur an der Peripherie herum. Ich bin der Ansicht, daß ein Minimum an Rückzug, an Abstand-Nehmen vom Druck der Aktivitäten, an Ruhe und innerer Sammlung notwendig ist, um ein Leben zu führen, das menschlich genannt werden kann.

Unter dieser Voraussetzung bin ich mit dem, was Sie und Ihre berühmten Vorgänger sagen, allerdings einverstanden. Ja, ich möchte Ihre Ausführungen sogar noch etwas weiterführen, denn der eigentliche Grund, weshalb das Gleichgewicht von Tätigkeit und Ruhe bei jedem Menschen neu hergestellt werden muß, liegt für mich darin, daß wir es nicht nur mit sexuellen Impulsen zu tun haben, sondern mit *jeder Art von ungeordneten Impulsen* – der Buddhist nennt sie Begierden und der hl. Johannes vom Kreuz spricht von ›appetitus‹. Es gibt Appetit, in einfachster Form auf Nahrung, auf unaufhörliche Bewegung, auf Macht, ja sogar auf intellektuelle Befriedigung, wie auch auf Sex. Derartige Formen von Appetit müssen wir in unsere Gewalt bekommen und zum Schweigen bringen; das sind die wilden Tiere, die wir zähmen müssen. Ich erinnere an zwei Zeilen von Goethe:

Was euch das Innere stört,
Sollt ihr nicht leiden.

Weil das so ist, kann ich einsehen, daß für viele, vielleicht für die meisten Menschen Art etwas außerordentlich Wichtiges ist, daß für sie wichtigste Arbeit ist, ihre Begierden zu bekämpfen. Denn jede intensive Arbeit, und ganz bestimmt jede Arbeit mit Menschen, verbraucht zweierlei: erstens die eigene Vitalkraft; man wird einfach müde oder gar erschöpft – und zweitens, im Falle einer Sozialarbeit, die Energie und die Kraftquellen des Liebens und Mitfühlens. Ich kann bei mir selbst zweifellos feststellen, daß ich weit weniger von sexuellen Bedürfnissen in Anspruch genommen werde, wenn ich so hart wie möglich arbeite. Ferner ist ein von Liebe getragenes Geben und Nehmen selbst eine Erlösung gerade auch des sexuellen Impulses.«

»Ich bin froh, daß Sie nun auf den Grund des Themas stoßen, Hans, und daß Sie zum Ausdruck bringen, daß Ihre ›gelassene Lebensweise‹ und Ihre Arbeitsweise in Wirklichkeit Sache eines unbarmherzigen Kampfes mit den tiefsten und dunkelsten Begierden und Ängsten der menschlichen Natur ist. Es freut mich auch, daß Sie zumindest einen Nebenhinweis auf die Tradition des Ostens machten, indem Sie den Ausdruck ›Begierde‹ (cravings) gebrauchten. Denn ich habe den Eindruck, wir reden nun über etwas, was in der östlichen wie westlichen Tradition die gleiche wesentliche Rolle spielt.

Auf den ersten Blick erscheinen die östlichen und westlichen Traditionen einander auffallend ähnlich. So finden wir im Westen eine Unterscheidung zwischen dem aktiven und dem kontemplativen Leben, und diese Lebensformen werden durch Gestalten wie Lea und Rahel, Martha und Maria, Petrus und Johannes symbolisiert. In ähnlicher Weise unterscheidet die östliche Tradition zwischen dem Weg der Erkenntnis oder der Weisheit (jnana) und dem Weg des Handelns (karma). Deswegen sagt die *Bhagavad Gita* (III, 3) zum Beispiel:

›In dieser Welt gibt es zwei Wege der Vollendung, o Prinz ohne Sünde: Jnana Yoga, der Weg der Weisheit der Sankhyas, und Karma Yoga, der Weg des Handelns der Yogis.‹

Wenn wir die Sache aber näher ins Auge fassen und untersuchen, wie die Meister beider Traditionen festzustellen suchen, wie diese beiden Wege miteinander zusammenhängen und praktisch verwirklicht werden können, so fällt uns ein subtiler, aber sehr wichtiger Unterschied auf, wie mir scheint. Denn einerseits stellen zwei der großen Meister des Westens diesen Unterschied nicht einfach fest, sondern sie tun es im Zusammenhang mit dem Versuch, die beiden Wege miteinander in Beziehung zu setzen. So schreibt der hl. Augustinus im ›*Gottesstaat* (Buch XIX, 19):

›So ist es Liebe zur Wahrheit, die die heilige Ruhe sucht, aber Zwang der Liebe, der die geschäftige, aber gottwohlgefällige Unruhe auf sich nimmt. Legt niemand diese Bürde auf, mag man seine Muße der Erforschung der Wahrheit widmen, wird sie aber auferlegt, soll man sie um des Zwanges der Liebe willen übernehmen. Doch darf man aber auch in diesem Falle nicht aufhören, sich an der Wahrheit zu freuen, denn sonst würde jener heilige Genuß fehlen und dieser Zwang niederdrücken.‹

Der hl. Thomas faßt diese Lehre im selben Artikel, in dem er sie anführt, zusammen:

›Wir müssen sagen, daß, einfach gesagt, das kontemplative Leben besser ist als das aktive.‹ (Questio 182, art. 1)

Andererseits stellen auch östliche Texte diesen Unterschied fest, lassen aber die Beziehung zwischen den beiden polaren Begriffen unbestimmt. So sagt zum Beispiel die *Bhagavad Gītā* (II, 48) folgendes:

Ergebungsvoll tu jedes Werk
Und frei von irdischer Begier,
Ob gut, ob schlecht der Ausgang sei;
Bewahre stets den Gleichmut dir.

Gut tut, was *eigner* Kaste Pflicht
Erfüllt, selbst wenn ihn dies nicht freut,
Gefährlich spielt, wer das vollbringt,
Was fremde Kastenpflicht gebeut. (III, 35)

Die Lehre, die in diesen Versen liegt, wird in Zaehners *Hinduismus* sehr gut zusammengefaßt:

›In der Bhagavad-Gītā werden dem Menschen, der Befreiung

sucht, drei Pfade zum Absoluten gewiesen: der Pfad des ,Wissens' (*jñāna*), der Pfad des Handelns (*karma*) und der Pfad der *bhakti*. Unter ,Wissen' wird nicht einfach Bücherwissen verstanden, das einen den Upanishaden zufolge nirgends hinführt, sondern das intuitive Begreifen des Brahman. Diese Bezeichnung wird von den Philosophen unterschiedlich gedeutet, aber in der Gītā meint sie das unmittelbare Erfassen der zeitlosen Wirklichkeit und das Untereinanderverknüpftsein aller Dinge, die im ,Großen Selbst' zusammenhängen und daher auch im individuellen ,Selbst', sobald es seiner sterblichen Bande ledig ist. In bezug auf die Gītā von einem ,Pfad des Handelns' zu sprechen, wäre irreführend, denn damit ist nicht gesagt, daß ein tätiges Dasein gegenüber dem kontemplativen Eigenwert besitze, sondern nur, daß es möglich und auch wünschenswert sei, ein kontemplatives Leben zu führen, während man noch dem tätigen Dasein verhaftet ist, sei es nun durch das geheiligte Priesteramt des Brāhmanen, das Kriegshandwerk des Kshatriya, die Geschäftstüchtigkeit des Vaiśya oder den Knechtsdienst des Śudra. Diese Tätigkeiten sind allesamt gut, jede der vier großen Klassen sollte die Pflichten ihres Standes erfüllen, denn darin besteht der von den Gesetzbüchern und dem Willen Gottes vorgeschriebene *dharma*; aber die eifrige Befolgung der Kastenpflicht kann nie und nimmer zur Befreiung führen, denn alles Handeln gebiert selbst die ihm zukommende Belohnung oder Strafe, und die ,Früchte' des *karma* sind bindend, seien sie nun gut oder schlecht. Sie ,haften' am Guten und auch am Bösen und wirken deshalb der Abkehr entgegen, die unumgängliche Voraussetzung der Befreiung ist.‹[1]

So gibt der Westen dem meditativen Leben die Priorität, aber in einer Weise, daß dieses meditative Leben mit dem aktiven Leben in Wechselwirkung steht, was in der östlichen Lehre nicht der Fall ist; der Osten scheint zunächst das aktive und das meditative Leben gleichzustellen, um dann aber darauf hinzuweisen, daß es, um mit Zaehner zu sprechen, möglich und wünschenswert ist, ›ein meditatives Leben zu führen, während man noch in einem aktiven Leben engagiert‹ ist, was schließlich ebenfalls eine tatsächliche Priorität des kontemplativen über das aktive Leben bedeutet. Die anfängli-

[1] R. C. Zaehner, Hinduismus, München 1964, S. 132f.

che Ähnlichkeit scheint sich aber bei näherem Zusehen aufzulösen, und dies ist um so rätselhafter, als (trotz allem) hinter aller Undeutlichkeit irgendwie doch ein gemeinsamer Hintergrund zu sein scheint.

Vielleicht kann dieses Rätsel gelöst werden, wenn man bedenkt, daß die westlichen Meister ihre Einsicht so formulieren, daß sie darauf hinweisen, wie man mit der Zeit umgehen kann und wie man sich verhalten soll, während die östlichen Texte unmittelbar von einer inneren Geisteshaltung sprechen. Wir müssen deshalb zwischen der äußeren Ausdrucksform und dem inneren geistigen Gehalt dieser Ausdrucksform unterscheiden. Dann können wir im Lichte einer solchen Unterscheidung zeigen, daß auch der Osten klarer gesehen hat, was auch Augustinus und Thomas, wenn auch nicht so deutlich, bemerkt haben, nämlich, daß das Wesentliche eine bestimmte Geisteshaltung ist; wir müssen aber auch sagen, daß Augustinus und Thomas ganz zu Recht festgestellt haben, daß dieser Geisteshaltung der Vorrang gebühre und daß sie das Objekt unseres Strebens sein müsse.

Und nun können wir zu charakterisieren versuchen, worin diese Geisteshaltung eigentlich besteht. Wir können vielleicht zunächst sagen, daß sowohl im Osten wie im Westen das Wesentliche im Leben, wie es von Augenblick zu Augenblick verläuft, *weder* die Meditation *noch* irgendeine besondere Aktivität als solche ist; das Wesentliche ist vielmehr eine bestimmte Haltung, welche in unterschiedlicher Weise bezeichnet werden kann: *Hingabe*, Geweihtsein, Selbstlosigkeit, Handeln ohne Rücksicht auf die Früchte des eigenen Handelns, Liebe, Erfüllung des göttlichen Willens, Hingabe an Gott, Selbstaufopferung, Haften an Gott, mit Gott vereinigt sein und deshalb *Yoga* praktizieren, im etymologischen Sinne des Wortes, d. h. im Sinne des Ans-Joch-gebunden-Werdens – ans Joch des Ursprungs und des Endes aller Dinge. All dies muß innere Geisteshaltung werden, und darin liegt die Gelassenheit – welche letztlich Gelassenheit gegenüber dem eigenen engen und besitzergreifenden Ego bedeutet. Um also zu dem, was Sie sagten, zurückzukehren: Die allmähliche Überwindung der Begierden und verschiedenen Gelüste liegt in der Gelassenheit, die dasjenige freisetzt, was innerlich notwendig ist: den inneren Geisteszustand, der sowohl im Westen wie im Osten als Hingabe bezeichnet worden ist.«

»Sie haben meine Ausführungen vertieft und erweitert, Marcus, und das Ergebnis ist, daß ich nun auch eine bestimmte Stelle in der *Bhagavad Gita* etwas klarer verstehen kann; ich wollte sie als nächstes anführen, und jetzt sehe ich, wieviel Kampf eigentlich hinter den so schlichten und beinahe naiv klingenden Worten liegt:

> Doch wer von Haß und Liebe frei
> Betrachtet diese Sinnenwelt,
> Der kommt zu stiller Heiterkeit.

Sie sehen, dieser klassische spirituelle Text verlangt keine totale Abstinenz. Nein, er stellt vielmehr fest, daß es für den Menschen möglich ist, einen solchen Läuterungsgrad zu erreichen, daß er sich seiner Sinnlichkeit hingeben kann, ohne entwürdigt und erniedrigt zu werden.«

»Diese Stelle ist mir bisher entgangen, Hans. Ich lebe aber schon seit langem mit einem Text, der, soviel ich weiß, zeitlich noch hinter der *Gita* zurückliegt. Ich meine die Anfangsworte der *Isa Upanishad*:

> ›Alles, was auf Erden sich regt, wird vom Herrn
> durchdrungen.
> Entsage ihm zuerst, dann genieße.‹

Auf diese Weise übersetzt es Zaehner (S. 198, in seinem *Hinduismus*), aber das wirklich Aufregende dieser Stelle wird erst deutlich, wenn wir realisieren, daß sie auch leicht anders übersetzt werden kann. Das geht daraus hervor, daß Gandhi diese Stelle anders übersetzt hat. Zaehner sagt darüber: ›In späteren Jahren fragte man Gandhi, was er als das Wesen des Hinduismus betrachte, und er erwiderte darauf, daß der gesamte Hinduismus in der ersten Strophe der *Íśā*-Upanishad enthalten sei, die er folgendermaßen übersetzte:

> Alles, was wir in diesem großen Universum sehen,
> wird von Gott durchdrungen.

Verzichte darauf und genieße es.
Begehre niemals Reichtum oder Besitz.‹[1]

Sie sehen, für mich ist das Wesentliche hier, daß Gandhis Übersetzung von einem *Zuerst* und einem *Nachher* spricht: erst verzichte, dann erfreu dich. Es scheint in der konkreten und komplexen Lebenswirklichkeit durchaus möglich zu sein, daß beides vor dem anderen kommen kann, ja, beides kann sogar fortwährend abwechseln oder mit dem anderen vermischt werden, so daß die Geisteshaltung, die uns hier als Ziel unseres Strebens hingestellt wird, sowohl eine Freude *im* Verzicht wie auch ein Verzicht *in* der Freude sein kann – eine Verbindung, die doch gelassen ist, und eine Gelassenheit, welche dennoch von Freude und Lachen durchzogen ist, eine ganzherzige Verbindung mit der Welt, die aber trotzdem so frei ist, als wäre sie ein Spiel. Divina Comedia, das hinduistische *lila* (Spiel), der *homo ludens* (der spielende Mensch) und Śiva Nataraja, der Herr des Tanzes: vielleicht weisen alle diese Bezeichnungen auf eine solche Geisteshaltung hin?«

»Es scheint mir, daß Sie damit zum Kern unseres Themas vorgedrungen sind, Marcus. Ich kann hier in bezug auf die Geisteshaltung, welche durch eine gelassene Lebensweise hervorgebracht werden soll, noch zwei andere Zitate anführen. Das erste stammt von Steiner; es findet sich in einem Zusammenhang, wo er von der Entwicklung des Bewußtseinszustandes spricht, der mit der sogenannten sechsblättrigen Lotusblume verbunden ist:

›Schwieriger als die Ausbildung der beschriebenen Lotusblume ist diejenige der sechsblättrigen, welche sich in der Körpermitte befindet. Denn zu dieser Ausbildung muß die vollkommene Beherrschung des ganzen Menschen durch das Selbstbewußtsein angestrebt werden, so daß bei ihm Leib, Seele und Geist in einer vollkommenen Harmonie sind. Die Verrichtungen des Leibes, die Neigungen und Leidenschaften der Seele, die Gedanken und Ideen des Geistes müssen in einen vollkommenen Einklang miteinander gebracht werden. Der Leib muß so veredelt und geläutert werden, daß seine Organe zu nichts drängen, was nicht im Dienste der Seele und

[1] Zaehner, Hinduismus, S. 190

des Geistes geschieht. Die Seele soll durch den Leib nicht zu Begierden und Leidenschaften gedrängt werden, die einem reinen und edlen Denken widersprechen. Der Geist aber soll nicht wie ein Sklavenhalter mit seinen Pflichtgeboten und Gesetzen über die Seele herrschen müssen; sondern diese soll aus eigener freier Neigung den Pflichten und Geboten folgen. Nicht wie etwas, dem er sich widerwillig fügt, soll die Pflicht über dem Geheimschüler schweben, sondern wie etwas, das er vollführt, weil er es liebt. Eine freie Seele, die im Gleichgewichte zwischen Sinnlichkeit und Geistigkeit steht, muß der Geheimschüler entwickeln. Er muß es dahinbringen, daß er sich seiner Sinnlichkeit überlassen darf, weil diese so geläutert ist, daß sie die Macht verloren hat, ihn zu sich herabzuziehen. Er soll es nicht mehr nötig haben, seine Leidenschaften zu zügeln, weil diese von selbst dem Rechten folgen.‹[1]

Die zweite Stelle, die ich Ihnen gerne zitieren möchte, ist völlig anders im Ton, aber im Grunde bringt sie dieselbe Substanz zum Ausdruck. Kennen Sie Somerset Maughams Roman *Auf Messers Schneide*? Der Roman handelt von einem jungen Amerikaner namens Larry, der nach Erleuchtung strebt. Er ist ein äußerst unternehmungslustiger Charakter, von allem Anfang an frei und doch kein Heiliger – ein Asket, wenn Sie so wollen, aber von Natur und von Veranlagung aus und nicht durch Gnade oder durch Kampf. Er behält immer den Kopf über dem Wasser, obwohl er offen, gesellig und freundlich ist. Er ist sogar von sexuellen Begierden frei, aber wegen seines anziehenden Temperaments fliegen ihm die Frauen nur so an den Hals, und auch ins Bett, und er ist freundlich genug, ihnen entgegenzukommen. Im folgenden beschreibt eine Frau, die sich in ihn verliebt hat, den Gemütszustand dieses jungen Mannes:

‚Ich ging hinauf und zog mich aus, und dann schlüpfte ich über den Gang in sein Zimmer. Er lag und las und rauchte seine Pfeife. Er legte die Pfeife weg und machte mir Platz.‘

Suzanne schwieg eine Weile, und es ging mir gegen den Strich, sie auszufragen. Aber dann fuhr sie fort.

‚Er war ein merkwürdiger Liebhaber. Sehr sanft und zärtlich, männlich, wenn auch ohne Leidenschaft, wenn du verstehst, was

---

[1] Rudolf Steiner, Wie erlangt man Erkenntnisse der höheren Welten? Dornach 1975, S. 135 f.

ich meine, und vollkommen ohne jedes Laster. Er liebte wie ein heißblütiger Schuljunge. Es war eher komisch und ziemlich rührend. Als ich ihn verließ, hatte ich das Gefühl, daß ich weit mehr ihm dankbar sein müßte als er mir. Bei der Türe sah ich, wie er sein Buch wieder aufnahm und dort weiterlas, wo ich ihn unterbrochen hatte.'‹[1]

Hier haben wir also einen Menschen, der offen, freundlich, frei und von den dunklen Seiten des Lebens völlig unberührt geblieben ist und der in natürlicher Weise auf das Leben reagiert.«

»Das bringt uns in schöner und leichter Art von den Höhen, die wir erstiegen haben, wieder herunter, Hans!

Doch Scherz beiseite, aus all dem ergibt sich für mich eine Frage, die ich gerne an Sie richten möchte. Mit all dem sagen Sie im Grunde, daß wir sowohl ein sexuelles wie auch ein meditatives Leben führen können, vorausgesetzt, wir können die Wirklichkeit und die Dringlichkeit der Sexualität im Zusammenhang mit einer konstruktiven Lebensweise erkennen und befriedigen. Würden Sie also sagen, daß in Wirklichkeit zwischen Sexualität und Meditation kein Konflikt besteht?«

»Nein, Marcus, so weit würde ich nicht gehen. Ich würde in dieser Hinsicht zweierlei sagen: Erstens erinnere ich mich jetzt daran, daß viele Menschen, mit denen ich zu tun hatte und mit denen ich gewohnheitsmäßig verkehre, als wichtigen Teil ihres Lebens meditative Übungen machen, aber in der Folge ihrer Übungen keinerlei Konflikte erleben. Das konnte ich mir lange Zeit nicht erklären, und heute kann ich mir das nur erklären, indem ich zwischen Meditation und Kontemplation im engeren Sinne einen Unterschied mache. Ich würde nun sagen: Die Meditation, die die Menschen, die ich meine, praktizieren, bleibt im Leben, das sie führen, eingeschlossen, während die Kontemplation für mich erfordert, daß man sich allmählich von sinnlichen und emotionellen Reizen zurückzieht und sich auf diese Weise dazu vorbereitet, das zu erleben, was der hl. Johannes vom Kreuz das ›reine Licht Gottes‹ nennt, von reinem Geist, jedenfalls in einem gewissen Maße, berührt zu werden, und hier gerät man unweigerlich in Konflikt und Kampf.«

---

[1] W. Somerset Maugham, Auf Messers Schneide, Zürich [2]1947, S. 245 f.

»Die Meditation, wie Sie sie jetzt bestimmen, besteht also für Sie im wesentlichen in einer Konsolidierung des übrigen Lebens, während die Kontemplation eine Herausforderung an dieses Leben bedeutet; die eine ist eine Besiegelung des gewöhnlichen Lebens, die andere ein Ausbrechen aus diesem Leben, und zwar deswegen, weil die Kontemplation ein Sich-Öffnen ist, ein Sich-Hingeben an etwas anderes, an das Andere, das andere Wege geht als die unsrigen? Mit anderen Worten: Sie würden also vermutlich den eindringlichen Worten des russischen Meisters Theophan des Einsiedlers zustimmen, die er in seinem Goldenen Buch über das Gebet niedergelegt hat:

›Gottes Gnade, die bei der ersten Erweckung des Menschen wirksam wird und ihn später während der ganzen Phase seiner Konversion immer wieder aufsucht, spaltet ihn entzwei. Sie bringt ihm eine Dualität innerhalb seiner selbst zum Bewußtsein und befähigt ihn, zu unterscheiden zwischen dem, was unnatürlich ist, und dem, was natürlich sein sollte; und so kann er beschließen, alles, was unnatürlich ist, herauszusieben oder -zutrennen, so daß seine gottähnliche Natur in vollem Glanze erstrahlen kann. Aber ein solcher Entschluß ist offensichtlich nur der Beginn eines solchen Unternehmens. Auf dieser Stufe geschieht es nur durch seinen Willen und mit seiner Absicht, daß er das Gebiet der fremden Unnatürlichkeit verlassen hat, es verwirft und auf eine Natürlichkeit zustrebt, auf die er hofft und die er begehrt. Aber in Wirklichkeit bleibt seine innere Struktur dieselbe wie zuvor – sie ist von der Sünde voll durchdrungen; Leidenschaften beherrschen seine Seele in allen ihren Fähigkeiten und seinen Leib in allen seinen Funktionen, ebenso, wie das auch vorher der Fall war – mit dem einzigen Unterschied, daß er das alles vorher mit Lust und Begierde erwählt und erstrebt hat; jetzt aber wird es nicht begehrt oder erwählt, sondern gehaßt, niedergetreten, verworfen...‹«[1]

»Ja, dieser Darstellung kann ich meine volle Zustimmung geben; was Sie hier so passend zitieren, führt mich auch zu meinem zweiten Punkt, den ich im Zusammenhang mit Ihrer Frage nach dem Konflikt zwischen Sexualität und Kontemplation vorbringen wollte. Sehen Sie, das eigentliche Ziel des kontemplativen Bestrebens ist

---

[1] Theophan der Einsiedler, Die Schule des Herzensgebets, 1985, S. 65

wirklich das Einströmen des ›reinen Lichtes‹, aber dieses Bestreben selbst muß durch den Tumult emotioneller Impulse hindurchgehen und mit den Ungeheuern der Tiefen, besonders, jedoch nicht ausschließlich, mit der Sexualität, aber auch mit dem Zorn, dem Ressentiment usw. konfrontiert werden; in der Tat scheinen solche Dinge durch dieses Bestreben auf erschreckende und furchtbare Weise geradezu provoziert zu werden. Der hl. Johannes vom Kreuz drückt sich darüber sehr direkt und unverhohlen aus:

›Diese ist bei denen, die später, um zur übernatürlichen Liebesvereinigung mit Gott zu gelangen, in die andere weit dunklere Nacht des Geistes eintreten – es treten aber gewöhnlich nicht alle, sondern nur sehr wenige in dieselbe ein –, von schweren Trübsalen und sinnlichen Versuchungen begleitet, die bei den einzelnen nicht von gleichlanger Dauer sind. Einigen naht sicht der Satansengel, der Geist der Unlauterkeit, der ihre Sinne mit heftigen und abscheulichen Versuchungen quält, den Geist mit häßlichen Gedanken und die Einbildungskraft mit so lebendigen Vorstellungen martert, daß es ihnen größere Qual bereitet als selbst der Tod.‹[1]

Auch William Johnston steht ganz in dieser Tradition, wenn er folgendes schreibt:

›Wenn man anfängt, auf einer neuen Bewußtseinsebene tief zu lieben (wie das in tiefer Intimität zwischen Mann und Frau ja oft geschieht), dann kann es geschehen, daß latente oder unterdrückte Kräfte zur Oberfläche des Bewußtseins steigen: Haß, Eifersucht, Angst, Unsicherheit, Zorn, Mißtrauen, Argwohn, Furcht, zügellose Erotik und alles mögliche steigt aus den düsteren Tiefen des Unbewußten empor. Und all das kann, wie man sehr gut weiß, durchaus neben wahrer Liebe bestehen. Diese Gewalt, die in menschlichen Beziehungen entfesselt wird, kann auch in der Beziehung zu Gott entfesselt werden – beides ist nicht so sehr voneinander getrennt, und die göttliche Liebe ist inkarniert. Und man wird nur davon befreit, indem man fortfährt zu lieben. Indem man das eigene Herz in tiefer Stille auf die Wolke des Nichtwissens richtet, löst man sich von diesen turbulenten Störungen; und dann schwinden sie dahin und hören auf, und nur die Liebe bleibt zurück. Durch die Liebe

[1] Johannes vom Kreuz, Die dunkle Nacht, München [3]1940, S. 65.

bis ans Ende, dadurch, daß man über alle Kategorien hinaus zum tiefsten Zentrum vorstößt, befreit man sich von Eifersucht, Haß und allem übrigen. Aber dies ist eine qualvolle Reinigung.‹[1]

Um noch darauf hinzuweisen, daß wir es hier mit etwas Allgemein-Menschlichem zu tun haben, möchte ich Ihnen auch noch eine andere Stelle, aus Prabhavanandas und Isherwoods Kommentar zu Patanjali's *Yoga Sutras* zitieren:

›Wenn ein geistig Strebender beginnt, Konzentrationsübungen zu machen, begegnet er allen Arten der Ablenkung. Es wird einem erst klar, wieviel Mist im Hause ist, wenn man den Dachboden und den Keller aufzuräumen beginnt. Es wird einem erst klar, wieviel Abfall sich angesammelt hat, wenn man den Versuch macht, sich zu konzentrieren. Viele Anfänger lassen sich deshalb entmutigen. ‚Bevor ich mit meinen Konzentrationsübungen begonnen habe‘, sagen sie, ‚sah es in meinem Bewußtsein ziemlich ordentlich und ruhig aus. Nun ist es voller Unruhe und schmutziger Gedanken. Es widert mich an. Ich hatte keine Ahnung, daß ich so schlecht bin! Und bestimmt werde ich noch schlechter, nicht besser?‘ Natürlich haben sie unrecht, die so sagen. Schon allein die Tatsache, daß sie eine geistige Haus-Räumung unternommen und all den Schmutz aufgedeckt haben, heißt, daß sie einen Schritt in die richtige Richtung unternommen haben. Was die Ruhe betrifft, die sie bisher erlebt zu haben meinen, so war sie nichts als Apathie – die Ruhe eines Teiches, der mit Dreck verstopft ist. Für den außenstehenden Beobachter können Faulheit und heitere Gelassenheit – Tamas und Sattwa – manchmal gleich aussehen. Aber um vom einen zum andern zu kommen, müssen wir durch die heftige Unruhe aktiver Anstrengung hindurchgehen – die Rajas-Phase. Der Außenstehende, der unsere Kämpfe und unser Elend betrachtet, sagt vielleicht: ‚Man ist früher leichter mit ihm ausgekommen. Er hat mir früher besser gefallen. Die Religion scheint ihm nicht gut zu bekommen.‘ Das darf uns nicht stören. Wir müssen den Kampf fortsetzen, trotz all der zeitweiligen Erniedrigungen, bis wir jene Selbstbeherrschung erreichen, bis wir in der Lage sind, uns in einem Punkte zu konzentrieren, von welcher Fähigkeit Patanjali spricht.‹« (S. 78 f.)

---

[1] William Johnston, Silent Music, Glasgow 1979, S. 120.

»Ich verstehe, Hans. Es gibt für Sie also einen Prozeß, der eine Stufenfolge der Interessen und Aktivitäten enthält, wobei jede Stufe respektiert und durchgearbeitet werden muß, bevor wir zur nächsten gelangen können: die Emotionen müssen befriedigt und geordnet werden, die sexuellen Begierden müssen beschwichtigt und vermenschlicht werden, es muß meditiert werden, und nur dann können wir hoffen, für die kontemplative Erfahrung offen zu werden. In Wirklichkeit erinnert dieser abgestufte Prozeß sehr an die Stufenfolge, die von der Charakterbildung über die Meditation, die Erkenntnis, schließlich zur Befreiung des Geistes in der spirituellen Einswerdung führt, wovon Sie im 5. Gespräch unserer ersten Gesprächsreihe gesprochen haben. Wir sprechen jetzt von derselben Stufenfolge wie damals, nur daß nun auch das sexuelle Gebiet spezielle Berücksichtigung findet.

In diesem Zusammenhang stellt sich mir allerdings eine Frage. Bis jetzt haben wir darüber gesprochen, wie Sexualität und Kontemplation miteinander im Konflikt stehen, wie sie miteinander versöhnt werden können; aber wir haben nicht darüber gesprochen, ob die Sexualität unter Umständen von der Kontemplation integriert werden kann – ich meine das verflixte Thema der Sublimation. Wir haben uns, wenn Sie so wollen, von der Sexualität *versus* Kontemplation zur Sexualität *plus* Kontemplation fortbewegt, aber wir haben noch nicht an die Frage ›Sexualität *innerhalb* der Kontemplation‹ gerührt. Ich könnte die Frage in die Form der berühmten Vision der hl. Theresa kleiden, die sie in ihrer Autobiographie dargestellt hat und von der Bernini sogar eine Plastik machte:

‚In diesem Zustand schickte mir der Herr zuweilen die Vision eines Engels, der in körperlicher Gestalt zu meiner Linken stand. Dies ist eine große Ausnahme. Engel erscheinen mir zwar recht oft, allein ich pflege sie nicht anders als durch die rein geistige Vision wahrzunehmen. Genug, in dieser Vision war es anders. Der Engel war eher klein als groß, sehr schön und in jenem strahlenden Antlitz, welches den liebeentflammten seligen Geistern der höchsten Ordnung eigen ist. Ich sehe im Himmel einen unbeschreiblich großen Unterschied zwischen den Engeln, aber ihre Namen haben sie mir nicht gesagt. Der Engel hatte einen großen goldenen Pfeil in der Hand, an dessen Spitze ein kleines Flämmchen glühte. Mit demselben durchbohrte er mir mehrmals das Herz bis auf den Grund, und wenn er ihn zurückzog war es mir, als ziehe er mein Leben an sich und entzünde in mir die Flammen der heißesten Liebe zu Gott. Der Schmerz war so heftig, daß er mir leise, klagende Seufzer erpreßte, war aber zugleich mit einer so übermäßigen Wonne verbunden, daß ich weder dessen Ende wünschen, noch eine höhere Befriedigung als die in Gott begehren konnte. Es ist kein körperlicher, sondern ein geistiger Schmerz, an welchem jedoch der Körper zuweilen mehr, zuweilen weniger Theil nimmt. Das Liebesverhältniß welches nun zwischen der Seele und Gott beginnt, ist von so unsagbarer Süßigkeit, daß ich den Herrn bitte, Er möge es in seiner Huld demjenigen zu kosten geben, der da meint, daß ich lüge.'[1]

Das in meinen Augen wirklich Bedeutsame für unser jetziges Anliegen scheint mir zu sein, daß die mystische Erfahrung in ausgesprochen sexuellen Begriffen zum Ausdruck gebracht wird: es wird von der Werbung gesprochen, vom Eindringen des phallischen Speeres, von der Mischung von Schmerz und Lust, so daß wir es hier bei der hl. Teresa mit einer instinktiven Realisation der Tatsache zu tun haben, daß sexuelle Kräfte der Kontemplation nicht entgegenstehen, sondern im Gegenteil ihrem Wesen nach gerade in die mystische Erfahrung integriert werden können. Wir haben es hier nicht mit einem Konflikt, sondern mit einer Umwandlung zu tun, verstehen Sie?«

»Ich verstehe. Das ist wirklich eine interessante Frage. Doch um zunächst Ihren ersten Punkt aufzugreifen: Ich würde nicht nur sagen, daß die Stufenfolge oder -leiter des Fortschritts vom sexuellen Leben zur Kontemplation, wie ich sie herausgearbeitet habe, dieselbe Stufenfolge oder -leiter ist, die ich früher aufgrund jenes Ausspruchs von Buddha aufgezeigt habe; ich würde noch weitergehen und sogar sagen, daß, insgesamt betrachtet, gerade der Liebesakt vom selben Gesetz des Fortschritts geprägt ist wie der Akt der Kontemplation und daß er auf diesen geradezu hindeutet.

Sie erinnern sich vielleicht daran, daß wir vier Stufen des spirituellen Erkenntnisweges charakterisierten: moralische Selbsterziehung, Meditation, Kontemplation und mystische Vereinigung, auf der Stufe, wo der Geist frei wird. Nun lernen wir im Liebesakt in

[1] Leben der hl. Teresa von Jesus, nach der Originalausgabe von Don Vicente de la Fuente, aus dem Spanischen von Ida Gräfin Hahn-Hahn, Mainz 1867, S. 295 f.

erster Linie den andern Menschen mit Rücksicht, Gefühl, Takt zu behandeln – es geht zum Beispiel nicht, daß sich der Mann der Frau wie eine Dampfwalze nähert, wie eine Frau mir gegenüber einmal in bezug auf ihren Gatten klagte. Dies entspricht Buddhas Stufe der Selbsterziehung. Dann dürfen wir im Liebesakt auch nicht einfach auf das begehrte und geliebte Objekt zueilen, wir müssen uns ihm sachte nähern, uns allmählich zu ihm hintasten, es finden und in es eindringen. Dies entspricht Buddhas zweiter Stufe, der Stufe der Meditation, denn auf dieser Stufe handelt es sich darum, uns an die Dinge sachte heranzutasten, sie miteinander abzuwägen, sie zu untersuchen und sie kennenzulernen. Die dritte Entsprechung ist ganz offensichtlich, denn das Zentralwort, das die Bibel für den Geschlechtsverkehr gebraucht, ist ›Erkennen‹: Er drang in sie ein und erkannte sie. Damit entspricht diese Phase des Geschlechtsverkehrs, wo wir genügend auf das Erlebnis vorbereitet sind, daß wir den anderen im Liebesakt erkennen, Buddhas dritter Stufe, der Stufe der intuitiven Erkenntnis. Und schließlich entspricht der gemeinsame ekstatische Höhepunkt des Liebesaktes Buddhas vierter Stufe des mystischen Einsseins. Gleichzeitig muß ich aber festhalten, daß die kontemplative Erfahrung sich vorwärtsbewegt und in Entwicklung und Verwandlung begriffen ist, während der Liebesakt meiner Ansicht nach etwas Erfreuliches und für manche Paare etwas Ideales darstellen kann, obwohl er im wesentlichen repetitiven Charakter hat. Er *ist* nicht der mystische Pfad, sondern lediglich ein Schatten von ihm; er ist wie eine Vorahnung des spirituellen Lebens.

Ich stelle fest, daß ich noch immer vor der ungelösten Frage stehe, warum sehr oft gerade Menschen, die sexuelle Ekstasen erleben, so häufig unspirituell und allem Spirituellen gegenüber verschlossen sind. Ich kann mir das nur zu erklären versuchen, indem ich annehme, daß zwar der Keim einer solchen spirituellen Offenheit in jedem Menschen liegt, daß es aber von den verschiedensten Ereignissen und Faktoren abhängt, ob er auch tatsächlich in das Reich des Spirituellen emporzublühen beginnt. Das zeigt mir die Bedeutung, die ein Berater haben kann, aber auch die Grenzen, die ihm gesetzt sind. Denn er kann durch seine Erkenntnis oder durch sein Ignorieren der spirituellen Dimension seiner selbst diesen Keim- und Wachstumsprozeß fördern oder hemmen. Gleichzeitig ist es im Grunde nicht seine direkte Aufgabe, diese spirituellen Möglichkeiten anzusprechen, während es dagegen unmittelbar die Aufgabe des Priesters ist, wie wir bereits feststellten. Wir müssen also einsehen, daß der Therapeut als solcher vermittels seiner Schulung und seiner Weltanschauung nie über den Bereich des gewöhnlichen psychischen Gleichgewichts und der natürlichen Weisheit hinausgeht. Es liegt an jedem einzelnen, zu realisieren, daß es außerhalb dieses Bereiches noch etwas anderes gibt – und dies zum Bewußtsein zu bringen kann vielleicht der Priester anregen.

Bleiben wir aber beim Berater, so möchte ich betonen, daß er sich dieses Potentials für das Spirituelle in uns wie auch der außerordentlichen Tragweite dieses Potentials wohl bewußt sein sollte. Und dies führt mich zum Hauptteil meiner Antwort auf Ihre Frage. Sie fragten, ob es möglich sei, daß die Sexualität in irgendeiner Weise *in* Kontemplation verwandelt werden könne, ob die sexuellen Impulse und Kräfte in spirituelle Energie umgewandelt werden können.

Ich habe bereits darauf hingewiesen, daß gerade, wenn ein Mensch den kontemplativen und mystischen Raum zu betreten beginnt, sexuelle Kräfte konzentriert werden. Es ist, wie wenn sich diese Kräfte bedroht fühlten und sich deshalb zum Widerstand rüsten, aber *gerade deswegen* auch für den Sieger verfügbar werden.

Gleichzeitig scheint sich die Absorption sexueller Energien in verschiedenen Graden zu vollziehen. In diesem Zusammenhang hat mich der Unterschied, in Ton und Sprache, etwa zwischen einem Augustinus einerseits und dem hl. Johannes vom Kreuz und der hl. Theresa andererseits immer fasziniert. Betrachten Sie zum Beispiel die folgende Passage aus Augustinus' *Bekenntnissen*:

›Aber was liebe ich, wenn ich dich liebe? Nicht Körperschönheit und vergängliche Zier, nicht den Strahlenglanz des Lichtes, so lieb den Augen, nicht köstlichen Wohllaut so vieler Instrumente, nicht den süßen Duft von Blumen, Salben und Spezereien, nicht Manna und Honig, nicht Glieder, die zur Umarmung locken – nein, das liebe ich nicht, wenn ich dich liebe, meinen Gott. Und doch ist's eine Art von Licht, von Stimme, von Duft, von Speise und von Umarmung, wenn ich meinen Gott liebe, Licht, Stimme, Duft,

Speise, Umarmung meines inneren Menschen... Was da meiner Seele leuchtet, faßt kein Raum, was da erklingt, verhallt nicht in der Zeit, was da duftet, verweht kein Wind, was da mundet, verzehrt kein Heißhunger, was da sich eint, trennt kein Überdruß. Das ist's, was ich liebe, wenn meinen Gott ich liebe.‹[1]

Das ist sehr schön, aber es ist immer noch gesättigt von der Erinnerung an die Sinneserfahrungen. Vergleichen Sie das mit dem hl. Johannes vom Kreuz oder der hl. Theresa:

›Deshalb muß die Seele es gering anschlagen, daß ihre Vermögen die Tätigkeit einstellen und sich freuen, daß dies möglichst schnell geschehe. Denn wenn die Seele der Wirksamkeit der eingegossenen, von Gott mitgeteilten Beschauung kein Hindernis in den Weg legt, erquickt sie der Herr mit größerer Friedensfülle und bewirkt, daß sie vom Geiste der Liebe sich entzünde und entflamme, den diese dunkle und geheimnisvolle Beschauung mit sich bringt und der Seele mitteilt. Denn die Beschauung ist nichts anderes als ein geheimnisvolles fried- und liebevolles Einströmen Gottes, welches, wenn man es nicht hindert, die Seele mit dem Geiste der Liebe entflammt, wie sie es durch den folgenden Vers zu verstehen gibt:

‚Entflammt von Liebessehnen.'‹[2]

›Alles, was der Herr hier zum Wohl der Seele tut und was er ihr zeigt, geschieht in solcher Ruhe, so völlig lautlos, daß es mich dünkt, es sei wie beim Bau von Salomons Tempel, wo kein Geräusch zu hören war. Ebenso ist es in diesem Tempel Gottes, in dieser seiner eigenen Wohnung, wo er und die Seele sich aneinander in tiefster Stille erfreuen. Da ist kein Grund zu Geschäftigkeit, und der Verstand hat hier nichts zu suchen. Der Herr, der ihn schuf, will ihn hier ruhen lassen, und nur durch einen kleinen Spalt soll er sehen, was da geschieht. Manchmal wird ihm diese Sicht zwar versperrt, so daß er nichts mehr gewahren kann, aber doch nur für ganz kurze Zeit; denn meines Erachtens verlieren sich diese Fähigkeiten

---

[1] Augustinus, Bekenntnisse, übers. von W. Thimme, Zürich 1950, S. 251
[2] Johannes vom Kreuz, Die dunkle Nacht, München [3]1940, S. 46f.

hier nicht. Sie sind jedoch untätig und gleichsam vor Staunen erstarrt.‹«[3]

»Die Stufenfolge geht für Sie also selbst innerhalb des kontemplativen Reiches weiter, Hans? Das scheint mir sehr interessant. Das Wesentliche dabei ist diese Idee der Folge von Stufen. Dabei kommt mir der Gedanke, daß die Lebensart und die Art der menschlichen Entwicklung, die Sie ins Auge fassen, eine auffallende Ähnlichkeit hat mit dem, was in die Organisation der Hindu-Gesellschaft in zentraler Weise eingebaut worden ist. K. M. Sen, ein Schüler von Tagore, stellt dies in seiner wunderbar schlichten Darstellung des Hinduismus in dem gleichnamigen Buch folgendermaßen dar:

›Entsprechend der Hindu-Lehre besteht das ideale Leben in vier Stufen (ashrams): *Brahmacarya*, die Phase der Disziplin und Schulung, *Garhasthya*, das Leben des Haushaltführenden und aktiven Arbeiters; *Vanaprasthya*, der Rückzug zur inneren Lösung von festen Banden; und schließlich *Sannyasa*, das Leben eines Einsiedlers. *Brahmacarya* ist eine aktive Periode der Ausbildung und der harten Arbeit... *Garhasthya* wird nicht als eine weniger wichtige Lebensperiode betrachtet als die späteren Perioden, obwohl die Kommunikation ein so wichtiger Hindu-Wert ist. In gewissem Sinne gilt Garhasthya als Hauptstütze der vier *Ashrams*, denn es verleiht der ganzen Struktur Einheit und Zusammenhang, und die anderen *Ashrams* hängen von ihm ab. Der Hindu soll auf dieser Stufe das tätige Leben eines Verheirateten führen, und hier spielen die Ideale des Gemeinschaftslebens eine besondere Rolle. Es wird oft behauptet, das Hindu-Ideal bestehe in der Untätigkeit, aber in Wirklichkeit hat ein beträchtlicher Teil der Hindu-Schriften den Wert eines tätigen Lebens zum Gegenstand... Erfolg in der zweiten weltlichen Phase des Lebens wird jedoch nicht als genügend erachtet... Die Erfolge in der materiellen Welt, so groß sie auch sind, werden nicht für genügend erachtet, und hier kommt nun das Ideal des *Moksha* oder *Mukti* ins Spiel. Dieses Ideal der Befreiung ist kein negativer Zustand. Es ist ein Zustand der Vollkommenheit, der Seinsfülle, frei von Banden des *Karmas* und damit auch von der Wiedergeburt...

---

[3] Teresa von Avila, Die innere Burg, hg. und übersetzt von Fritz Vogelgsang, Stuttgart 1966, S. 204

Auf der dritten Stufe soll der Hindu seine Bindungen zum sozialen Leben lösen; es ist die *Vanaprasthya*-Stufe. Und später soll er schließlich das Leben eines Einsiedlers führen – *Sannyasa*. Und so wird der Verzicht zu einem wichtigen Teil des idealen menschlichen Lebens ...‹[1]

Diese Ausdehnung Ihrer Erkenntnis auf die Strukturierung des sozialen Lebens der ganzen Gemeinschaft ist für mich als römisch-katholischen Menschen besonders faszinierend. Denn indem diese Einsicht strukturbildend wirkt, läßt sie sich zum Beispiel in einer römisch-katholischen Lebensführung verwirklichen. Die römisch-katholische Auffassung versucht beide Werte zu verbinden und zu respektieren. Sie empfiehlt aber im Gegensatz zum Hinduismus, in dem die Enthaltsamkeit das höchste Ideal für alle darstellt, nur wenigen Menschen diese Alternative. All jenen, die Priester werden wollen, erlegt sie die Enthaltsamkeit als Lebensform auf, sogar bevor sie das Alter sexueller Reife erlangt haben: sexuelle Enthaltsamkeit ist in der römisch-katholischen Auffassung eine Methode des Reifens und nicht eine Frucht davon. Aus all dem, was Sie bisher ausgeführt haben, Hans, würde ich aber entnehmen, daß Sie einen solchen Gedanken vollkommen ablehnen, da er gegen die menschliche Natur und gegen das langsame Ausreifen und Entwickeln des Charakters gerichtet sei? Um zum Ausgangspunkt von heute morgen zurückzukehren: Ganz offen gesagt: an diesem Punkte wird die Frage von Sexualität und Kontemplation zu einer täglichen Angst. Deswegen hat mich vieles von dem, was Sie sagten, persönlich schmerzlich berührt.«

»Auch mich berührten Ihre anfänglichen, mehr persönlich gehaltenen Bemerkungen schmerzlich, beinahe unerträglich schmerzlich. Doch, wenn Sie mir das zu sagen erlauben, dies stützt in Wirklichkeit meinen Gesichtspunkt. Ich habe bereits gesagt, daß ich das Zölibat schätze. Ich möchte aber hinzufügen, daß dieses wahrhaft edle Ideal nur von wenigen angestrebt werden kann. Ich muß hier zum Beispiel wieder an meinen geliebten Johannes vom Kreuz denken, der sicherlich sexuelle Versuchungen gekannt hat, wie gerade seine schlichten Worte zeigen, der aber auch die Gabe hatte, sie zu

---

[1] K. M. Sen, Hinuism, Middlesex 1981, S. 22f.

überwinden und damit vor die anderen Menschen ein sublimes Ideal hinzustellen, dem wir, jeder auf seine Weise, nachstreben können. Ich persönlich glaube, daß schon seine körperliche Konstitution – und für mich ist es wichtig, daß er von sehr kleiner Gestalt war – einen ganz besonders feinen und zart ausbalancierten Charakter haben mußte, so daß er sich von seinem Körper nicht gestört oder belastet fühlte. Aber dazu war er noch sehr spirituell veranlagt. Ich glaube jedenfalls, daß dies ein Weg ist, den nur wenige begehen können, und daß wir das Ideal für die meisten Menschen so modifizieren müssen, daß es für sie in erreichbare Nähe rückt. Jedenfalls habe ich in meiner beruflichen Erfahrung mit Priestern, Mönchen und Nonnen und jenen, die nach dem Zölibat streben, so viel menschliches Elend, ein solches Chaos von Perversionen und Ersatzhandlungen, einen derartigen Zerfall des persönlichen und auch des religiösen Lebens von Menschen erlebt, daß ich nicht deutlich genug vor der Engstirnigkeit eines Systems warnen kann, das dem Menschen ohne Rücksicht auf seine individuellen menschlichen Bedürfnisse, Wunden und Schwächen wie ein Joch auferlegt.«

»Ich weiß, was Sie meinen, aus meiner eigenen Berufserfahrung, Hans, und doch fühle ich mich immer noch gequält oder vielleicht auch bestätigt – ich weiß nicht, was eher zutrifft – von dem Gedanken, daß die Kirche doch nicht mindestens 2000 Jahre lang vollkommen irrte, wenn sie den werdenden Priestern, den Mönchen und den Nonnen das Zölibat auferlegte.«

»Ich verstehe, Marcus, aber ich muß Ihnen dazu einiges sagen, das Sie vielleicht sehr überraschen wird. Denn ich habe eine unendliche Achtung vor der Weisheit der Kirche und der sublimen Lehre ihrer großen Heiligen. Aber ich spreche von der Kirche als von einer Institution, welche gerade als solche unsägliches und überflüssiges Unglück über so viele Menschen bringen kann und gebracht hat, ganz besonders auf diesem Gebiete.«

»Gut, Hans, beschränken wir uns auf die Kirche als Institution. Sie meinen also, eine bestimmte Lebensform, in diesem Fall die Enthaltsamkeit, könne nur als Ausdruck von etwas Erreichtem und Entwickeltem aufgefaßt werden, nicht als *Erübung* dessen, was man *werden* möchte. Bestimmt gibt es im Leben Erfahrungen, auf die man sich nicht in angemessener Weise vorbereiten kann und auf die wir uns deshalb einfach einlassen müssen. Wir müssen sie zu

›praktizieren‹ beginnen und im Tun von ihnen lernen. Ist zum Beispiel nicht die Ehe eine Beziehungs-Erfahrung, die einem zeigt, wie es um die eigene Fähigkeit bestellt ist, eine gleichwertige gegenseitige Beziehung aufzubauen? Und wird man nicht auch dadurch, daß man Vater oder Mutter wird, allmählich zu dem, was man werden kann? Wie das französische Sprichwort treffend sagt: ›C'est en forgeant qu'on devient forgeron‹ – Durch Schmieden wird man Schmied! Und so gibt es eben Dinge im Leben, scheint mir, Lebensformen, Institutionen, die nicht eine Realisierung oder ein Ausdruck dessen sind, was man schon ist, sondern die den Zweck haben, etwas hervorzubringen, was man erst wird, werden kann. Am Ende können sie auch Ausdrucksformen werden von dem, was man bereits geworden ist, aber am Anfang steht das Handeln aus der Hoffnung heraus, in dasjenige eingeweiht zu werden, was man zu sein wünscht und was man werden kann. Könnte nun also nicht auch die sexuelle Enthaltsamkeit in ähnlicher Weise ein Mittel sein, eine Praxis im Hinblick auf das, was man zu werden hofft, und nicht nur ein Ausdruck dessen, was man bereits erreicht hat? Ich finde es bemerkenswert, daß man selbst innerhalb des Hinduismus eine derartige Auffassung vertritt! M. Hiriyanna gibt dieser Ansicht in seiner hervorragenden kurzen Darstellung der Hindu-Philosophie in folgender Weise Ausdruck:

›Die Andersgläubigen vertraten die Auffassung, daß der Mensch sich ein für allemal von der Welt abwenden solle, wie auch immer die Umstände liegen. Aber die Rechtgläubigen betrachten das asketische Ideal als etwas, was nur allmählich verwirklicht werden kann... Der Unterschied der beiden Ideale wird in frappierender Weise in einem Kapitel des Mahabharata dargestellt, das ‚Gespräch zwischen dem Vater und dem Sohn' heißt. Hier vertritt der Vater, der die Rechtgläubigkeit repräsentiert, die Auffassung, daß die Enthaltsamkeit am Ende der Ashram-Dsiziplin auftreten solle, aber der Sohn kann ihn für seine Ansicht gewinnen, daß es der Gipfel der Unweisheit sei, inmitten der vielen Ungewißheiten des Lebens eine derartig aufschiebende Disziplin zu befolgen, und daß es weiser sei, sich von allen weltlichen Banden mit einem Schlage zu befreien.‹[1]

[1] J. M. Hiriyanna, Outlines of Indian Philosophy, London 1932, S. 20f.

Schließlich haben Sie selbst bereits festgestellt, daß die Kontemplation, gerade wenn sie im Kontext des sexuellen Lebens stattfindet, eine ›gelassene Lebensweise‹ erfordere und daß die reinigende Wirkung der Arbeit auch eine Verausgabung der vitalen und emotionellen Energie der Liebesfähigkeit mit sich bringen kann. Die Praxis der Enthaltsamkeit könnte deshalb auch als eine Ausdehnung der gelassenen Lebensform und als Kultivierung dieser Liebesfähigkeit aufgefaßt werden.«

»Ich muß schon sagen, Ihre Gegenargumente beeindrucken mich, Marcus. Zumindest zwingen sie mich, bestimmte Dinge klarzustellen.

Erstens: Ich vertrete nicht die Auffassung, daß ein sexuelles Leben – und damit meine ich ein geregeltes sexuelles Leben, wie es in erster Linie in der Ehe stattfindet – auf dem Wege des geringsten Widerstandes liegt. Ich kann mich noch gut erinnern, wie schockiert ich war, als ich während einer Analyse durch den Analytiker erfuhr, die Ehe sei der schwerste Beruf. Wie grün muß ich gewesen sein, daß mich dies überrascht hat! Die Erfahrung hat mich gelehrt, daß ein fortdauerndes sexuelles Leben seine eigenen Anforderungen stellt und u. a. die Notwendigkeit einer Vermenschlichung, um nicht zu sagen, der Vergeistigung der Sexualität mit sich bringt. Gelebte Sexualität ist wirklich ein Übungsgebiet zur Ausbildung charakterlicher und moralischer Fähigkeiten; rücksichtslose Gewohnheiten müssen ausgerottet werden, und Toleranz muß kultiviert werden.

Und wenn ich sage, daß meiner Ansicht nach jeder Mensch durch eine sexuelle Phase hindurch muß, bevor er sexuelle Enthaltsamkeit praktizieren kann, so meine ich damit nicht unbedingt eine lebenslange sexuelle Verbindung. Es gibt auch so etwas, was ich *Zeichen*-Erfahrungen nenne. Ich will Ihnen aus meinem eigenen Leben ein ziemlich harmloses Beispiel geben. Ich kann mich noch sehr lebhaft daran erinnern, wie einer meiner Onkel, als ich fünfzehn Jahre alt war, zu mir sagte, es wäre nun an der Zeit für mich, zu einer Prostituierten zu gehen, und mir auch das Geld dazu gab – ich sehe noch heute die Stelle im Kaffeehaus, wo er mich bearbeitete. Nun, ich suchte gehorsam den Ort auf, wo die Mädchen paradierten, und erhielt ihre Einladung: ›Kommst du mit, Bubi?‹ Aber ich fand sie so häßlich aufgemacht, und sie erschienen mir als so seltsame arme Geschöpfe, daß ich keinen Schritt mehr machen konnte, und das war meine Erfahrung mit Prostituierten fürs Leben. Aber Scherz beiseite: Ich muß nun wieder daran denken, was Steiner einmal Friedrich Eckstein zur Antwort schrieb. Eckstein war, wie Sie vielleicht wissen, ein sehr bemerkenswerter Mann, er war voll von alter Weisheit und man sah ihn im Café Heinrichshof gegenüber der Oper ein halbes Leben lang hofhalten. Steiner erfuhr, daß Eckstein sich dazu entschlossen hatte, um das Leben in seiner Totalität erleben zu können, sich hemmungslos jeglichem Vergnügen hinzugeben. Steiner war entsetzt, aber, und das ist charakteristisch für ihn, er ließ seine Antwort in sich heranreifen, ehe er das folgende schrieb:

›Ihr Brief, soweit er sich auf Eckstein bezieht, hat mich tief erschüttert. Ich weiß zwar seit langer Zeit, daß sich Friedrich Eckstein in einem verhängnisvollen Irrtum befindet. Dieser besteht nämlich darinnen, daß er den Satz: der Mensch muß das Leben in seiner Fülle durchleben, ganz quantitativ nimmt, als wenn derselbe notwendig machte, daß man auch alle zufälligen, akzessorischen Erscheinungsformen der Lebensführung durchlaufe. Dies ist insoferne ein Irrtum, als damit das Mißverständnis gegenüber der Qualität alles Seins verknüpft ist. Auch ich glaube, daß der wahrhafte Erkenntnismensch die Lebens- und Weltsubstanz in allen ihren Formen in sich aufnehmen muß, aber dies muß qualitativ geschehen, durch immer stärkere Vertiefung, nicht durch ein Herumirren in allem möglichen, womit man ja auch nie selig werden könnte, weil es zu einem regress in infinitum führt. Der Erkenntnismensch muß alles erleben, aber es immer am rechten Orte suchen, nicht wo es sich ihm zufällig aufdrängt.‹[1]

Sie sehen, Steiner spricht von einem qualitativen und nicht einem quantitativen Erfahren des Lebens.

Nach allem bisher Gesagten behaupte ich nun immer noch, daß Enthaltsamkeit einfach nicht möglich ist, es sei denn für die ganz Wenigen, und auch dann nur als etwas ganz frei Gewähltes, als etwas, zu dem man aus ganz freiem Entschluß allmählich herangereift ist. Ich persönlich denke, wie die Situation früher auch immer gewesen sein mag, die Menschen sind heute einfach nicht mehr konstituiert wie früher. Schon auf rein physischer Ebene werden heute zum Bei-

---

[1] Rudolf Steiner, Briefe, Bd. I, Dornach 1955, S. 201 f.

spiel die Nervenzentren im Gehirn einfach stärker beansprucht. Nehmen Sie zum Beispiel Kinder: Ich habe seit meinem Erwachsenenalter mit Kindern gearbeitet, und ich muß feststellen, daß sie heute Dinge begreifen können – Auto, Computer, neue Mathematik, die neue Astronomie –, vor denen ich wie ein Dorftrottel stehe. Aber es ist einfach eine Tatsache: Je größer die intellektuelle Arbeit ist – egal, ob akademische Arbeit oder, sagen wir, die Arbeit eines Gehirnchirurgen –, um so größer ist die Nervenbelastung, und um so stärker sind auch die sexuellen Reize, so daß eine gewisse Befreiung einfach notwendig ist. Solche Tatsachen habe ich im Auge, wenn ich von einer Änderung der physischen Konstitution spreche, wenn ich von der Art spreche, wie die Menschen heute inkarniert sind, und wie sie zwischen Körper und Geist ein Gleichgewicht erleben.«

»Nun, Hans, ich muß gestehen, daß ich immer noch hin und her gerissen bin zwischen dem Beweis von soviel menschlichem Unglück, das auf den Versuch zurückzuführen ist, auch jenen Enthaltsamkeit aufzuerlegen, die dazu nicht geeignet sind, und der Auffassung, daß das Zölibat ein sehr wertvoller Teil der ganzen Lebensweise und -erziehung wie auch die Frucht einer solchen Lebensweise sein kann. Es ist mir natürlich klar, daß die Sexualität nicht im Zölibat beschlossen liegt. Aber das Problem des Zölibats bringt die Frage der Sexualität in den Blick und fordert uns auf, darüber wirklich nachzudenken, was die Sexualität eigentlich ist. Ich bedaure es deswegen keineswegs, daß wir die Zölibatsfrage in unserer heutigen Diskussion behandelt haben, auch wenn wir dabei lange verweilt haben.

In bezug auf unser Thema haben Sie, scheint mir, die eine Seite beleuchtet, und zwar aufgrund einer in sich geschlossenen Anschauung von der menschlichen Entwicklung, während ich die andere Seite zu beleuchten suchte, ohne auch nur von ferne eine so überzeugende und ausgeprägte Anschauung zur Stütze vorbringen zu können wie Sie. Und doch habe ich auch den Eindruck, daß wir uns beide von unseren ursprünglichen Ausgangspunkten entfernt haben und uns nun um eine gemeinsame Mittelposition bemühen, die wir aber immer noch nicht ganz erreicht haben. Ich neige zu der Annahme, diese Mittelposition so aufzufassen, daß sie mit einer Anschauung der menschlichen Entwicklung und einer bestimmten Lebensführung übereinstimmt, die zwar sowohl bei der Hindu-

Tradition wie auch bei der römisch-katholischen und bei der orthodoxen Auffassung Anleihen macht, obwohl sie gleichzeitig über diese Auffassungen auch hinausgeht: nach der Hindu-Position ist sexuelle Enthaltsamkeit die Frucht eines sexuellen Lebens, für die römisch-katholische Auffassung kann die sexuelle Enthaltsamkeit Teil eines gesamten Reifungsprozesses sein, und die orthodoxe Position lautet, daß die Ehe auch Priestern offensteht, das Zölibat hingegen Bedingung ist, um Bischof zu werden. Gleichzeitig habe ich aber auch das Gefühl, daß wir damit das Problem immer noch in einer zu äußerlichen Weise angehen. Was wir noch nötig zu haben scheinen, ist eine Vertiefung und Verinnerlichung der bereits geläufigen Unterscheidung zwischen genitaler und allgemeiner Sexualität; ferner muß uns klarwerden – zuerst einfach dem Wesen nach, dann könnte dies auch in entsprechenden Strukturen zum Ausdruck kommen –, daß die Entscheidung und Alternative in Wirklichkeit nicht zwischen sexuellem Leben und sexueller Enthaltsamkeit liegt, sondern zwischen *zwei Arten, die eigene Sexualität zu akzeptieren und darzuleben.* Es könnte sein, daß jene, die uns diesen mittleren Weg zeigen, nicht jene sind, die sich entweder der Ehe oder der Jungfräulichkeit zugewandt haben, sondern jene, die sich in so vitaler Art sowohl von Freundschaften mit dem anderen Geschlecht als auch von Gott angezogen fühlen, daß sie sich für den Status des Unverheirateten entschieden haben, einfach als eine Form, ihre Sexualität darzuleben. Weil solche Menschen sich nicht von rein äußerlichen Normen und Forderungen weder des einen noch des anderen Status beirren lassen, können sie sich auf die einzige wesentliche Sache konzentrieren, die ihre fortwährend sich erneuernde Entscheidung tragen kann: auf die innere Substanz *sowohl* der Ehe *als auch* der geweihten Jungfräulichkeit, auf das Bedürfnis nach anderen Menschen im einen Status, auf das Bedürfnis nach der Quelle aller Selbstheit im anderen Status wie auch auf die Freiheit *innerhalb* der Sexualität beider Lebensformen. Und letzteres scheint mir im Grunde das Wesentliche zu sein: die Freiheit von der zwingenden Macht der Sexualität und deshalb in dieser Hinsicht auch Freiheit als solche; und insofern wir nun von einer Freiheit reden, die über bloße Selbst-Erfüllung hinausgeht, scheinen wir nun wieder bei der Idee angelangt zu sein, den Verkehr mit den Menschen und mit der Welt als ein *Spiel* aufzufassen.

Wie dem auch sei: Ich selbst muß auch weiterhin um eine Antwort kämpfen, sosehr ich mir dessen bewußt bin, daß das Zölibat, das ich zu leben versuche, eine Lebensform ist, die auch verändert werden könnte, so daß mein persönlicher Kampf Teil einer allgemeineren Bemühung sein könnte, das Gleichgewicht zwischen den beiden Arten, die Sexualität darzuleben, auf neue Art herzustellen, und diejenigen, die psychologisch den einen oder den anderen Status zu ihrer Lebensform machen oder nicht machen können, auf eine subtilere und menschlichere Weise voneinander zu unterscheiden.«

»Mit Ihren letzten, sehr persönlichen Worten, Marcus, scheinen wir vollends wieder am Ausgangspunkt unserer Betrachtung angelangt zu sein. Und so denke ich, daß dies die richtige Stelle ist, unser heutiges Morgengespräch zu beenden. Ich möchte zum Schluß nur noch zwei Dinge hinzufügen.

Erstens: Bevor Sie Ihre abschließenden Bemerkungen machten, hatte ich selbst schon daran gedacht, daß wir im Grunde mehr von der mittleren Position zwischen uns haben, als es gelegentlich den Anschein haben mochte. Und im besonderen dachte ich, daß wir uns, wie es scheint, doch in bezug auf zwei wichtige Dinge geeinigt haben: daß die eine oder andere Form der Kontemplation wesentlich zu jedem vollen Menschenleben dazugehört und daß die Voraussetzung zu einem solchen kontemplativen Leben in dem besteht, was Sie unter Hinweis auf den hl. Thomas von Aquino als das Bedürfnis nach ›Ruhe und Stille‹ bezeichnen. Dagegen gingen unsere Meinungen in der Frage auseinander, ob es möglich sei, ›still und ruhig‹ zu sein, ohne die sexuellen Bedürfnisse zu stillen.

Diesen Gedanken habe ich in mir selbst zu formulieren begonnen. Aber nachdem ich nun Ihre abschließenden Bemerkungen gehört habe, wird mir klar, daß ich mit Ihnen darin übereinstimme: Zum eigentlichen Kern unseres Themas sind wir noch immer nicht vorgedrungen, wie Sie gesagt haben. Gleichzeitig glaube ich, daß die Tatsache, daß wir die Frage der Sexualität von entgegengesetzten Ausgangspunkten aus angegangen haben, wie Sie schon zu Beginn feststellten, sowie die weitere Tatsache, daß wir beide unsere ursprünglichen Ansichten tatsächlich modifiziert haben, uns dem Kern des Themas tatsächlich etwas nähergebracht hat. Das ist vielleicht das Höchste, was wir von unseren Gesprächen erhoffen können: uns mit größtmöglicher Gefühlsreinheit und Gedankenklarheit auf gewisse Lebensfragen zu konzentrieren, um dann die weitere Verarbeitung weiteren Gesprächen – und vor allem dem Leben selbst zu überlassen!«

»Gerne schließe ich an dieser Stelle, Hans, sozusagen mit einem Blick, der für das Unbekannte geöffnet worden ist…«

Ein persönliches Schlußwort über Beratung und Freundschaft

Leser, die bis hierher durchgehalten haben, möchten vielleicht die Dinge, jeder auf seine individuelle Weise, miteinander verknüpfen. Jede derartige Verknüpfung von Gedanken und Assoziationen wird natürlich sehr persönlich ausfallen, und ich hoffe, ich werde diesen Prozeß nicht stören, wenn ich im folgenden nun noch meine eigenen Gedanken hinstelle, wie sie mir beim nochmaligen Durchlesen unserer bisherigen Gespräche gekommen sind. Ich möchte damit einen solchen Prozeß des inneren Verknüpfens nur fördern, nicht von ihm ablenken.

Mensch sein heißt mindestens einer von zweien sein, Mensch werden erfordert, von einem anderen Kenntnis zu nehmen. Immer wieder kehrte ich zu jener fruchtbaren Intuition von John Mac Murray zurück, daß ›die Einheit der Person nicht im *Ich*, sondern im *Du und Ich*‹ bestehe.[1] Sich als Mensch zu fühlen schließt das Bewußtsein ein, eine von zwei Hälften zu sein. Unserem Selbst können wir allein nicht genügen. Jeder Mensch, der einmal verliebt war, wird das wissen. Einer der großen Dichter von Liebeslyrik, E. E. Cummings, hat diese Entdeckung auf ganz eigene Weise zum Ausdruck gebracht:

›Eins ist nicht die Hälfte von Zwei. Zwei sind die Hälften von Eins: und wenn die Hälften sich verbinden, tritt nicht Tod ein und nicht Quantität.

Die andere Hälfte zu finden, ist der erste Schritt auf dem Wege zur Ganzheit.‹

Aus diesem Grunde ist das Gespräch eine Verwirklichung des eigentlichen Menschseins. Wir lassen uns auf Gespräche ein, weil

[1] John Mac Murray, Persons in Relations, London 1961, S. 61

wir dialogische Wesen sind. Mit jemandem zu sprechen, und letztlich mit jemandem zu spielen, heißt unser Menschsein zu praktizieren. Das Gespräch ist die Daseinsform unserer Menschennatur, bevor es literarische Technik wird, bevor wir es als etwas Ablenkendes, wenn nicht gar Problematisches suchen... Daß es sich auch als literarische Form eignet, beruht auf seiner ontologischen – mein Freund Dr. Schauder würde sagen: auf seiner archetypischen – Natur.

In diesem Lichte gesehen kommt das Charakteristische und Wichtige an der Beratungstätigkeit oder an der Psychoanalyse ganz besonders deutlich zum Vorschein. Denn es ist beide Male ein Dialog und als solcher die Betätigung unserer dialogischen Natur. Zugleich handelt es sich aber nicht um einen einfachen, ungestörten Dialog, sondern um einen solchen, der die Störungen eines reibungslosen Verlaufs in prinzipieller Weise miteinbezieht. Es ist wie eine Übung zum vollen Dialog. Das zeigt sich gerade auch daran, daß das Therapiegespräch haltmacht, um auch an den Knoten in einer Beziehung zu arbeiten, und deswegen hat es einen Sinn und einen Wert in sich selbst. Es ist konzentriert. Es ist prinzipiell frei von Ablenkungen des ziellosen Geplauders, des bloßen Geschwätzes, der Ego-Trips, die auch Ego-Trips zu zweit sein können. Dadurch ist es abgegrenzt, es hat seine eigenen Grenzen. Und so ist es ein Gespräch, das sich zunächst auf verschiedenen Ungleichheiten aufbaut, sich aber immer mehr auf eine für beide Beteiligten annehmbare Basis zubewegt. In diesem Sinne kann es als eine Art der Initiation in das Wesen eines echteren Menschseins aufgefaßt werden. Wir können nun besser verstehen, weshalb die Gesprächstherapie – jedenfalls, wenn sie ein integrierender Bestandteil der Aktions-Therapie ist – eine privilegierte Stellung einnimmt. Wie jedes echte Kunstwerk ist auch das Gespräch für das »Leben«: ein Spiegel der tieferen Lebensstrukturen, der bewirkt, daß das Leben gleichsam zu sich selbst zurückkehrt, bewußter wird, freier dahinfließend, mit mehr Mitgefühl.

Die konzentrierte Form des Lebens, welche die Therapie darstellt, soll uns also genauso zum normalen Leben zurückführen wie die Kunst. Und doch bleibt ein Unterschied zwischen dem Leben in seiner privilegierten Form und in seiner diffuseren Alltagsform. Gleichzeitig bleibt unser Bedürfnis nach dem Gespräch bestehen, ja es verstärkt sich sogar noch. Und so tritt hier eine weitere Konsequenz unseres dialogischen Wesens zutage. In dem Maße, wie die Therapie das dialogische Potential eines Menschen mit Erfolg herausholen kann, in dem Maße arbeitet sie mit der Beziehungsfähigkeit in uns allen; dann muß sie den anderen Menschen seine Erfüllung auch anderswo suchen lassen, denn der Berater kann *als solcher* nicht auch ein Freund im gewöhnlichen Sinne des Wortes sein – obwohl er das werden kann, wenn die spezielle Therapieaufgabe erfüllt ist. Gerade die Erfahrung der Beratungstätigkeit oder der Therapie kann Fähigkeiten entwickeln und Erwartungen wecken, die im weiteren nicht mehr *im Rahmen der Therapie* selbst ihre Erfüllung finden können.

Durch einen jener seltsamen Zufälle, die zweifellos keine wirklichen Zufälle sind, erfuhr ich dies selbst in sehr deutlicher Weise, gerade in der Woche, als ich dieses Nachwort zu schreiben begann. Denn gerade während dieser Zeit endete nach sechs Jahren meine eigene Analyse. Ich hatte schließlich das Gefühl, daß ich vom Ufer stoßen mußte, und doch war es schmerzhaft, dies zu tun – wahrscheinlich weil ich gerade in der Erfahrung der Analysen-Beziehung auf tiefere Weise erlebt habe, was Beziehung überhaupt ist, nur um dann festzustellen, daß mein Analytiker nicht *qua* Analytiker wie ein Freund antworten konnte. Das Bittere, aber auch die Chance bestand darin, anderswo suchen zu müssen.

Und so scheint es wohl in aller Therapie zu sein: Sie weist uns über sich hinaus – in diesem Fall auf die Erfüllung der Beziehung, die in der Freundschaft im gewöhnlichen Sinne dieses Wortes liegt.

Denn eine solche Freundschaft *ist* doch die Erfüllung, nach der wir im Innersten verlangen, nicht wahr? Dies entspricht der Logik unserer natürlichen Veranlagung zum Gespräch, und, was noch wichtiger ist, es entspricht der Logik des Herzens: menschliche Herzlichkeit besteht im Bewußtsein, Hälfte zu sein, und ihr wesensgemäßer Name heißt Freundschaft. Im Lichte dieser gleichermaßen vom Kopf wie vom Herzen gezogenen Konsequenz erscheinen auch die therapeutischen und beratenden Tätigkeiten selbst in einem neuen Licht. Nach den verschiedenen Theorien besteht das Wesen der Therapie im Zuhören, Katalysieren, im Erhalten, Übertragen, im Begleiten usw., doch diese Theorien entstehen und vergehen glücklicherweise auch wieder, da die Wirklichkeit einer menschlichen Beziehung viel komplexer und geheimnisvoller ist, als sich irgendeine Schulweisheit träumen läßt. Können wir also nicht einfach sagen, die Therapie bestehe nicht aus diesem oder jenem, sondern aus allen Elementen? Sie besteht nicht im Zugestehen, aber auch nicht im Verweigern, im Betonen, Akzeptieren oder Übereinstimmen, im Untersuchen oder Abwarten, im Konfrontieren, Sich-Anfreunden, im Hinhören oder Sich-Freuen. Nicht aus einem dieser Elemente allein besteht die Therapie, sondern aus allen zusammen. Aber jetzt können wir sehen, wie alle diese Elemente sich wie Proben und Entwürfe für den eigentlichen Fluß der Freundschaft in *allen* seinen Momenten und Positionen ausnehmen. Denn im Wachstum und in der allmählichen Entwicklung einer menschlichen Beziehung haben Ernähren wie Spielen, Aufnehmen und Weitergeben, Verkörperung und Entleerung, Zurückhalten und Befreien, Fußfassen wie Erforschen, der Rhythmus des Sich-Zurückziehens und Wieder-in-Erscheinung-Tretens, des Hineingehens und Herauskommens, des Sich-Verbindens und Wieder-Trennens, die verschiedenen Anknüpfungen und Entflechtungen von Gefühlsbanden – all dies spielt in diesem Prozeß seine Rolle. Alle diese Elemente können wie Begleiterscheinungen und Varianten des zentralen Mysteriums des Selbst und des Anderen betrachtet werden – wie Varianten des Wechselspiels zwischen meiner Mutter und mir, zwischen mir und dir; wie Varianten des Kampfes zwischen Stolz und Unterdrückung, Allmacht und Ohnmacht, Selbstgenügsamkeit und Abhängigkeit, der Sünde Luzifers und der Solidarität der Liebe; als Varianten des Strebens nach Vereinigung ohne Verschmelzung, denn all dies kulminiert in der Freundschaft.

Denn es gibt etwas, was uns auch noch darüber hinausweist. Auch dieser Gedanke bildete sich in mir, während ich unsere Gespräche nochmals durchlas. Im dritten Gespräch sprach Dr. Schauder in sehr ergreifender Art über bestimmte Begegnungen, bei denen in erster Linie das Sich-Anblicken die wichtige Rolle spielt, Begegnungen, die etwas von der Atmosphäre einer Vorherbestimmung um sich haben. Als ich dies wiederum las, kam mir John Donnes Gedicht »Der gute Morgen« wieder in den Sinn. Das Gedicht beginnt mit einer Frage, mit der vielleicht Dr. Schauders Liebende hätten beginnen können:

Ich frag mich ohne Falsch, was du und ich
Getan, bevor wir liebten? Waren wir anhin nicht zwei Entwöhnte?

Und am Ende der ersten Stanze die Antwort:

Wenn jemals Schönheit ich erblickte,
Und wünschte und erlangte sie: es war nichts als ein Traum von dir.

Dies hat schon einen recht metaphysischen Charakter, doch versuchen wir einmal, es auf die wesentliche, darin enthaltene Einsicht, auf eine noch höhere metaphysische Ebene zu versetzen. Der Dichter sieht, wie jede vorangegangene Liebe nur eine Vorwegnahme der endgültigen Liebe zwischen zwei Menschen ist. Können wir diesen Gedanken nicht weiterführen und sagen, daß die zarte, intime und scheinbar vorherbestimmte menschliche Begegnung, wie sie zuweilen eintritt, in sich selbst nur eine Vorahnung der definitiven unmittelbaren Beziehung zu Gott ist?

Wenn das so ist, dann zeigen sich auch gewisse andere Dinge in einer neuen Perspektive. Mehr noch als die Verstandeslogik fordert die Logik des Herzens nach der Ergänzung durch ein dialogisches Du, verlangt sie nach einem ebenbürtigen Herzensgefährten, so daß man, um die Worte der Dichterin Elisabeth Jennings anzuführen, sagen kann: »Ich fühlte mich, erkannte dich«, und doch ist das Herz einer solchen Freundschaft doch noch unruhig – bis es in Gott ruht. Nicht, daß es um eine Alternative ginge: der Freund *oder* Gott. Dies muß ganz entschieden verneint werden. So wie die Therapie uns auf die gewöhnliche Form der Freundschaft vorbereiten und dieses wiederum uns auf die Freundschaft mit unserem höheren Selbst vorbereiten kann, so ist es dessen dringendstes Wünschen und Wirken, uns immer menschlicher und damit auch immer fähiger zu machen, menschliche Beziehungen in allen ihren Formen leben zu können. Ein zum Leben erweckter und menschlicher Mensch – das ist der Ruhm Gottes.

Die Therapie sollte schließlich dahin führen, uns immer menschlicher zu machen, wodurch auch unsere Verbundenheit mit der Welt immer umfassender wird, bis sie darin kulminiert, daß wir

›Gottes Steuermann und Spion‹ werden, wie König Lear sagt; bis wir Gottes Auge, sein echtes Beispiel und Bildnis werden. Aber auch jede spirituelle Erfahrung, die uns geschenkt werden mag, sollte bewirken, daß wir uns zentriert fühlen, damit sie auch in unseren menschlichen Beziehungen zur Blüte kommen könne.

Doch solche Schimmer deuten auf ein anderes Licht und einen anderen Horizont, wie das auch der menschliche Dialog auf seiner intimsten und reinsten Stufe tut. Denn ein wahrhaft menschlicher Dialog von Kopf und Herz tendiert zum Spiel – *krida*. Doch das ist wieder eine andere Sache, für ein anderes Mal…

Marcus Lefébure

Literaturverzeichnis

Werke, aus denen zitiert wurde

von Aquino, Thomas, *Summa theologica*.
Augustinus, *Bekenntnisse*, übers. von W. Thimme. Zürich 1950.
Augustinus, *Der Gottesstaat*, übers. von W. Thimme, Zürich 1978.
Baden, H.-J., *Wissende, Verschwiegene, Eingeweihte*. München 1981.
Buber, Martin, *Ich und Du*, Köln 1966.
Bancroft, A., *Twentieth Century Mystics and Sages*, London 1976.
Bhagavad, Gita, übers. von R. Boxberger. Reclam-Bibl.
Brown, D. & Pedder, J., *Introduction to Psychotherapy*, London 1979.
Igumen Chariton of Valamo, *The Art of Prayer*, London 1966.
Fiedler, L., *Max Reinhardt*, Reinbek 1975.
Finnis, J., *Natural Law and Natural Rights*, Oxford 1980.
Fromm, Erich, *Die Kunst des Liebens*, Frankfurt 1979.
Furlong, M., *Travelling In*, London 1971.
Gadamer, H. G., *Wahrheit und Methode*, Tübingen 1960.
Goethes Werke, textkritisch durchgesehen und kommentiert von Erich Trunz, München [11]1982.
Green, T. H., *Prolegomena to Ethics*, Oxford 1899.
Gregor, Papst, *Moralia in Job*.
Harding, E., *The Way of all Women*, London 1971.
Heyer, C. G., *Der Organismus der Seele*, München 1951.
J. Hiriyanna, M., Outlines of Indian Philosophy, London 1932.
Jacobi, J., *A Jung Anthology*, New York 1953.
James, W., *Varieties of Religious Rxperience*, London 1910.
Johannes vom Kreuz, *Die dunkle Nacht*, München, [3]1940.
Johnston, W., *Silent Music*, Glasgow 1974.
Jung C. G., *Psychologische Betrachtungen*, hrsg. v. J. Jacobi, Zürich 1945.
Klein, M., *Our Aduld World and its Roots in Infancy*, London 1960.
Laing, R. D., *Das geteilte Selbst*. Eine existentielle Studie über geistige Gesundheit und Wahnsinn, Köln o. J.
MacMurray, J., *Persons in Relations*, London 1961.
MacVicar, R., *Healing Through Meditation*, Boness o. J.
Mandel, S., *Rainer Maria Rilke*, Southern Illinois University Press, 1965.
Maugham, S., *Auf Messers Schneide*, Zürich [2]1947.
Merton, T., *Conjectures of a Guilty Bystander*, New York 1968.
Morgenstern, Ch., *Epigramme und Sprüche*, München 1922.
Newman, J. H., *An Essay on the Development of Christian Doctrine*, Middlesex 1974.

Paulus, Brief an die Kolosser.
Prabhavananda & Isherwood, C., *How to know God – The Yoga Aphorisms of Patanjali*, Hollywood 1966.
Reiter, U., *Meditation – Wege zum Selbst*, München 1976.
Rilke, R. M., *Briefe an einen jungen Dichter*, Insel-Bücher Bd. 406, o. J.
Rilke, R. M., *Winterliche Stanzen*, Leipzig 1957.
Rittelmeyer, F., *Die Christengemeinschaft* (letzte Predigt, 1938).
Rogers, C., *Entwicklung der Persönlichkeit*. Psychotherapie aus der Sicht des Therapeuten, Stuttgart 1982.
Rosenberg, A., *Die Zauberflöte*, München 1972.
Sandler, J., Dare, C., Holder, A., *The Patient and the Analyst*, London 1982.
Sen, K. M., *Hinduism*, Middlesex 1981.
Shakespeare, *Henry V., Macbeth, The Tempest*.
Silva, J. & Miele, P., *The Silva Method of Mind Control*, Herts 1980.
Steiner, R., *Die Welt der Sinne und die Welt des Geistes*, Dornach 1979.
Steiner, R., *Wie erlangt man Erkenntnisse der höheren Welten?* Dornach 1975.
Steiner, R., *Briefe*, Bd. I., Dornach 1955.
Swailes, M., *Arthur Schnitzler*, London 1971.
Teresa von Avila, *Leben der hl. Teresa von Jesus, nach der Originalausgabe von Don Vicente de la Fuente*, aus dem Spanischen von Ida Gräfin Hahn-Hahn, Mainz 1867.
Terese von Avila, *Die innere Burg*. Hg. und übers. von Fritz Vogelgsang, Stuttgart 1966.
Underhill, E., *Mystik. Eine Studie über die Natur und Entwicklung des religiösen Bewußtseins im Menschen*, Bietigheim 1973.
White, V., *How to Study*, London 1966.
Williams, H., *The True Wilderness*, Glasgow 1965.
Wilson, C., *New Pathways in Psychology*: Maslow and the Post-Freudians, London 1973.
Winnicott, D., *Playing and Reality*, Middlesex 1982.
Wordsworth, W., *Lines Composed a Few Miles above Tintern Abbey*.
Zaehner, R. C., *Hindu Scriptures*, London 1972.
Zaehner, R. C., *Hinduismus*, München 1964.

HERMANN BECKH

ALCHYMIE

Vom Geheimnis der Stoffeswelt

4. erweiterte Auflage 1987
(photomechanischer Nachdruck der 3. Auflage 1942),
139 Seiten, Leinen mit Goldprägung.
Mit einer bibliographischen Übersicht, einer biographischen Notiz und einem Nachwort herausgegeben von
Willem F. Daems

Fr. 25.–/ DM 29.50, ISBN 3-7235-0429-9, Rudolf Geering Verlag

Inhalt

Seit die Naturwissenschaft als Wissenschaft von der Natur zur Wissenschaft von den Trümmern der Natur geworden ist, kann ein erneuter Zugang zu den Geheimnissen der Stoffesumwandlung nur mit dem intensivsten Erkenntnisstreben gefunden werden.
Hermann Beckh, ehemals Professor der Orientalistik und einer der Gründer der Christengemeinschaft, vollzog mit seiner profunden Kenntnis der esoterischen Alchymie einen der tiefgreifendsten okkulten Prozesse, als er die Geheimnisse des Menschen und des Stoffes zusammenbrachte.
Die Ergebnisse der vorwiegend exoterischen Alchymie-Forschung (Quellensicherung, textkritische Editionen), über die der Herausgeber Apotheker Dr. Willem F. Daems berichtet, sind zwar eindrucksvoll – doch für die esoterische Alchymie-Forschung hat Beckhs Studie immer noch die gleiche Bedeutung wie zur Zeit ihrer Erstveröffentlichung (1931).